CÉSAR FERNÁNDEZ MORENO

OBRA POÉTICA

CÉSAR FERNÁNDEZ MORENO

II. *Querencias* *y otros libros*

Edición, Prólogo, Notas y Bio-bibliografía
de Jorge Fondebrider

OBRA POÉTICA

© 1972, 1976, César Fernández Moreno
© 1991, 1992, 1999, Herederos de César Fernández Moreno
© De esta edición:
1999, LIBROS PERFIL S. A.
Chacabuco 253
(1069) Buenos Aires

Diseño: Claudia Vanni
Ilustración de sobrecubierta:
Tomo I: Alan Jofre, Frente al mar
Tomo II: Alan Jofre, La jaula abierta
Fotografías del autor: Baldomero Pestana
ISBN: 950-639-297-8 (Tomo II)
ISBN: 950-639-295-1 (Obra Poética)
Hecho el depósito que indica la ley 11.723
Primera edición: Junio de 1999
Composición: Taller del Sur
Paseo Colón 221, 8º 11. Buenos Aires
Impreso en mayo de 1999
Verlap S.A. Producciones Gráficas
Comandante Spurr 653. Avellaneda
Provincia de Buenos Aires
Impreso en Argentina - Printed in Argentina

[OBRA POÉTICA]

I
[CONVERSACIONES CON EL VIEJO]

Nací, hermanos, en esta dulce tierra argentina, pero...

Baldomero, "Inicial de oro", 1915

1. *Traído a nacer*

Yo, señores, nací en esta ciudad el 15 de noviembre de 1886, de padres españoles dueños de más que mediana fortuna. A los tres o cuatro años fui llevado a España, donde viví entre el mar y las montañas cantábricas, en la aldea paterna. Pasé en Madrid algún tiempo, de estudiante, en casa de un tío, del que no olvidaré nunca la levita solemne y la chistera de ocho reflejos con que se pavoneaba por la calle de Alcalá arriba y abajo. De esta mi niñez en la península y de mi gran amor por ella proviene este acento español que habréis notado y que me acompañará mientras viva. De regreso a Buenos Aires, cursé el bachillerato en el viejo Colegio Nacional Central y en 1912 me recibí de médico por la Facultad de mi ciudad nativa. Hacía ya tiempo que cometía versos, y más de uno ha de poder leerse todavía en las anchas márgenes del Testut clásico.

Desvanecida por esta época la fortuna familiar y apremiando la vida, con mi flamante diploma bajo el brazo hube de salir a ganármela por esos campos de Dios, y así he gastado una buena parte de mi juventud por la provincia y por La Pampa, ora en un pueblo, ora en otro, y con varia suerte, hasta este año en que me he venido a Buenos Aires, tal vez definitivamente. Me casé en 1919 con una mujer que se llama apenas Negrita, y de la que tengo un hijo radiante que se llama César.

Baldomero, lectura de poemas, Buenos Aires, 1924

nacía en Santander en Buenos Aires
nacía en Huanguelén en Chascomús
nací en tantos lugares casi todos con agua
nací por fin hermanos
en esta dulce amarga picante insípida tierra argentina
cuando empezó mi desarrollo se acabó el del país
una hija me nació de cada oreja
fallecí en una playa de Vigo
me naceré en París con lluvia fina
vuelvo a nacerme cada vez que amo

César, "Argentino hasta la muerte", 1954

Ahora mi mujer ha ido a buscar a César. César pasa su siesta en la casa vieja. Se ha acostumbrado al muro obscuro, a las naranjas de oro, al olor claustral del vetusto caserón. Está por cumplir los dos años; alto, rubio, rosado, se exalta al sol con sus trajes rojos, verdes, como un fruto humano. Entiende todo y habla con todos... En casa, los hombres se llaman "omos"; los caramelos, "quemos"; los dulces, "oyos", y los automóviles se expresan con un sonido gutural y áspero que indica el trompetazo de la bocina, y así.

Baldomero, carta a Enrique Amorim, 1921

> *Luego volverás a ser poeta. Pero otro*
> *poeta.*
> Carta de Enrique a César,
> fines de 1959

hojeando un catálogo de viejos automóviles
aquí aparece el *double phaeton* Ford T modelo 1924
mis primos estancieros decían que FORD era una sigla
Fabricación Ordinaria Rotura Diaria
pero de ese modelo se vendieron quince millones de
        unidades entre 1908 y 1927
y lo que son las cosas
una de estas unidades la compró mi tío Mario el dentista
        que también era artista
y cuando el Ford reposaba bajo el sol de la siesta frente
        a la casa vieja
yo me sentaba solitario en el volante y jugaba a que sabía
        manejar
aprendía para siempre las enigmáticas inscripciones de su
        tablero
on dim off park

César, "Hojeando un catálogo de viejos automóviles", 1967

De las 24 horas del día, una, la del despertar, y otra, la del dormir, las empleo en hacerle rabiar, o reír, en morderle y en que me muerda, en revolcones por la cama o por el suelo como dos diosecillos o como un perro viejo con su cachorro de hocico húmedo y lustroso.

Baldomero, carta a Enrique Amorim, 1921

PARSIFAL

cuando yo tenía dos años y vos le contabas a Enrique,
que jugabas conmigo como un perro viejo con su cachorro
yo creo que estarías pensando en Parsifal
aquel galgo ruso que te regalaron
que te acompañó en tu primer consultorio médico de
        Chascomús
que llevaste luego en tus incursiones por la pampa
y que ya en Buenos Aires tuviste que devolver
para que no sembrara más el terror entre tus últimos
        clientes
destrozando sin misericordia sus ranchos de paja y desde
        luego sus pantalones

a los dieciséis años yo pensaba a mi vez en Parsifal
y le dedicaba mi primer soneto alejandrino
"no alcancé a conocerlo pero lo he amado igual
        —decía yo—
y lo he soñado fiel y ubicuo compañero"
agregando que algún día yo también tendría un perro
        como él
jurándoselo por su hocico "larguísimo y húmedo
        como un río"
y en cuanto a este adjetivo que vos habías usado en tu carta
        a Enrique dejo constancia que yo
no llegué a leer esa carta sino muchos años después
y conste también que nunca pude ser el amo del
        prometido galgo
sino de un perrito sato a quien llamamos "el tonto"

pues bien en el número 381 de la calle Pyrenées
en el barrio de París donde ahora vivimos
muy cerca de casa hay un olvidado restaurant
su dueño es un egipcio a quien yo encuentro parecido
      a vos
y tiene un perro enorme que circula entre las mesas
sembrando el terror entre sus clientes acaso últimos
pero no en mí
porque ese fiel y ubicuo compañero ¿te das cuenta viejo?
se llama también Parsifal

César, 1983

CUANDO SE ACUERDEN DE MÍ

Cuando se acuerden de mí
tras muchos años corridos,
estos mis hijos queridos
puede que piensen así:
Yo siempre lo conocí
entregado a la lectura.
Yo, mirando a la ventura.
Habla. Sonríe. Suspira…
Un cuarto de hora de ira
y cien días de dulzura.

Baldomero, 1926

Dulce o iracundo, era más fuerte que yo, más fuerte que todos. Yo estaba de parte de mi madre. Pero cuando las cosas pasaban exclusivamente entre él y yo, estaba en realidad de su parte... Fue por entonces la primera vez que le mentí.

Se trataba de haber comprado o no caramelos con unas monedas que él me había dado. Cuando descubrió que le había mentido, esperé el más duro castigo. No lo hubo. No ostensible. Durante todo el día no me habló, no me miró. No por cólera: por desencanto. Yo me fui al patio y, mientras pintarrajeaba mi autito con azul de lavar, decidí no mentir nunca más. Desde entonces, nunca miento sin dolor.

César, "Los padres vistos por los hijos", 1957

A CÉSAR DE DIEZ AÑOS

De veras que no sé qué hacer contigo,
oh César, hasta ayer blanda pelusa.
Llena de rebelión está tu blusa
y aunque no quieras ya eres mi enemigo.

Alzo la voz, levanto el dado y digo
esto y lo otro, en fin, lo que se usa...
¡Si hasta te inspira ya contraria musa
y, a tu padre, prefieres a tu amigo!

En medio del hogar roja amapola,
sangre argentina y gala y española,
no seré yo quien tire de tu brida.

Sencillamente me pondré a tu lado,
te enseñaré a ser limpio y ordenado,
y lo demás te lo dará la vida.

Baldomero, 1929

La vida me iba dando recoletos inviernos en Buenos Aires, sabrosos veranos en Chascomús. Él viajaba a Buenos Aires para tomar exámenes. Era prometedor que se fuera, a la tardecita, en la vieja victoria de Signorini; había una expectativa de irresponsabilidad en la férula más tolerante de mi madre: ella exigía menos en todo sentido, era segura mi libertad a la hora de la siesta. Pero pasaban los días y era prometedor que él volviera.

Volvía después de la cena. ¿Ustedes no conocen el andén de la estación de Chascomús? Es una lengüeta enarenada y con cordones de cemento que, bordeada de semáforos, hilos de hierro y un poquito más atrás la pampa bruta, se interna audazmente en la noche. Íbamos todos a buscarlo; yo en mi bicicleta, observando cómo la cubierta de adelante, nueva, rodaba dejando huellas más detalladas que la de atrás. El tren llegaba y jugábamos a adivinar de qué vagón descendería él. Se esperaba tácitamente que trajera algún regalo. Por lo general, no traía ninguno. Pero su venida daba fuerza a las cosas.

César, "Los padres vistos por los hijos", 1957

Le docteur Flaubert donne à son premier-né un destin: et le destin d'Achille ne sera pas même l'avenir mais la personne elle-même de son père. On l'a produit dans le petit monde archaïque de la répétition... Donc, quand il se proposerait d'exceller dans sa spécialité, il accepte au départ d'être inférieur par principe au géniteur. Quand je dis: "il accepte", entendez-moi: c'est un enfant; s'il faut parler à la lettre, il n'accepte ni ne refuse quoi que ce soit... Les dieux lares et le mécanisme, c'est aberrant: le fils cadet cherchera des issues, trouvera les routes barrées, vivra les contradictions jusqu'à l'hébétude.

Jean-Paul Sartre, "L'Idiot de la famille", 1972

FLAUBERT

vos no quisiste transmitirme la medicina como el viejo
       Flaubert a su hijo mayor
acaso quisiste transmitírmela transformada en derecho
lo que papá Flaubert quiso hacer con su célebre hijo
       menor
en todo caso es seguro que me quisiste transmitir la poesía
ella siempre es una porque siempre cambia

entonces vos me pusiste en ese gran sitio de hijo mayor
yo lo acepté como un niño
pero después no me quedaba quieto iba cambiando
       de sitio sin querer
como un trompo que gira pero va desplazando poco a
       poco el eje de su giro
hasta que me encontré completamente en otro sitio
ése donde las contradicciones son vividas hasta lo que
       los médicos llaman el estupor
el sitio del hermano menor

¿pero entonces quién soy yo?
¿el padre o qué hijo?

César, 1983

Como no hallo nada sobresaliente que contar de mi vida, no me queda más que esto de los nacimientos.

Macedonio Fernández, Papeles de Recienvenido, *1929*

BUENOS AIRES

lo trajeron a nacer a Buenos Aires
lo devolvieron por un tiempo a la pampa

era un hijo radiante
lo llevaron a vivir a Buenos Aires

también vivió en Buenos Aires su opaca juventud
allí empezó a ganar un poco de dinero

se quedó dormido
mientras su padre se moría

explicó por escrito largamente
no se sabe por qué
su larga búsqueda de la mujer
algo tan evidente

cruzó con ella el mar
fue quedándose afuera sin darse cuenta

él había tenido dos hijas
entonces tuvo otra más
las tres radiantes

(sigue en la página impar) *

---

* Esta indicación es del autor. Algunos poemas fueron cortados de este modo para favorecer la forma de contrapunto que caracteriza al libro. [N. del E.]

Volví otra vez al campo, cada vez más lejos. Me casé el año diecinueve; anuncióse un hijo, que traje a nacer a Buenos Aires, pero cuya cuna se meció en la pampa, que parecía ondular suavemente para moverla.

Baldomero, "1919: Vida y desaparición de un médico"

explicó por escrito largamente
no se sabe por qué
su largo proceso de maduración política

pero no quiso volver a Buenos Aires
ni siquiera para ver morir a su madre
así que contempló desde lejos
el perfecto desastre de su patria

se jubiló dos veces en sus diversas profesiones
nunca llegó a ser un aventurero

y ahora escribe en un tren esta somera autobiografía
apurado antes de llegar a la estación terminal
que según parece
no es Buenos Aires

César, 1983

¿Entonces, Dios mío,
yo he tenido infancia,
y he tirado piedras
y he saltado vallas
y he robado quimas
de frutas cargadas?
¿Y que esto ha pasado
en una lejana
aldehuela de oro,
allá, por España?

Baldomero, "Infancia", Buenos Aires, 1924

INFANCIA

¿entonces dios mío
yo no tuve infancia
yo no tiré piedras
yo no salté vallas
yo no robé quimas
ni frutas ni nada?
¿y esto no ha pasado
en una lejana
aldehuela de oro
allá por la pampa?

César, París, 1982

yo debí haber nacido contigo y no de ti
haber llegado juntos a la adolescencia
hubiéramos vivido en aquel Chascomús
jóvenes médicos los dos
recorriendo de noche las huellas apartadas
rompiendo al caminar los opacos terrones
tras el alambrado de un hilo
la masticación musical de un caballo
el club social lejano insistía con sus luces

César, "La tierra se ha quedado negra y sola", 1950

yo debí haber nacido contigo y no de ti
eso dije a mi padre cuando ya no me oía
pero visto que había nacido de él
y sin quererlo él
yo de flojo no más
lo estaba dejando hacerme así no más
como ahora me ven
yo debí haberme ido de casa
siendo bastante chico y sin decirle nada
irme a España para probar mis fuerzas
reconquistar para él la casa de sus padres
no para que él viviera siempre allí
sólo para que fuera cuando quisiera

César, "Yo debí", 1965

AGUA

**A veces, hijo mío,
consigues decir: Aba...**

**Un diamante clarísimo
en tu boquita cuaja
y yo escucho el murmullo
universal del agua.**

Baldomero, 1920

EL CHINCHORRO

Mi padre no me permitió aprender a nadar cuando yo era chico, por miedo a que me ahogara en el río.

A mí me dolía mucho esta interdicción del agua donde veía sumergirse con gozo a los compañeros más admirados, a las niñas que me dejaban en tierra sin poder declararles mi naciente amor. Pero me prometía desquitarme tiempo después, cuando fuera dueño de mis actos.

Tiempo después, murió mi padre, pero yo era ya demasiado grande para aprender a nadar, o así me pareció.

Tiempo después, compré un crucerito de unos diez metros, algo viejo pero todavía en buen estado. Yo era dueño de mis actos, y aprendí a manejarlo, aunque seguía sin saber nadar.

Tiempo después invité a dar un paseo por el río a mi madre, a mi hermano y a mi hermana: toda la familia. El paseo fue muy agradable, y cuando atardecía anclamos frente a un recreo del Tigre, para tomar una cerveza a la memoria de mi padre.

Descolgué el chinchorro, que era más bien chicón: sujeto por un cable al crucerito, parecía su hijo, y el padre parecía enorme comparado con ese hijito.

Toda la familia fue bajando y acomodándose en el chinchorro. Cuando ya mi madre, mi hermano y mi hermana se habían sentado en buen orden, yo mismo me dejé caer en él.

El chinchorro se dio vuelta y nos caímos todos al agua. Desde el muelle, alguien tiró un salvavidas. Venía flotando lentamente entre los cuerpos que se debatían, que se hundían. Di un manotazo al salvavidas, me colgué de él, y me

arrastró hasta el fondo, como si fuera una piedra atada a mi cuello.

Fue así como nos ahogamos todos, yo el primero.

¿Has visto, papá?

César, "La vuelta de Franz Moreno", 1975

2. *El hogar en París*

Hay una primera travesía del Océano, a los dos o tres años. Estaba escrito en las estrellas, sin duda, que toda la primera parte de mi vida había de ser viajera.

...Ambas familias han seguido, por otra parte, un paralelismo notable, cuyas alternativas contaré. Embarcaron, pues, en el *Alfonso XIII*. Ellos llevaban también un hijo: mi primo Vicente (Tito). Así, pues, de pequeño, ha recorrido gran parte de España, y cuento con una permanencia, sea como sea, en París, donde, ante una pajarería, me enamoré de un ratoncito blanco que saltaba en su jaula, y como no me lo compraron, me desahogué en una de esas rabietas que hacen perder un tren o una ópera.

...Y por ahí queda o quedaba una fotografía en la Alhambra, en el Patio de los Leones. Las señoras son muy pomposas de polisones y de plumas, de lazos y abalorios, y los dos primos muy sentados en el suelo: un montoncito de encajes y dos caras borrosas.

Baldomero, "1869: Primer viaje a Europa"

EL INFIEL

fue así como París se te escapó
pero ahora lo alcanzaste conmigo
mi cuarto viaje es tu segundo viaje
mi nueva hija es tu "ratoncito blanco"
este nuevo "montoncito de encajes"
sólo que hoy los encajes son de nylon
ella está sentadita en el suelo conmigo
sólo que aún no sabemos recortar papeles

ya lo sé soy infiel soy inconstante
cambio amores salto de uno en otro
pero es así viejo vos lo sabés
se deja de querer a una mujer
se comienza a querer a otra ciudad
nací hermanos en aquella dulce tierra argentina

ya no soy argentino hasta la muerte
o quizá lo que pasa viejo
es que ya me morí
¿acaso vos no?

César, 1971

UN TERO

En un jardín que ignoro, en el barrio de Flores,
intermitentemente pega su grito un tero
agujereando sombras, follajes y rumores,
como una repetida puñalada de acero.

Dará cuerda a mis viejos ramos exploradores
y una chalina al aire y calado el sombrero,
nostálgico de alondras, lacio de ruiseñores,
he de ir en tu busca, silvestre compañero.

Con vigías de hierro, con testigos de piedra,
te hallaré contra un fondo tapizado de hiedra,
quietecito o corriendo en el césped menudo.

Y olvidados de todo, vigilante y tranvía,
hablaremos un rato de la pampa bravía,
de mi canción süave, de tu graznido agudo.

Baldomero, 1939

PASOS

yo no veo por qué no pudiste
llevarme a los prados de Bárcena
sólo por unos días cuando ya era chico
cómo hubieran sonado mis pasos allí
ahogados por la hierba o alzados por la piedra

es que tú ya estabas dispuesto
a morir caminando por tu barrio de Flores
dando cuerda a tus viejos remos exploradores
para buscar al tero del jardín ignorado

y sucede que a mí
esa cuerda me dura todavía
y sigo caminando por este nuevo barrio
voy bailando por estas calles que bailan
resbalando en las cacas de sus perros
escupiendo a París

tenemos aquí un mirlo en un árbol marrón
y él es amigo nuestro como un tero
viene a comer uvas en nuestra mano

cómo hubieran sonado tus pasos aquí
en el apuro involuntario de las cuestas abajo
en la agitación pensativa de las cuestas arriba

yo no veo por qué no podrías venir a casa ahora
aunque fuera sólo por unos días

César, 1969

LA OTRA CIUDAD

Ya canté una ciudad
un poco más oscura.
Ardía casi el gas,
flor movediza y turbia,
y era la luz eléctrica
monótona y minúscula.
Hoy se abre la ventana
a la calle profunda
y toda es una llaga
policroma y madura.
Ahora los colores
han entrado en cintura,
y el cielo y el infierno
en las calles fulguran.
Ahora aclara los barrios
la nueva arquitectura,
y es cada edificio
panal de plata pura,
reverberante al sol
o mojado de luna.
Y véase una estrella
cuando desde la altura
el barandal de cromo
certeramente apunta:
nada como en un río,
se estira y se acurruca.
Todo eso lo abandono,
hijo, para tu pluma.

Baldomero, Buenos Aires, 1938

LA CIUDAD LUZ

cuando llega el otoño
la torre Eiffel disuelve sus hierros en la bruma
diré más la cúpula de los Inválidos se disuelve en la bruma
sentado frente al tiempo verás aparecer y desaparecer el sol
            vacilante
pero hay que creer vuelve la primavera
se va levantando la bruma
comienza la función arriba el telón
es emocionante se va viendo París

pero sucede en los cafés
que te quedás a oscuras al cerrar la puerta del baño
sólo se encenderá la luz hay que creer
al cerrar la puerta y correr su pestillo en las tinieblas
y al pisar el piso de los ascensores
sucede que se enciende la luz hay que creer
y cuando salís por las mañanas
al pisar la vereda sale el sol
hay que creer
y el sol te da ganas de mover el mundo a tu alrededor

llega la noche la Ciudad Luz deviene la ciudad sombra
se encienden de golpe todas las farolas de la rue de Rivoli
las torres comienzan a resplandecer tras las ventanas
los reflectores iluminan la luna
para verla mejor el sábado a la noche

prohibido dejar de ver París
su luz nunca abandona al hombre que vuelve solo a su casa
las lucecitas anaranjadas de los conmutadores
fosforescen tiernamente en la oscuridad
como diciendo al enceguecido hijo pródigo
yo te ilumino yo te salvaré

César, París, 1968

VIEJO CAFÉ TORTONI

A pesar de la lluvia yo he salido
a tomar un café. Estoy sentado
bajo el toldo tirante y empapado
de este viejo Tortoni conocido.

¡Cuántas veces, oh padre, habrás venido
de tus graves negocios fatigado,
a fumar un habano perfumado
y a jugar el tresillo consabido!

Melancólico, pobre, descubierto,
tu hijo te repite, padre muerto.
Suena la lluvia, núblanse mis ojos,

sale del subterráneo alguna gente,
pregona diarios una voz doliente,
ruedan los grandes autobuses rojos.

Baldomero, 1925

VIEJO CAFÉ DE FLORE

A pesar de la lluvia yo he salido
a tomar un café. Y estoy sentado
tras el cristal vibrante y empañado
de este café a poetas ofrecido.

¡Pero tú nunca, padre, habrás venido
de tu vida a trasmano fatigado
a fumar un Gauloise bien apretado
en tu París leído y releído!

Melancólico, acaso más abierto,
tu hijo te trae ahora, padre muerto.
Vuelves a mí, te alejas, te me pierdes,

la lluvia insiste, núblanse mis ojos.
Pasa un clochard sobándose los piojos,
ruedan los grandes autobuses verdes.

César, 1975

A UNA CAJIGA

Bajo de esta cajiga o robla poderoso,
en un lecho de sombras y fresco me cobijo.
Eres como mi padre y yo como tu hijo,
aunque estoy hecho un tallo vacilante y medroso.

¿Es que he sido en la vida cobarde o valeroso?
Líricamente, todo, desolado colijo.
De pronto, entre las hojas, un ave oculta dijo
un arpegio de trinos raudo y voluptuoso.

Pero en último término amparábame España,
la provincia paterna que arrulló mi puericia,
y la sentí en lo hondo más hondo de mi entraña.

La mora y su dulzura, la endrina y su delicia,
el cuento legendario, la vieja y su patraña.
Y me sentí morir en recuerdo y caricia.

Baldomero, 1938

CUATRO ESPAÑOLES

ahora son cuatro españoles en el Dôme
vos viejo los hubieras podido encontrar en el Tortoni
beben cuatro tazas de café
discuten de política española
sus palabras resuenan dominan el bullicio

uno tiene la voz metálica
debe de ser contador
habla de balances de saldos de haber y debe
de números homogéneos y heterogéneos
todo eso referido a la política
otro tiene la voz pastosa uniforme
no se le entiende lo que dice
es como una bocina gastada y trancada

el tercero interrumpe con voz tonante
dice: a mí sólo me importa una cosa
¡que soy español!

el cuarto calla obstinadamente
podría ser Alberto tu hermano español
que era un santo como tantos otros
no sé si alcanzaste a darte cuenta

ahora han pasado casi dos horas
los cuatro españoles se ponen de pie
abren bien sus piernas
se calzan boinas y bufandas

se despiden brevemente en la puerta
cada uno se va por su lado

España los ampara

César, 1968

INOCENCIA

Medio dormido te oigo jugar ruidosamente,
sé que hay en el jardín un sol resplandeciente.
Ahora pienso muy triste, ya del todo despierto:
lo mismo jugarías si yo estuviera muerto.

Baldomero, 1924

NO ES NADIE

algunas veces viejo
ahora que estoy tan lejos
veo entre la gente una cara igual a la tuya
un vendedor de naranjas un mendigo
un árabe muy elegante que penetra en un antiguo edificio
o cualquier otro que camina o que mira una vidriera
acaso pensando en robarla

entonces me detengo junto a los que están conmigo
los que ahora quiero y vos no conocés
mi nueva mujer algunos amigos todavía más jóvenes que
                    los últimos que compartimos
y les digo miren ese rostro
miren ese hombre que parece mi padre

y ellos miran desorientados
miran a cualquiera
mientras yo sigo viéndote a vos mismo
hasta que de pronto esa persona hace un gesto
un gesto con tus rasgos pero no tuyo
y entonces yo les digo

no es nada no es nadie
sólo me pareció
y además ya se fue

César, 1971

JE SUIS UN HABITANT DE MA VILLE...

Je suis un habitant de ma ville, un de ceux
Qui s'assoient au théâtre et qui vont par les rues;
Une voix qu'on entend, une face aperçue
Dont certains ont gardé la forme dans leurs yeux.

Mon vouloir, que jadis je vénérais, n'est rien
Qu'un éphémère élan du vouloir unanime;
Je méprise mon cœur et ma pensée intime:
Le rêve de la ville est plus beau que le mien.

Je n'ai pas le désir enfantin d'être libre;
Mon idéal usé pend après de vieux clous.
Je disparais. Et l'adorable vie de tous
Me chasse de mon corps et conquiert chaque fibre.

Et tandis que j'avais naguère mal au bras
De porter mon paquet d'angoisse, gros et dense,
Avec ce qui me reste encore de conscience,
Je connais le bonheur de n'être presque pas.

Jules Romains, "La Vie unanime", 1908

EL HABITANTE

te acordás viejo de Jules Romains
"je suis un habitant de ma ville" él decía en verso
hablaba por supuesto de París
vos lo citabas en 1917 en la tapa del libro
donde por primera vez alguien hablaba en verso de
          Buenos Aires
ahora yo alzo tu cita de Romains
como pantalla para proyectar tu recuerdo
ahora el habitante soy yo
habito la ciudad de él soy "un de ceux
qui s'assoient au théâtre et qui vont par les rues"

ayer me lo encontré ¿sabés? en una reunión literaria
él ya no va por las calles   .
lo acompañan está muy viejo
como vos estarías ahora si vivieras
me mira con sus ojos glaucos o ciegos
nada le dice el nombre Buenos Aires
apenas algo la palabra París
y se lo llevan viejo
"avec ce qui lui reste encore de conscience
il connaît le bonheur de n'être presque pas"

y yo vuelvo a mis calles que eran de él
vuelvo a ser uno de esos que van por las calles
con su fardo de angustia que tropiezan que caen
boca arriba con todo mi peso con los brazos en cruz

César, 1970

LA TORRE MÁS ALTA

—La torre, madre, más alta
es la torre de aquel pueblo,
la torre de aquella iglesia
hunde su cruz en el cielo.

Dime, madre, hay otra torre
más alta en el mundo entero?
—Esa torre sólo es alta,
hijo mío, en tu recuerdo.

Tu brazo de siete años
alcanzaba sin esfuerzo
una piedra a sus campanas.
Te acuerdas, hijo? —Me acuerdo.

Pero la torre más alta
del mundo, es la de aquel pueblo.

Baldomero, 1924

CORRESPONDENCIAS

escuchá viejo las correspondencias que acabo de establecer
además de la tan mentada paternidad
si acaso la paternidad
es otra cosa que esas correspondencias

la Bárcena de tu padre es mi Huanguelén de vos
y la huerta de Bárcena de tu padre
que como tú dijiste también era la tuya
es la mía también
y la torre padre más alta
es la torre de aquel pueblo
o sea la de mi Chascomús
que viene a ser ahora tu Bárcena infantil
en cambio tu Chascomús juvenil
es mi Buenos Aires juvenil
tu medicina es mi abogacía
y después tu Buenos Aires es mi París
tu avenida de Mayo mi boulevard Saint Michel
tu barrio de Flores mi barrio Latino
tu hogar en el campo mi hogar en París
aquí donde yo hice con esta mujer
el viaje que vos no hiciste con aquélla

(sigue en la página impar)

Contemplando las cosas de este modo
mi manojo de lustros gozaría
si después de viajar y verlo todo

pudiera aprisionar mi poesía
algún excepcional instante humano
o tal paisaje de la patria mía,

sin mengua del querido idioma hispano,
que no puedo olvidar que dos abuelos
duermen en cementerio castellano.

Baldomero, "Epístola de un verano", 1934

y tu trayectoria de la pampa a Buenos Aires
es mi trayectoria de Buenos Aires a París
no cambian más que los medios de transporte
y mi Buenos Aires natal es el tuyo
¿te acordás? allí nos encontramos por primera vez
y allí también nos encontramos por última vez
así que tu Buenos Aires mortal
será también mi Buenos Aires mortal
Buenos Aires me vas a matar
acaso en una esquina de París

sólo La Habana es mía sola
pero tu Madrid será siempre mi Madrid
tu calle del Rubio mi calle Lista
tu prima Angelita su hija mi prima
que yo tampoco puedo olvidar
que dos de tus abuelos que también son los míos
duermen en cementerio castellano
y tú en la pampa blanda de dormir
en un nicho cruzado por telas de araña
donde sólo entra el sol cuando se abre

y el océano entre todos esos lugares
plegando su boca de agua
en tantas olas como sonrisas

César, 1967

De los dos pueblos en que viví en España, ambos en la provincia de Santander, Bárcena fue el principal. Y digo principal porque no solamente era solar de mi padre sino porque allí se deslizaban los días de mi infancia castellana, devanados, como en tres husos melancólicos, en torno de una casa, de una escuela y de una iglesia. El mar y las montañas me daban a diario su lección de grandeza, y el milano, clavado en el azul luminoso, la suya de voluntad. Aprendí a amar a los árboles corpulentos y a comprender a las piedras ingentes, rocas o ruinas. El dialecto montañés halagaba mi oído con su fonética cariciosa y allí se me pegó para siempre este acento castellano que todos habréis notado en mí y que a veces exagero por gala. Declaro que amo con todo mi corazón a aquel rinconcillo montañés batido por el ábrego y en cuyo camposanto descansan dos de mis abuelos.

...Sin embargo, algo había en mí que me aislaba del ambiente. Yo no era montañés como todos mis compañeros. Yo me sabía una excepción. Yo era esa cosa clara y radiante que implica la palabra argentino en su dulce sonoridad. Sospechaba que alguna vez superaría el círculo de montañas para volar a algún punto magnífico de la tierra. Yo suspiraba por mi suave Argentina, con todas las potencias de mi alma aspiraba a la patria desconocida.

Baldomero, "1892-1897: La patria desconocida"

SUEÑO

En este sueño vuelvo de París a Buenos Aires, se supone que definitivamente. Al llegar a Ezeiza tomo un microómnibus rumbo al centro. Después de andar un rato, el micro se queda detenido arbitrariamente junto a una fuente parecida a la Cibeles, de Madrid. Por una avenida que podría ser Las Heras, pasa en sentido contrario y a gran velocidad otro ómnibus que no tiene carrocería en los costados (como algunos viejos tranvías Lacroze). En ese otro ómnibus va un niño de unos diez años que grita llamando a su padre, quien, no obstante, está junto a él sujetándolo y aun tapándole la boca. Siento indignación y un gran desprecio por ese niño. Ya en el barrio Norte, alguien me lleva y me deja como una especie de visita casual en casa de un psiquiatra, que está muy ocupado, pero mientras hace otra cosa me pide que igual le hable. Le pregunto de qué y él me responde "de lo que sucede", con lo que entiendo que se intenta ponerme en tratamiento, aunque en forma disimulada. Le digo que en realidad todos están un poco locos a mi alrededor, y él me sugiere como al descuido que si todos están locos y yo no hago nada por mejorarlos, yo también lo estoy. Yo le replico algo así como que los hombres deben saber reconocer los límites de su acción. Viene un auxiliar del psiquiatra y, mientras me hace acostar en una camilla, me va contando que su jefe se sacrifica enormemente por la empresa, que hace trabajos fuera de hora, como esta conversación conmigo, se sugiere. Yo respondo que no es humano sacrificar a un hombre por una empresa comercial, y que ése es el mayor vicio del capitalismo. Mientras tanto, el auxiliar me está poniendo en el brazo una inyección endove-

nosa que supongo es un sedante o una droga de la verdad. Pienso en resistirme, pero me limito a decir, casi gritando: "hasta cuándo me voy a quedar aquí si me duermen". Al caer dormido, me despierto muy angustiado.

César, 1969

3. Mi juventud, su muerte

A CÉSAR, DESENFADADAMENTE

No te metas conmigo, mocosuelo,
talle de lezna, calabaza vana:
si algo sabes de parla castellana
te llega por tu padre y no tu abuelo.

Ni una amapola te sangró aquel suelo,
ferreña nuez o, huera, una avellana.
Mira alternarse en mi perilla cana,
en leche, natas, y en café, recuelo.

El romancero vuela en mis humores
como el soplo del monte en huerto quedo.
Mi idioma es aun mayor que mis mayores,

y Garcilaso y Góngora y Quevedo
para mis narizotas son tres flores.
Yo soy un roble, hijo. Tú, ni un bledo.

Baldomero, 1941

ahora el neo-español está llegando a España
al agua pathos
pero ¿por qué le cambian su lengua familiar?
¿por qué melocotón y no durazno? ¿gabán y no sobretodo?
los madrileños cómo se equivocan
porca miseria no saben español
el lenguaje se les quedó trancado cuando piantaron a los
         judíos
ahora es como si todos fueran sefarditas
así son los idiomas como un mar borrascoso
la superficie cambia el fondo sigue quieto
nadie comprendía mi raro castellano
donde varias letras no suenan como no sonarían varias
        teclas de un piano abandonado en la pampa
decir cabayero me parecía plebello
la boca se me quería inflar todo el tiempo de ces como
        sorbetes
no pronunciarlas era como no lavarse los dientes
con Zurbarán estrené mi primera zeta
me sentía leísta son cosas del neo-españolismo
pude volverme Capdevila en cualquier momento
¿te das cuenta viejo
percibes los percebes?
tuve que aprender mi propia lengua como si fuera ajena
llegué a hacerme entender de algunos académicos
con razón nadie lee este poema

César, "Un argentino en Europa", 1955

PARA UNA PALABRA HERMOSA

Tengo una palabra hermosa
en los puntos de la pluma.
¿Será *estrella*, será *espuma*,
será *arambel*, sera *rosa*?
Verso he de escribir o prosa,
hoy, mañana, aquí o allá,
en que ella relucirá
todo su antiguo esplendor...
Cuidado, amigo lector,
acaso la he escrito ya.

Baldomero, 1926

PARA UNA PALABRA HERMOSA

Tengo una palabra hermosa
en teclas de la Olivetti.
¿Acaso será *spaghetti,*
será *alambre,* será *cosa?*
Prosa en verso o verso en prosa,
hoy, mañana, aquí o allá,
mi palabra lucirá
todo su actual esplendor.
Elige, *amigo* lector,
¿no ves que la he escrito ya?

César, 1982

RUTA

Una brocha invisible delante de nosotros
en mitad de la ruta va pintando una cinta.
En el pasto reseco pacen vacas y potros.
El auto es bajo el sol una mancha de tinta.

Cielo y tierra no son nada más que reflejos,
astillas y partículas ardiendo en el vacío.
Hay hombres, casas, montes, pero todo está lejos:
lo más cercano es uno en este campo mío.

Baldomero, 1941

luego fue un Dodge 1936 sedán dos puertas
este auto no era mío sino de mi padre
se lo hicimos comprar de segunda mano cuando ganó el
        primer premio de poesía
pero él no lo quería manejar
una vez yo lo quise obligar y se fue terraplén abajo hasta
        quedar encajado de través en una enorme cuneta
        pampeana
"lejos la margarita de un molino"
él no quería manejar el Dodge ni nada
ni el teléfono ni la radio y menos aún la máquina de
        escribir
en realidad él andaba en los autos de los otros nada más
        que para ir sintiendo la patria
"con la boca entreabierta con el ojo avizor"
preguntándose cómo a un peón a un linyera
"ninguno le dice
sube compañero"
lo que él quería era ir hilando versos mientras yo
        manejaba
"el auto es bajo el sol una mancha de tinta"
y yo entonces sí quería manejar
meter esa fuerte primera esa segunda voluntariosa
hacer vibrar en tercera esos seis cilindros hasta que
        golpearan esas válvulas laterales
alcanzar esos 129 kilómetros de velocidad máxima
en realidad nunca pudimos pasar aquellos famosos
        ochenta
sólo cuando vendimos el Dodge a una tercera mano

esa mano supo descubrir la sórdida basurita en el
carburador

César, "Hojeando un catálogo de viejos automóviles", 1967

Sin presumir de antiguo ni moderno
iba yo lentamente mi camino
acariciando el corazón divino
cuyo latir me parecía eterno.

Sobrecogióme anticipado invierno,
y ya flor es de nieve mi destino,
ronco graznido lo que fuera trino,
fuste de pedernal el tallo tierno.

Caído en una cama y sin el suelo
que baja al hombre natural y suave
sobre el rostro sombrío o el risueño,

sacudo mi cabeza como un ave,
mi cabeza, que nunca tuvo dueño
salvo el regazo de la noche grave.

Baldomero, "Penumbra", 1938

El pasado sus ámbitos reposa;
el presente se escapa, y no está preso.
El futuro, una senda tenebrosa

que me impulsa y no abruma con su peso.
La lucecita azul de la aventura
—tibia cabaña en el follaje espeso—,

será mi guía en la maleza oscura,
será mi prodigiosa abracadabra.
Yo espero todo casi con ternura:

la sorpresa de miel y la macabra.
Por ahora, solamente se divisa
y hacia atrás fosforesce, una palabra,

una lágrima, un grito, una sonrisa.
Mi vida, mi destino, que hoy acato,
por silentes carriles se desliza…

Y aunque me entrego, sueño que me bato;
y aunque me olvido, sigo con mi censo.
He entornado los ojos sólo un rato

y un dulce mundo he descubierto, pienso.
Ahora los abro. Vuelve el sol a herirlos.
¡Cuánto más dulce debe ser e inmenso,
cuando los cierre para ya no abrirlos!

César, "Epístola a Julio Verne", 1938

Pues *C.* tiene veinte años y pico. Mide 1,81 y pesa algo más de 70 kilos. Hace un par de años se hizo un retrato. Alguien dijo al verlo: es la adolescencia misma. Dijo bien... Lo que más vale en él es el temple, el carácter, la decisión, lo que no tengo yo (yo tengo una especie de testarudez)...

Somos grandes amigos. Eso sí, felizmente, la guerra estalla entre nosotros a cada rato. A veces, tuerce mis intenciones. En mí produce una cólera inaudita. Juega conmigo como quiere: me hunde el sombrero, me tuerce la corbata. Tenía una tez de terciopelo moreno, se le ha llenado de granos menudos, que van y vienen. Algunos, volcánicos. Ya ve usted lo que hace el vivir. Muy recatado en sus cosas. Muy hombre, muy niño. Era mi gloria para mi orgullo silencioso. Y tiemblo por él, tan delgado, tan nervioso, tan preocupado.

...Baila poco, pero baila. No le conozco un solo verso con mujer, pero los tiene, el muy ladino. Se olvida de todo. Voltea todo. Ha jugado al tennis. Es maestro en el pingpong. Ha leído diez veces el *Quijote.* Fue mi lazarillo insustituible y le debo tal vez la vida... Me acompañó noche a noche, paso a paso, letra a letra.

Baldomero, carta a S., 1940

EL MUY LADINO

pero por qué tanto temblar por mí
si pensabas de veras que yo tenía más carácter que vos
ya ves me atrevo ahora a publicar esta carta
dirigida a una de las varias damas que creíste amar en
      tu vida
eso sí con un fuego "que al parecer no quema
pero que hace después crepitar el poema"

y a ella le explicabas, como a Enrique veinte años atrás
con lujo de detalles todo lo que creías amar en mí
todo lo que a medida que yo había ido creciendo
había sido por cierto
cada vez menos yo mismo
y no lo digo para torcer tus intenciones
ni mucho menos tu simbólica corbata

sí yo era muy niño pero todavía no tan hombre
sí ya escribía versitos a algunas doncellas
pero aún no había aprendido a amar
"cuanto ellas pueden tener de hospitalario"
como decía tu compinche Antonio Machado
quizá sin darse cuenta del doble sentido

también había leído varias veces el *Quijote*
también el *Lazarillo*
quizá por eso fui tu lazarillo
y acaso el tenis y el ping-pong
me inspiraron este libro de dos jugadores

separados por la tensa red que separa
la página par de la página impar

César, 1980

Lo pasado me costó dos años y medio. Creo que esto va a ser muy largo. Es lógico suponerlo. Enfermedad análoga, evolución análoga. No resisto. No hablo más. No sé si mandarte o no estas líneas. Creo que pago cualquier esfuerzo mental. Por eso no leo. Hipersensibilidad terrible.

Me da asco firmar estas cartas. Y hay que arrastrar todo el día... No sé qué hacer ni qué puedo hacer. Es un vivir y un morir continuo.

La *ansiedad*, ayer un poco menor, se provoca por una cosa u otra.

Hay un estado de ansiedad casi continua. Todo se agiganta.

Todo me hace mal, lo exterior y lo interior. No sé nada de mí.

Es media tarde, y ya empiezo a temblar; la ansiedad viene con la noche.

Baldomero, mensajes a César desde el sanatorio, 1945

Comenzó realmente a envejecer, la desdicha y el insomnio ayudando a los años. Dejó de ser mi hermano y se volvió mi hijo. Yo lo visitaba en el sanatorio donde lo había internado, y al atardecer me alejaba presuroso para atender mis fútiles ocupaciones de enamorado. Mis pasos hacían crujir la grava del sendero en cuyo fondo se achicaba su figura vacilante.

Él, a su vez, me vio irme de casa con otra familia —la mía ya— y a otra ciudad. Durante varios años, sólo lo vi de vez en cuando…

César, "Los padres vistos por los hijos", 1957

Días pasados cebando el primer mate, le decía a Baldomero: ¿qué habrá dicho Marcela del mar? Y como respuesta llegó la postal con su retrato. Le ha sonreído, porque al darse vuelta muestra su sonrisa llena de interrogación y de sorpresa. El pelo volado, César, parece el mismo que te voló hace veintitantos años el viento de la laguna de Chascomús.

Carta de Dalmira, 11 de enero de 1947

TENGO UNA HIJA Y OTRA HIJA

tengo una hija y otra hija
una es una porque la otra es otra
no tengo dos hijas
tengo una hija y otra hija

una se vuelca como un vaso de cerveza
otra se cierra como una esfera de plomo
una me incluye en su movimiento
otra me deja afuera al viento

a una la quiero con la sangre
a otra la quiero con los huesos

a una le acaricio las mejillas
a otra le acaricio las sienes

César, 1951

Tengo abiertos los ojos redondos de tristeza,
retorcidos los dedos bajo de mi cabeza.

Ha aquí que una lágrima ha caído en la almohada
y ha sonado en la funda de hilo almidonada.

Si lloro alguna noche cuando estés a mi lado,
a la aurora tendrás el cabello mojado.

Baldomero, "Poemas de la almohada", 1918

POEMA DE LA ALMOHADA

a veces casi dormido
la boca se me deforma y entreabre
hasta que una gota de saliva fría
como una lágrima envilecida
me rueda por la cara
y cae sobre la almohada con un golpe apagado

otras veces la boca se me entreabre más
y el aire como un arco de violín
recorre por su cuenta mi garganta
y por ahí le arranca un quejido
desafinado abstracto
un mero sonido
en un cuerpo derribado

pero juraste quererme para siempre

César, 1949

Hay que eludir el golpe del martillo
no como yunque que agredido gime,
evitar lo sonoro que lastime
con silencio de oro, sin su brillo.

Sólo tu ensueño y la canción del grillo
sea la que te eleve y te reanime,
melodía con luz que te redime
de la opresión ceñida del anillo.

Guión y otro guión unidos luego
en una llama horizontal de fuego
que dormida regule su latido.

Y el silencio y la paz por toda cosa,
y el color y el perfume de la rosa
invulnerable a todo lo temido.

Dalmira, 1945

SONETO MÍO O DE ALGUNO DE ELLOS

jamás he visto yo afilar la espada
golpeándola contra un peñasco duro
así empezaste, padre, este conjuro
y te moriste sin decir más nada

¿o eras tú, madre mía silenciada,
quien una medianoche y en lo oscuro
en media hoja apoyada contra el muro
dejabas inconclusa esta charada?

pero si cayó el tropo en la basura
quedó brillando siempre en mi pupila
como invertido cono de cordura

pues la vida que lejos me encandila
cada vez que me acerco así es de dura
y así a golpes mi espada desafila

César, 1976

¿Para qué más mudanzas, para qué más razones?
Cuando uno quiere aumenta a cientos los renglones.
Sobre la mesa hay extendido un tintero,
que parece de luto, de luto el caballero,
y un bloque de papel como nieve cuadrada
y un vasito con agua que tiene poca o nada.

Baldomero, Prólogo a "Gallo ciego", 1940

Un día volví a vivir en Buenos Aires, y un día de dos años después tomé el colectivo 232, en la esquina de Callao y Córdoba. Media hora de viaje hasta su casa en el barrio de Flores. Iba a ser al revés, él iba a viajar media hora hasta el centro para encontrarse con dos amigos de sus hijos menores. Pero no alcanzó a venir. Debo decir las cosas: lo vi por última vez. Ejercía ante mí el definitivo acto de paternidad. Moría. "Viene la muerte y todo lo bazuca", como decía Quevedo y él solía repetir. Lo vi morir. ¿O me quedé dormido? ¿No ven? Ya ni me acuerdo.

César, "Los padres vistos por los hijos", 1957

VOTO

Toma, hijo, esta pobre obrilla mía,
y que el cielo te dé labio sonoro.
Yo canto ahora tus cabellos de oro...
¡Que tú cantes mis canas algún día!

Baldomero, "El hijo", 1926

tú querías un hijo literal una astilla pura
un hijo como un órgano como un miembro
y yo hubiera querido
yo quiero ahora ser ese órgano y ese miembro
ahora que pasa esto
esta burda diferencia
yo vivo y tú no vives
explícame ahora perdóname ahora
estas imágenes que se me forman en los ojos
esta piel que se me besa con el mundo
esta respiración que se me mueve en el pecho
perdóname cada mañana por despertar
por beber
por mi garganta en el momento supremo
en que se cierra sobre cada sorbo
perdóname este discurso
tú querías que te cantara las canas
y ya ves te canto los huesos
de nuevo llego tarde

César, "La tierra se ha quedado negra y sola", 1950

LA CUNA

Hay no pudimos más, y envueltos
del crepúsculo azul en la penumbra,
nos fuimos por el pueblo lentamente
a comprar una cuna.

Y compramos de intento la más pobre,
mimbre trenzado a la manera rústica,
cuna de labradores y pastores...
    Hijo: la vida es dura.

Baldomero, 1920

¿nunca te volveré a tomar el pulso
ya no detallarás mis hijas en sílabas contadas
nunca más jugaremos al póker y pedirás tres
no caminaremos hasta Rivadavia bajo los plátanos
no competirás conmigo en estar enamorado
nunca te quedarás agarrotado de angustia
y yo me voy con Claudio a ver una película musical
nunca vendremos solos a Buenos Aires en verano
ni exploraremos las demoliciones
nunca me volverás a tomar el pulso
y resolverás que falte al colegio
no me regalarás aquel librito rojo
donde Robinsón construye una chalupa
no deberé jugar despacio mientras duermes la siesta
ni me cortarás el pelo por primera vez
ya no me comprarás aquella cuna de mimbre
nunca me engendrarás?

César, "La tierra se ha quedado negra y sola", 1950

...Un libro casi para los hijos. Porque no se es otra cosa que un puentecillo tembloroso para que ellos pasen al futuro.

Baldomero, Prólogo a "Vida"

esto es nacer ya soy un hombrecito
terminé de crecer estoy cabal
ya soy puro principio y fin
sin intermediario con lo anterior
sin mediador con lo siguiente
la vida tiene en mí su punto de partida
y la muerte su punto de llegada
ahora me toca a mí nadie se me adelante
en seguidita voy
la muerte es tan práctica
no hay otra forma de achatar el tiempo

César, "La tierra se ha quedado negra y sola", 1950

4. *Vagabundo*

SIN LA TIERRA Y SIN EL MAR

Siempre con el pensamiento
en el puente de un navío,
en el mar, dulce o bravío,
en las nubes o en el viento;
siempre esperando el momento
propicio, para zarpar,
no me acabo de instalar
como debiera en mi casa,
y así mi vida se pasa
sin la tierra y sin el mar.

Baldomero, 1925

SIN AIRE, TIERRA NI MAR

Siempre quieto en el asiento
de algún aéreo navío
sobre el mar dulce o bravío,
pero sin sentir su viento,
siempre esperando el momento
propicio para llegar,
no me acabo de instalar
en el vuelo ni en mi casa,
y así mi vida se pasa
sin aire, tierra ni mar.

César, 1982

VIAJE

Todos duermen en el tren,
todos duermen menos yo.

Por la abierta ventanilla,
mirando, mirando voy
el campo negro, que argenta
la luna con su esplendor.

Todos duermen en el tren,
todos duermen menos yo.
Nadie tiene sed de espacio,
sed de luna, sed de Dios.

Baldomero, 1918

Todos duermen en el aire,
todos duermen menos yo.

Vos mecido por el tren
yo suspenso en un avión
por la hermética ventana
mirando, mirando voy

el cielo negro que argenta
la luna con su esplendor.
Todos duermen, todos duermen,
yo voy despierto con vos.

César, 1975

VAGABUNDO

Si me echara a caminar
por el mundo desde hoy,
olvidado de quien soy
y de mi caliente hogar...
¿A dónde iría a parar
todo de andrajos cubierto?
¿A qué país, a qué puerto?
¿De qué ladrón o mendigo
sería tal vez amigo?
¿Dónde me hallarían muerto?

Baldomero, 1928

VAGABUNDO

pues yo me eché a caminar
por el mundo desde ayer,
arrastrando a una mujer
y unos rescoldos de hogar...
¿Y a dónde he ido a parar,
todo de adioses cubierto?
¿A qué país, a qué puerto?
¿En qué emboscada qué amigo
cambió destinos conmigo?
¿Por qué estoy vivo y él muerto?

César, 1981

Aunque más que de folios he gustado
la tierra que he podido y su hermosura,
y eso que de La Cumbre no he pasado,

a medias mi pereza y mi estrechura.
¿Qué es lo que así a mi ciudad me ata?
¿Qué me detiene en su ribera oscura?

Plan que imagino, plan que desbarata
éste o el otro nigromante adverso
y condenado estoy a caminata.

Buenos Aires resume el universo
y en su barro, en su asfalto o en su piedra,
es surtidor mi renovado verso;

y yo, húmedo y fiel como la hiedra,
con mi canción a cuestas testarudo
que de mi sangre y de la suya medra.

Baldomero, "Epístola de un verano", 1934

VIAJAR

y yo subiendo y bajando los Pirineos
de una sangre a otra entre dos de las tres
que vos me adjudicaste a los diez años
en España el tren regalón se detenía en las estaciones
en Francia pasa tan rápido que no se pueden leer sus
      nombres
así que voy saltando las catedrales con mi libro de misa
quiero decir la guía Michelin
me la sé de memoria sólo me falta viajar directamente
desde cada ciudad a la que sigue
por orden alfabético

todo esto sin embargo no es mucho viajar
apenas un tercio de mundo
qué te puedo decir del avance de los desiertos
de la lepra del hambre de la prostitución infantil
hoy la gente viaja pero mucho más lejos
ya no se construyen catedrales sino satélites
no sólo se camina bajo la luna
también sobre ella

y sin embargo
mucho más lejos te quedaba a vos Buenos Aires de
      La Cumbre
y mucho más lejos todavía
quedabas vos mismo de todo viaje
que no fuera conocer tu patria desconocida
por la menos la Capital
su centro el tuyo

César, 1968

Pero mis lecturas se intensificaron, me parece, en las vacaciones de primer año, con la llegada de la tía Adela. En una visita que les hicimos descubrí un arcón forrado de piel y lleno de libros. En él, la tía Adela había encerrado sus ensueños, su dramatismo. Viendo la cara de codicia que yo debí de poner ante el cofre entreabierto, me prometió prestármelo. Fue llevado a casa con la promesa de no abrirlo hasta las vacaciones. Cuando llegaron éstas, en las tardes solitarias y doradas del comedor, con los balcones abiertos al espacio y el teatro Colón en construcción, me eché al coleto el cofre maravilloso... También contenía... un volumen con láminas, despanzurrado, *Las mil y una noches:* una edición vulgar que leí casi desvanecido. Mi tía abuela había deslizado allí aquel cinturón de odalisca.

Baldomero, "1900: Vida y desaparición de un médico"

ARGEL DONDE CERVANTES

el tchador como un mantelito de té
como una bombachita de la cara
el ojo emergiendo como el periscopio de un cuerpo
            submarino
pero es claro esos velos no son buenos
para estornudar para ir al dentista
para hablar a través de la ventanilla de un banco

tampoco una kachabia es lo mejor para andar en
            motocicleta
para correr detrás de un avestruz
y sin embargo viejo en Argel en una de las noches
que Cervantes vivió y que vos soñaste
tu cara tu cara
salía bajo la capucha de una kachabia
un cigarrillo salía de su manga derecha
y temblaba en tu mano

César, 1975

Me interesa más Madrigal de las Altas Torres que París.

París es una esquina vieja, redondeada, llena de avisos febriles, una tarde mortecina.

Un balcón que se respete debe abrirse a dos abismos: a uno de castaños y ruiseñores, a otro de tinieblas y de estrellas.

Un padre siente ya la rebelión del hijo cuando éste no reproduce exactamente su nariz.

Los hijos son hijos hasta los diez o doce años; después, ya no son más que hombres.

No se concibe un poeta a zancadas por el mundo. Un poeta tiene que estar quieto, arraigado como un roble.

Para viajar a la luna lo mejor es seguir la punta del ciprés arriba.

Estoy esperando que desaparezcan trescientos a cuatrocientos poetas de la tierra, para empezar yo a tallar.

Para mí un concierto es como un balcón: para asomarme en él de vez en cuando.

El tiempo y mis hijos acaban por decirme la última palabra.

EL HUÉRFANO

...hace tiempo que no veo a mi padre
lo llamaré cuando me despierte

...viejo estoy viviendo en París
a doscientos metros de aquí murió Verlaine
su casa fue después un restaurant
pero también ha quebrado

...yo besaba a mi padre en la mejilla como cada mañana
pero él creía que lo besaba porque era su cumpleaños
pero yo no me acordaba que era su cumpleaños
pero nada importaba todo era un sueño

...surjo del sueño como de una carrera desenfrenada*

...en México la casa de López Velarde
se alquila tiene un balcón torcido

...y en Cartagena había un monumento a Luis Carlos
        López
él murió el mismo año que vos
¿te acordás si fue antes o después?

...¿viste que murió Ezra Pound?
hemos avanzado un puesto en el ranking mundial de la
        poesía

---

* Esto lo escribió el viejo ya lo sé
  ¡pero yo lo he vivido tantas veces!

Creeré, cuando esté por morirme, que eso es sólo hasta el día siguiente.

¿Y qué me dicen ustedes del tamborilero de Bárcena?

Baldomero, "La mariposa y la viga", 1947

...cuando estoy enojado con vos mirá viejo
sólo escucho música de los hijos de Bach

...soñé que abrazaba a mi padre
desperté con los brazos cruzados sobre mis hombros

César, anotaciones desde 1967

Largo es el camino
entre pueblo y pueblo,
tosca, sal, arena,
volando y ardiendo.

Con los pies desnudos,
hambriento y sediento,
el pobre linyera
marcha a pasos lentos.

Pasa un tren sonoro,
un auto violento,
un sulky liviano,
un caballo esbelto,

y el pobre linyera
marcha a pasos lentos.
Ninguno le dice:
Sube, compañero.

Él no tiene nada
sobre el campo ubérrimo:
ni un mal corderillo,
ni un grano pequeño.

Sólo tiene leguas
que andar en silencio.

Baldomero, "Linyera", 1919

...estuve un tiempito en un aislado país del Caribe
un poco al sur del trópico de Cáncer
al norte de Jamaica al oeste de Haití
inesperadamente se me dio allí otra racha de lujo
yo tenía en la puerta un Cadillac a mi disposición
serie 75 transmisión Hydra-Matic motor por fin V-8
es claro que había ciertas diferencias con mis autos
    precedentes
su conductor "me llevaba" igual que mi tío Mario
"sube compañero" me decía
aunque en este campo no había linyeras por supuesto
ni tampoco peones en el sentido de juguetes de un
    estanciero
así que Chuchu manejaba y yo iba hilando este verso
que viene a ser otra hilera de los que hilaba el viejo

César, "Hojeando un catálogo de viejos automóviles", 1967

...Amigo Amorim, voy a concluir. El sol me quema las piernas y oigo pasos en la escalera, Nada me dice de su novia y de su Salto nativo. Ni de sus estudios que hay que continuar. Ignoro cuándo iré a Buenos Aires. Escríbame a menudo. Yo no me olvido de nadie. Menos de Ud. En casa no nos olvidamos de nadie. Ni yo, ni la Negrita, ni César.

Baldomero, carta a Enrique Amorim, 1921

vuelvo a vos viejo Enrique a vos te hubiera gustado verme
        por aquí
me hubieras perdonado por fin aquella historia de la
        Voisin
quizá también otras historias…

fue más o menos por entonces
como vos me escribiste poco antes de morir
que yo estaba volviendo a ser acaso poeta
pero otro poeta
acaso un hombre un poco menos distinto de ese otro
        hombre que vos siempre habías querido que yo
        fuera
un hombre dispuesto a bajarse por fin de su automóvil
y poner los pies sobre la tierra

César, "Hojeando un catálogo de viejos automóviles", 1967

Henríquez Ureña vive,
mejor dicho, languidece,
en la partida Española
entra palmas y bajeles.
La patria le hizo una seña
y él se fue, sin que se fuese.
Allí lo adulan ciclones
y maremotos lo mecen,
y le corrompen la sangre
literaturas y fiebres.
Sé que llora en la marina
nostalgias bonaerenses,
mientras que Santo Domingo
al sol tuesta sus vejeces:
campanarios y murallas,
veletas y falconetes.

Baldomero, "La Tertulia de los Viernes", 1934

AHORA SON TODOS CALLES

viejo también caminé junto a las murallas de Santo
        Domingo
también anduve andando por la calle Pedro Henríquez
        Ureña
ahora son todos calles vos y tus amigos
te acordás aquella vez que lo invitamos a ir a La Plata
un auto de remise qué lujo para un simple catedrático
        como vos
ya entonces era chico las chicas de don Pedro eran chicas
años después por qué no me llevaste también a la Tertulia
me hubiera gustado ver cómo Natacha
conseguía "rayar el ébano con su peine"
tus razones tendrías para no llevarme
alguna otra perla andaría titilando por ahí
no tenías por qué compartir conmigo absolutamente todo

ahora voy recordando todo eso
sentado en una oscilante mesa de café sobre la vereda
frente a la jefatura verde oliva donde Trujillo iba haciendo
        méritos para ser asesinado
ese brutal dictador a quien Isabel la mujer de don Pedro
le supo cerrar la puerta de calle bien en la jeta

un poco más lejos el enorme "huacal" dividido en
        ventanitas como los cajones para guardar botellas
donde se almacenan funcionarios como si fueran las
        botellas vacías que en realidad son
(en Santo Domingo llaman "botella" al puesto donde se
        cobra sin hacer nada)

y yo voy escribiendo estas palabras
con una mano en la que ya despuntan las pecas de la vejez
mientras un negrito con un dedo embadurnado de cera
    me va escribiendo a mí
sobre el cuero de mi zapato que ya empieza a rajarse

César, 1974

Pues el pueblo a que me refiero pertenece, geográfica-
mente, a la provincia de Santander, a la región cantábrica, a
la Montaña, en una palabra. Se llama Bárcena y depende del
ayuntamiento de Cicero. Bárcena está dividida en dos partes: la vieja, llamada barrio de la Bodega, abandona sus ca-
sucas de piedra entre los pliegues de la montaña; la nueva,
Gama, se levanta ante la curiosidad de las carreteras y mira
al mar.

...La casa paterna era una casa grande, nueva, clara, en
la que mi padre volcó espléndidamente su bolsa de indiano
afortunado. Villa Amelia erguía su fábrica en medio de un
amplio solar, y constaba de dos pisos, sótano y sobrado o
guardilla. Sus ángulos eran de piedra sillería. Un par de miradores avanzaba en cada fachada y elegantes escalinatas de
granito le daban acceso.

...Pero nada me atraía tanto como el estanque de piedra, redondo y profundo. Se descendía a él por una escale-
rilla, y el mar entraba a través de la tapia por la boca de dos
tritones. Era el orgullo de mi padre y la curiosidad de todo
el pueblo. En él venían a bañarse algunas familias, al atardecer, pasadas las horas del bochorno. Después del baño, po-
blábase el verde de vestidos de colores y se merendaba sobre el césped o sobre las gradas de la escalinata. Yo mismo
traía con qué. Peras, albaricoques, ciruelas, pasaban de mis
manos a los regazos de las señoras o a las capotas de las niñas. Y todo esto era turbador y exquisito.

Baldomero, "1892-1896: La patria desconocida"

GENEALOGÍAS

hice una nueva visita a tu Bárcena
mejor dicho al crucero donde se alza Gama
donde se cruzan aquellas tres carreteras que tú recordabas
que en realidad son dos pero en tu memoria
una de ellas era dos porque iba por un lado a Santander y
          por el otro a Laredo
y la segunda para ti tercera era la que iba a Santoña hacia
          el mar
pero todas pasaban claro por el crucero
eso era lo que importaba

allí sigue firme la casa de tu padre
ha perdido los miradores pero hay reparaciones en curso
la gran puerta con las iniciales BF está guardada en un
          galpón
esperando tiempos mejores que la casa puede tener todavía
ya lo ves

pero el famoso estanque de piedra que el mar llenaba al
          subir la marea
y donde te bañabas con todos en aquellos veranos
          finiseculares
lo han clausurado también porque los vecinos
arrojaban al mar muchos desperdicios y el estanque
quedaba sucio y maloliente al bajar la marea

(sigue en la página impar)

Pienso ahora cuán a sus anchas se hubiera encontrado
mi espíritu, amigo del orden, en aquella casa cuadrada, sólida, a la vez señorial y campesina. Perdida hace muchos años
por azares de la fortuna y en la imposibilidad de adquirir
otra ni siquiera parecida, ha muerto en mí, os aseguro, todo
deseo de posesión.

Baldomero, conferencia, 1927

en esta casa vive ahora una señora
que es nieta de un obrero llamado González
el que hizo la carpintería para la casa
y aquí estoy yo nieto de Fernández tu padre
con mi hija de trece años tu nieta que también se llama
     Fernández es claro
ella ha inventado una rúbrica especial para firmar con ese
     apellido

y ella la biznieta de tu padre
se encuentra ahora en la casa de su bisabuelo
con otra niña de su misma edad
que es la biznieta de aquel carpintero González y que se
     llama Consuelo
como una de las cinco niñas que integraban aquel coro de
     hermanos sobre la carretera

y Consuelo por nada quiere dejar su casa tu casa
no quiere que su madre hable mucho conmigo
adivina que ya he recuperado algunos
de tus perdidos deseos de posesión
que yo pienso esta casa como la casa de los dos bisabuelos
qué diferencia hay entre González y Fernández

Consuelo mira a mi hija con cierta hostilidad
no se da cuenta de que ella podría ser ella
que acaso las dos son la misma niña

César, 1983

"Madrid, castillo famoso", famosísimo, a quien evoco a través de tantos años. Entrevisto Madrid aristocrático, militar y católico; adivinado Madrid popular, castizo, desgarrado. Todo en ti era lección: desde el esmeril del aire y los biseles del Guadarrama hasta los lienzos del Museo del Prado. Madrid, mi paleta de colores, mi caja de construcciones: era yo demasiado pequeño para gustarte y recorrerte, capa al viento, en todas direcciones. Eras el Madrid de un niño tímido, sensible, obediente; menos aún, eras el Madrid de mis tíos.

Baldomero, "1898-1899: La patria desconocida"

EL CONOCER, EL CONOCIMIENTO

y viejo ya lo ves ando ahora por tu España
yo la surco en el aire
tú la surcabas en la imaginación
no es tan distinto
yo voy horizontal tú la profundizaste
bajo de vez en cuando en Madrid
atravieso sus calles vuelvo a sentir
aquella vieja emoción de estar tocando por primera vez la
          carne de Europa
carne tentadora quizá sobradamente madura
perfumada cuando era de mujer cuando era de animal
condimentada con ricas especias
canto alegre del viejo Madrid
uno de los pocos que vos tarareabas
Madrid hoy también vieja para mí
sólo de quince años pero la eternidad
tan nueva para mí era hace quince años
hoy ya no me queda nada por conocer
ninguna antigua patria que recuperar
llevo conmigo como grandes flores artificiales el recuerdo
          de los viejos amores
sólo me cabe sacar conclusiones
y hacerlas saber a quienes puedan escucharme
siempre que no estén a su vez
entregados el placer excluyente del primer conocimiento
y aquí va compañeros mi conclusión

el conocimiento no existe
existe el conocer

el conocer da vida
el conocimiento la mata
la vida entra por el conocer
y sale por el conocimiento

César, 1975

Sobre todos mis recuerdos madrileños baila, enredado y confuso, el de sus calles: media docena de nombres, nada más, los de las eternamente recorridas los días de trabajo o de fiesta. Calles estrechas, de adoquines redondos, en que camino pegado a las paredes, echando una ojeada a tabernas y tahonas, a tiendas de ultramarinos y a cacharrerías alegres, llenas de trinos de pájaros y brillos de barreños vidriados, o en que recorro con la vista las fachadas de enfrente, de balconcillos de hierros como palotes, disimulados con tiestos o cortinas echadas. Solares baldíos con vallas de madera. Y, de pronto, el salto a una calle más ancha, blanca de sol, o a una plaza inesperada. Me nacía gran respeto por las personas mayores que sabían andar por Madrid sin extraviarse, señores de la costanilla, dueños del laberinto. Esquinado, como un dedo caído el azar en la madeja de las callejuelas, aparecía un caserón cuadrado, hosco, gris, noblote, un palacio cualquiera que yo tomaba siempre por convento.

Baldomero, "1898-1899: La patria desconocida"

MADRID AHORA

los hostales de Franco costaron a España
un millón de muertos y tres millones de emigrantes
pero ya no planea la presencia
sólo el recuerdo del gordezuelo generalísimo
así que ahora todo parece más rico
que hace ochenta años para vos padre
o quince para mí

debo redescubrir mis antiguas esquinas
ahora embozadas por viaductos
la arquitectura hace piruetas
erguida sobre la prosperidad de unos cuantos
también se multiplican los besos en las desiertas avenidas
        de la noche
son los muchachos y muchachas de la Ciudad Universitaria
que todavía no tienen dónde hacer el amor

los camareros de las relucientes cafeterías
recogen a manotadas los papeles engrasados
los burgueses eligen los ricos restaurantes
entran y se sacan el gabán
como el torero la capa cuando se dispone a matar
la señora detalla con fruición
el plato que por esta vez ella no cocinará
todos los maridos son iguales entre sí
vistosas ropas injustificados perfiles aquilinos
todos tiran donde dice *empujad*

César, 1976

Estábamos en la estación del Norte. Ruido y luz por todas partes. Subimos a un carruaje y, medio dormido aún, me
iban diciendo el nombre de lo que veía: aquel resplandor de
piedra blanca era el Palacio Real; aquella mancha sombría
era el Campo del Moro. Había de sobra para empezar a soñar. El coche dio varias vueltas, trompicando por el irregular
empedrado, y se detuvo frente al número 16 de la calle del
Rubio: una calle angosta, de edificios enfilados que parecían
tocarse por los aleros, y término de nuestro viaje.

Baldomero, "1898: La patria desconocida"

LA CALLE DEL RUBIO

vuelvo y vuelvo a pasar por Madrid padre mío
por tu Madrid castizo con olor a pescado y a señoras
        vestidas de negro
recorro la calle del Pez hasta encontrar otra vez la calle del
        Rubio
que ahora se llama de otro modo pero que seguiremos
        llamando aquí como tú la llamabas
la calle del Rubio la casa donde tú llegaste cuando el siglo
        estaba por empezar
cuando faltaban unos veinte años para que yo naciera de ti

y todo está igual que entonces la casa de tus tíos
su mismo frente plano y gris
sus mismos balcones de hierros modestamente torneados
y yo estoy pensando
él vivió aquí varias años
me lo digo y me lo repito
su prima Angelita podría ser esta niña que mira el
        escaparate de la tienda de trajes para novia
él podría haber sido este muchachito que camina con estos
        jeans azules que él nunca pudo imaginar

y me digo que yo lo continúo
que yo debo seguir viviendo sintiendo por él
sintiendo este empedrado que desciende
esta calle que acaba en un muro que ostenta un largo
        cartel despintado perdido

(sigue en la página impar)

...Mi creencia dominante es la de que volveremos a vivir exactamente como hemos vivido y con los mismos seres y escenas principales; y que los sobrevivientes —usted, yo— no les faltamos a los que partieron antes, como siempre. Es sólo a nosotros que nos faltan ellos; para nosotros sí la escena y el juego de personas y hechos están suspendidos. Porque nosotros hemos quedado en el Mundo, o en el modo del Hacer, de esta imperación ciega de la Vida que aturde y sofoca a la Conciencia.

Macedonio Fernández, "Epistolario", 1939

que él vio quizá pintar con chorreantes pinceles
pero el tiempo está ahí no hay cómo penetrarlo
no siento nada yo soy sólo yo
esta casa no es mía nunca lo fue
sólo es la casa que yo fotografié una vez
cuya portera no me dejó entrar ni para ver los pasillos
el tiempo ahora no me deja entrar
yo sigo mi propio carril
el tuyo padre si alguna vez lo tuviste
estará por ahí desteñido ilegible

es que el tiempo ha pasado por mí por mi lado a través
        mío desde mí hasta el horizonte ida y vuelta
descubriendo el pasar y pasar semejante vacío en mí y en
        torno mío
dejando en pie sólo algunas formas muy pocas que le
        resisten no se sabe cómo
que se van desplomando estallando o por lo menos
        deformando
por ejemplo la vida en mí

(sigue en la página impar)

Aquel Madrid de mis tíos iba bloqueando mi espíritu a derecha e izquierda: por aquí el brillo de la monarquía, por allí el influjo de la religión. Fueron dos años inolvidables, cortados bruscamente por el viaje transatlántico que me sumergió de pronto en un nuevo mundo en muchos sentidos de la palabra. Allí quedaran tíos, primos, amigas, y aquí nos reunimos todos con nuestro padre.

...Es un bloque de tiempo muy difícil de remover y de tallar, Gigantesco diamante blando, difluente, disforme, en que los recuerdos se concretan dolorosamente en un punto, en una arista, en una faceta.

Baldomero, "1898-1899: La patria desconocida"

tu casa se ha caído sólo queda la huella de los tabiques en
    las medianeras
no es verdad no se ha caído pero sí se ha caído
cuál sería tu cuarto un cuarto que ya no tiene espacio sólo
    tiempo
un torrente de tiempo sin fuente alguna
espumoso rugiente silencioso
y que me va empujando con lenta violencia
por la calle de la Luna abajo
y yo no me resisto
apenas apenas alcanzo a sentir su empuje
no soy hijo de nadie

César, 1977

5. *Lo que me dio la vida*

Cuando tu vida, hijo mío,
haya subido de altura
como una leche encrespada
en raudos copos de espuma.
Cuando la vida te dé
su corona verdioscura
y te sea opaco el iris
y pobre su arquitectura...
Da un par de pasos atrás,
empuña tu empuñadura,
desenvuélvete la capa,
tira el sombrero con pluma,
y clávala en una puerta
por mitad de la cintura.
Que ella, si no, pasará
su chirriar sobre tu música
y te dejará cual lirio
debajo de una herradura.

Baldomero, "Penumbra", 1937

VIDA RETIRADA

sentado en el umbral de mi casa
qué importante la vereda de enfrente
cosas que el hombre construye para disimular la
        indiferencia de la tierra
la pared plana como el fin del mundo
los ladrillos ordenados y blanqueados
las ventanas donde asomar la tarde
y arriba unos pastitos que les gustaba el cielo
y el cielo agarrando las nubes
y el gato las moscas
y la ropa inmortal secándose en el fondo
donde salta un pollo picoteando el vacío
y la abeja que entra en son de paz
y la muerte libando sin maldad en mi corazón
y el argumento decisivo
la lluvia

César, 1961

LLUEVE

**Hace un poco de frío,
afuera llueve, llueve.**

**Sentadito en el suelo,
estoy yo con el nene.**

**Sentadito en el suelo,
recortando papeles.**

Baldomero, 1924

LLUVIA SOBRE LA PLAZA LAVALLE

Llueve sobre la plaza de Lavalle.
Una vez más te imito, padre mío,
transido poco a poco por el frío
en mi balcón sobre la plaza y calle.

El otoño me llama desde el valle,
remota ya la cima del estío.
La palabra no dicha con rocío,
imposible con lluvia que la calle.

Desde el fondo de mí tu sentimiento
quiere llevarme y dejo que me lleve
por tu ciudad mojada de agua y viento.

Acompañada así, mi voz se atreve
y te imita otra vez. Y digo, lento:
Sobre la plaza de Lavalle llueve…

César, 1947

Y que tu obra sea como el pan que se amasa,
que calienta la mesa y perfuma la casa,
y que al leerla los otros digan a su coleto:
esto lo pensé yo una vez en secreto;
dale tu propia alma, tu propia simpatía,
y ella ha de llenarte como la luz al día.

Baldomero, Prólogo a "Gallo ciego", 1940

MARCHE UN POEMA AL MOSTRADOR

viejo si me vieras ahora
estoy parado contra el mostrador
mis pantorrillas tensas me soportan
un rato cada una

vos te hubieras sentado en una mesa
tus hombros los hubiera soportado un respaldo
hubieras perdido tu mirada en la vereda de enfrente
qué fabulosa lejanía

yo he venido a quedar un poca más arriba
veo un poco más cerca
alcanzo a leer las letras de la vidriera
el revés

pero es lo mismo
la misma breve lucha con el paquetito de azúcar
el mismo sabor aceitoso del café suburbano

cambio propina por comentario sobre lluvia inminente
saco mi libretita con disimulo
para escribir este primer poema
al mostrador

pero el patrón me enciende la luz
solícitamente
y lo escribimos a medias
entre mi mano y su mirada

César, "Marche un poema al mostrador", 1965

A ELLA

Esperando a una mujer
se pasó mi mocedad
vestido de austeridad
como un hidalgo de ayer.
Quería un solo querer,
la pregunta, la respuesta,
y di con una, con ésta,
y me llené de color
lo mismo que un surtidor
en una noche de fiesta.

Baldomero, 1923

A ELLA

Soñando con la mujer
filtré mi joven caudal
en nocturno manantial
como un hidalgo de ayer.
Quería un solo querer
que no fuera aquélla ni ésta,
hasta que di con la sexta
y me llené de color
como enhiesto surtidor
hasta el final de la fiesta.

César, 1962

Sobre tu desnudez leo y medito
contra la tabla, persistente, el codo,
o me cruzo de brazos resignado
en la actitud cerrada del estoico.

Mesa: estés como estés, así te dejo,
ni te pulo, te lustro ni repongo,
hemos de continuar como hasta ahora:
ya sabemos los dos que falta poco.

Baldomero, "A mi mesa", 1936

EL PADRE ESCRITOR

tengo una buena casa
viejo
te gustaría
tu mesa está junto al gran balcón
frente a frente como antes
tu sillón que ahora es mío
y la silla frailera donde yo te ayudaba

y sucede que por la mañana
no me puedo sentar a escribir
el sol me enceguece a través de los vidrios
debo dejar tu sillón
y retomar mi vieja silla
mi posición de chico

es muy temprano
escribo como un adolescente que se levanta a estudiar
con torpeza
como si mi máquina fuera la de un amigo

vuelvo a casa a la tarde
el sol ha bajado
podría ahora usar tu sillón
como un hombre crecido
seguro en el crepúsculo

pero entonces ya estoy muy cansado
viejo
para ponerme a escribir

César, 1966

EN EL JARDÍN

Ya que todo está en flor, y más que nada
tú en tu mantilla azul, Marcela mía,
abriré como pueda mi poesía
que es hoy una ventana clausurada.

Tras un instante quedará cerrada,
ciego postigo en la mitad del día,
pero antes te dirá lo que quería
o posará en tu frente su mirada.

El tiempo correrá como acostumbra,
el sol alumbrará como hoy alumbra,
recio el árbol será que nos cobija.

Para ti todo me parece eterno,
y yo no seré más que este cuaderno,
unos papeles, ni eso, nieta, hija.

Baldomero, Buenos Aires, 1945

BLUE-JEANS EN EL LIVING-ROOM

Ya que hay la terraza está cerrada
y el cielo gris en la mitad del día,
y en tus blue-jeans, Muriel, hija tardía,
sólo tú estás en flor como si nada,

te diré, en esta sala temperada,
para que entres bailando en mi poesía,
cómo me iluminó, cómo me ardía,
tu irrupción en mi edad ya promediada.

El disco correrá bajo su púa,
afuera garuará como hay garúa,
firme el árbol será que el viento inquieta.

Para ti el tiempo se despliega entero,
y yo no seré más que este fichero,
un bibliorato, ni eso, hija, nieta.

César, París, 1983

DÉCIMAS A LA VIDA

Acúsome de haber hecho
por mi vida y por mi arte
poca cosa de mi parte
y que no estoy satisfecho.
Porque si ardía en mi pecho
hoguera de inspiración,
ansia de dominación,
no debí darme vagar...
Lo corriente fue soñar
y trabajar la excepción.

La conciencia despiadada
cada vez que me acomete
me enrostra mucho tapete,
mucho beso y mucha almohada.
Mucha hora disipada
en nervioso caminar
so pretexto de tomar
ora la luna, ora el sol;
mucho café, a lo español,
mucho reír, mucho hablar.

Sin embargo, estoy contento;
esta vida a la ventura
me ha dejado una frescura
de niño desnudo al viento.
Sólo yo sé cómo siento
la belleza universal:
el oro, rosa y cristal

DÉCIMAS A LA VIDA

Acúsome de haber hecho
demasiado por mi arte,
dejando la vida aparte
falsamente satisfecho.
Porque si ardía en mi pecho
hoguera de inspiración,
ansia de dominación,
más a fondo debí amar...
Lo corriente fue soñar
y fornicar la excepción.

La conciencia despiadada
cada vez que me acomete
me enrostra mucho tapete
poco beso y poca almohada.
Mucha hora disipada
en nervioso trabajar
so pretexto de ganar
lo que cualquier otro gana,
mucho café a la italiana,
mucho reír, mucho hablar.

Así que no estoy contento;
esta vida a la ventura
sólo me dio la frescura
del que orina contra el viento.
Ya les conté cómo siento
la belleza nacional,
el plomo, sable y puñal

que arma la aurora el nacer,
y el talle de una mujer,
todo el bien y todo el mal.

Baldomero, 1928

que arma un tirano el nacer,
pero nunca supe hacer
la revolución social.

César, 1978

POR LAS CALLES

Por las calles
voy componiendo mis versos:
mis pobres hijos que nacen
en cualquier sitio y momento.

Como los de esas mujeres
de gitanos y bohemios,
que nunca saben en dónde
van a nacer sus pequeños.

Baldomero, 1915

MANERAS DE ESCRIBIR

de mi antiguo escritorio sólo me queda ahora
el cesto de papeles que me regalaste
ya no me acuerdo si cuando me casé por primera vez
o cuando abrí mi estudio de abogado
que vos debiste haber sabido que yo cerraría
tal como vos cerraste el tuyo de médico
para ir también por las calles
componiendo mis versos

claro que tengo en casa tres pequeñas mesas
aunque escribo mis cosas sobre un banquito
quiero decir manipulo tijeras y cinta scotch
luego saco fotocopias en el correo
y envío gruesos sobres a la Argentina
donde algunas veces se acuerdan de mí

César, 1978

En cuanto a idiomas, todos, pero ama el español,
ese lingote de oro disperso bajo el sol:
en él escribirás denuesto o madrigal,
la palabra de barro y la espiritual,
harás tu periodismo, cátedra o parlamento,
o gruñirás a solas, que es la ley, bajo el viento.

Baldomero, Prólogo a "Gallo ciego", 1940

ESE LINGOTE DE ORO

sabés viejo me gano bien la vida
corrijo textos en revistas internacionales
el idioma español es ahora para mí verdaderamente
aunque en otro sentido desde luego
un "lingote de oro disperso bajo el sol"
como vos me decías en tu prólogo a mi primer libro

a sea que hago ahora
lo que aprendí de niño al lado tuyo
ayudar las palabras
acompañarlas hasta la imprenta
eso que yo hacía con vos por puro gusto
ahora lo hago por dinero
en escritos que no son tuyos ni míos

y "la silla frailera donde yo te ayudaba"
la uso ahora para colgar el saco

César, 1979

Es en vano, señora, detener a los años,
aunque des tus flexibles miembros a la gimnasia,
aunque sólo te nutras de verduras benignas
y hagas tu esclavo al sol y tu doncella al agua.

....

Entre los irisados hilos de tus collares
surgirá lamentable tu marchita garganta.
Sólo el arte, señora, podría eternizarte
y legar a los siglos tu hermosura preclara:

unas líneas de lápiz, unos cuantos colores
distribuidos por una mano exquisita y sabia,
cuatro palabras únicas que andan por no sé dónde
y que sólo el poeta es capaz de atraparlas...

Bésame fugazmente con tus labios pintados.
Yo soy, señora, el dueño de esas cuatro palabras.

Baldomero, "A una señora de cierta edad", 1927

UN POETA DE CIERTA EDAD

Es en vano, señora, detener a los años,
aunque des tus flexibles miembros a la gimnasia
aunque sólo te nutras de verduras benignas
y hagas tu esclavo al sol y tu doncella al agua.

....

Entre los irisados hilos de tus collares
surgirá lamentable tu marchita garganta.
Es más, señora, el arte no podría tampoco
transmitir a los siglos tu hermosura preclara:

ni cien líneas de lápiz, ni todos los colores
distribuidos por una mano exquisita y sabia,
ni las muchas palabras que aquel joven poeta
reunía en tu alabanza y ya están olvidadas.

No me beses, señora, que ya no somos dueños
ni tú de la belleza ni yo de las palabras.

César, 1983

PALABRAS

Me borré el doctor
hace mucho tiempo.

Borré la inicial
de mi nombre feo.

No quiero ser nada
ni malo ni bueno.

Un pájaro pardo
perdido en el viento.

Baldomero, 1929

EL CANTOR

estaba parado en una rama seca
en un árbol seco
mojado por la lluvia
el cielo estaba oscuro
era invierno
y cantaba

era un pájaro así no más
más bien feo marrón
tenía dos ojos fijos
giratorios
no sabía cantar
y cantaba

llovía y además
caía un poco de nieve
caía sobre él
las plumas se le erizaban
se sacaba los piojos
y cantaba

estaba solo en la rama
la rama sola en el árbol
el árbol solo en el patio
casi no quedaba luz
y cantaba cantaba

adentro hacía calor
pero él no entraba

César, 1969

CANCIÓN DE LUNA

En el aro ligero de la luna
canta para mí solo un ruiseñor.

A cada golpe de oro de su pico
brota en el aire una constelación.

Canta el pájaro pardo dulcemente
y se eriza de plumas y palor.

Cuando se pone el pecho más delgado,
dice mucho más clara su canción.

Morir, acaso, es continuar un sueño
de luna en luna y de sol en sol.

Baldomero, 1939

los niños se han acostado ya
los amigos se entregan cada cual a su arte
él también quizá más tarde
ahora que ha nacido
entró por fin a su jaula de cristales
el insistente pájaro que cantaba en la lluvia
entró a la vez dentro de sí mismo
su forma encaja en su forma
conoce el mundo lo reconoce con dolor con ligera
      sorpresa
una y otra vez vuelve a salir vuelve a entrar
le parece que ha olvidado algo

César, "Bordeando el Luxemburgo", 1975

ELEGÍA A LA CONFITERÍA DEL MOLINO

Molino, molinillo,
hazme polvo, polvillo.

Baldomero, 1950

ÚLTIMO VIAJE A BUENOS AIRES

y volví a Buenos Aires
caminé por la avenida de Mayo
han puesto tu casa en venta
seguramente van a demolerla

pero el molino de la confitería
seguía girando girando
y no te hizo polvo todavía

seguí por Rivadavia abajo
llegué al barrio de Flores
caminé desde la plaza hasta casa
donde hay ahora una placa azul

el tiempo se consume ahora de otro modo
tus cafés se volvieron pizzerías

en cambio los cines siguen siéndolo
los servicios fúnebres también
"¿qué dan en el Tarulla?" ¿te acordás?

y me perdí en la calle
que ahora lleva tu nombre

César, 1983

Ahora que Chascomús duerme su siesta
y salvo un banco o pública oficina
todo cerrado por igual se tuesta,

al amparo dulzón de una glicina,
casi desnudo, amigo mío, escribo...
....
Pero ya están cambiándose los cielos
y una espiral de brisa trashumante
arremolina hojas por los suelos.

Aparece bañado y rozagante
mi hijo mayor, y sin querer admiro
su cintura de arbusto cimbreante.
....
Te sacudes la última colilla
y traspasas la torpe cerradura
que como rata miserable chilla.

Crece en tu mano una azucena oscura
y te propones ser por siempre bueno
y ésa será tu baza más segura.

Te purifica el agua y ya sereno
tomarás tus holandas por armiños,
tu cabezal por dilatado seno.
Y dormirás al aire de los niños.

Baldomero, "Epístola de un verano", 1934

EL HIJO MAYOR

es verdad que yo medía 1,81 como vos habías registrado a
    mis veinte años
y sigo siendo más o menos de esa misma altura
no he decrecido aún
pero en cambio he aumentado unos cuantos kilos sobre los
    setenta de aquellos tiempos
ya ves he comido bien he sido un niño obediente
ya no podrías decir viéndome crecer
"César está más alto que yo
pero yo estoy más gordo"

así que ya no soy un arbusto
acaso una maleza
hoy ya no podrías admirarme tanto
quizá sea admirable mi insistencia
en sobrevivir

¿te acordás? vos decías también
"tengo los años de mi hijo mayor"
aclarando que "apenas"

eso es bastante cierto ahora
es decir vos moriste a los 63
yo acabo de cumplir 64

ahora sí soy tu hijo mayor
apenas

César, 1983

SEGUIDILLAS CON MUERTOS

Si de un muerto reciente
movéis la caja,
aunque aqucéis oídos
no oiréis ya nada.
Todo el espacio
es para el pobre muerto
flores y trapos.

Transcurrido algún tiempo
en otra prueba
qué ruido hará rodando
la calavera.
Arriba, abajo,
qué grave resonancia
bocha de espanto.

En un tercer intento,
muy seca y fina
rodará por la caja
una arenilla.
Dulce y lejana,
que por tablas eternas
se deslizara.

Baldomero, 1938

ÚLTIMO VIAJE A CHASCOMÚS

"ahora que Chascomús duerme su siesta"
yo voy caminando hacia el cementerio
me dicen que tengo que reducirte
otra vez tengo cita con tus huesos

¿sentiste cuando andábamos
moviendo sacudiendo tu caja
para ver si chorreaba?

vives bajo una lámina de cinc
¿un pequeño galpón en la pampa?
nada más que ahí adentro
la lluvia no se oye

(sigue en la página impar)

Madre, no me digas:
Hijo, quédate,
cena con nosotros
y duerme después...
....

La calle me llama
y obedeceré.
Cuando pongo en ella
los ligeros pies,
me lleno de rimas
casi sin querer.
¡La calle, la calle,
loco cascabel!
¡La noche, la noche,
qué dulce embriaguez!
El poeta, la calle y la noche
se quieren los tres.
La calle me llama,
la noche también...
Hasta luego, madre,
voy a florecer.

Baldomero, "El poeta y la calle", 1917

tu madre está guardada en el nicho de enfrente
ya no puede decirte
ya no puedes decirle que no te diga
"hijo quédate"

ni hace falta que te diga ella
"duerme después"

tampoco puedes responderle
"el poeta la calle y la noche
se quieren los tres"
tu única calle es la del cementerio
tu noche es eterna

César, 1983

A LA POESÍA

Como se alza una linterna
hasta la posible altura
para iluminar la oscura
entrada de una caverna,
así yo la sempiterna,
dulcísima poesía
alcé hasta la frente mía
al empezar a vivir,
y al instante de morir
me ha de alumbrar todavía.

Baldomero, 1926

A LA POESÍA

Como se alza una linterna
hasta la posible altura
para iluminar la oscura
entrada de una caverna,
así yo la sempiterna,
dulcísima poesía,
alcé hasta la frente mía
al empezar a vivir,
y al instante de morir
me ha de alumbrar todavía.

César, 1984

Este regreso a una de las patrias de América latina significa una nueva fase de esta experiencia: poder, por primera vez, dedicar todo mi tiempo a pensar y comprender América latina desde su suelo. Esto resultó óptimo para mis posibilidades. Este período coincide con un desplazamiento de mis intereses personales, que en cierto modo parecen irse alejando de la literatura y se centran en otras cosas de la vida. En esto influye una multiplicidad de factores, desde los que operan en el mundo en ebullición que estamos viviendo, hasta otros de índole personal.

César Fernández Moreno,
en una entrevista realizada por
el diario *La Opinión*, de Buenos Aires,
el 12 de julio de 1972

II
[ESCRITO CON UN LÁPIZ QUE ENCONTRÉ EN LA HABANA]

1. *Al mar hay que decirlo*

AL MAR HAY QUE DECIRLO[1]

al mar hay que decirlo
el mar es un hecho que el hombre no puede pasar por alto
el mar qué manera de estar
el cielo siquiera tiene nubes
el mar sólo tiene mar
hay que volverlo palabras
hay que hacer del mar un sonido que te salga de la boca
un dibujito llamado letras que te parta el corazón
entonces cuál es tu ser yo preguntaba por el mar por su
     tejido de adentro
por el mar por el maaaar
pero ya viene la noche a relevarme y te cubre de sí
oh mar como si no fueras lo bastante oscuro
a lo lejos la tierra alardea de faros como si ella fuera tan
     clara
el barco te surca sus chispas le cuesta
ya no te puedo ver sólo la luna nueva te contempla en
     secreto
pero me lanzo igual todo el tiempo contra tu ser
mar voy comprendiendo tu misterio se parece a esto que
     digo pero no es tan largo ni tan complejo
además yo quería decir tu esencia no tu relación con el
     hombre
sólo una sirena podría decírmelo
(llorando entrecortadamente)
ah-si-yo-fue-ra-pez-a-me-ba-si-quie-ra
(más esperanzado)

si me ahogara tal vez
el poema seguía
en la próxima estrofa explicaba el mar completo
yo lo escribí crispado sobre el castillo de proa
juro que lo decía todo todo
el mar se veía clarito cómo no me había dado cuenta antes
pero esa hoja se me voló al mar

al mar no hay que verlo
ya no te quiero escribir mar
parado en el borde de la playa
justo donde la arena es mar
y otra vez arena y otra vez
mar terminándose
dejo que te... te digas
ola a ola
sílaba a sílaba

2. *Escrito con un lápiz*
que encontré en La Habana[2]

ESCRITO CON UN LÁPIZ
QUE ENCONTRÉ EN LA HABANA

Le daré
la vida para que nada siga como está.

Francisco Urondo
Solicitada, 1972

el primer día

el primer día que llegué a La Habana
hace catorce años y algunos meses
encontré en la vereda este lápiz ya casi acabado
pero tenía punta todavía
me lo eché al bolsillo me dije
con este lápiz escribiré sobre Cuba
es tan humilde me dará confianza
a grandes temas pequeños lápices

y empiezo diciendo que Cuba es una delicosa vacuola
ovalando su miel entre los gases tóxicos del mundo
Colón tenía razón cerca de estos parajes andaba el paraíso
ahora es Fidel quien sigue teniendo razón
único gobernante de la tierra conocido por su nombre
        familiar
Fidel con su barba tiernamente raleada
que le deja en la cara superficies de niño
Fidel desplegando un diario en la tribuna batida por el
        viento feroz

y pronunciando luego un largo discurso del cual recuerdo
          una sola palabra
la que él pronunció como un largo hecho
la palabra "vivir"

Cubita

pero a Cuba no le es fácil vivir porque le fue muy difícil
          nacer
cuando el cansado león español fue roto a dentelladas por
          los anglosajones
y se metamorfoseó en veinte débiles presas
ella fue una de las tres últimas uñas de su garra sobre el
          mundo
por eso aquella Capitanía General que lo era de un
          continente
necesita las soluciones continentales de Bolívar o de Martí
las soluciones internacionalistas de Fidel o del Che
ella está sola en la arrasada punta de América
porque el Caribe como Centroamérica es la punta de
          nuestra América frente a la de ellos
y Cuba ondula entre el mar Caribe y el estrecho de México
el Yucatán y la Florida tratan de pinzarla de pellizcarla
y ella resbala entre esos dos dedos como una anguila

el resplandor de las luces enemigas se ve ciertas noches
          desde La Habana
y Fidel se las pasa todas de claro en claro
es preferible estar a oscuras que iluminado por aquellas
          luces   .
cabe también morir por la revolución como el Che
cambiar una vida por un mito
los que ahora vienen a pedirte cuentas airadamente
Cubita
son o muy ricos o muy tontos haces muy bien en
          rechazarlos
a sus guaridas mercenarias o a su limbo culpable

un compañero de viaje

pero yo vengo del sur soy un comerciante del puerto de
     Buenos Aires
sólo un inteligente sólo un contrabandista
me las rebusco para hacer pie en el lado blando del río de
     la Plata
una vez a mi hermano
que se estaba ahogando en esa agua marrón
le quité el salvavidas para salvar la mía
y aquí en La Habana cuando se enfermó aquel reciopoeta
y gemía desnudo bajo la ducha con el pito encogido de
     frío y de angustia
ese día yo quería volverme a mi lodo natal
no podía aguantar tanta verdad de acero
"vos lo que tenés es apendejitis" me hubiera dicho
     seguramente el Che
y como si el doctor Guevara estuviera realmente allí y
     realmente me hubiera asestado su temido
     diagnóstico
Paco se reía a carcajadas en el cine
y era bueno sentir su risa de amigo dos filas atrás
resonando en el sol de la calle diez minutos después
otra vez al unísono con la mía

hasta qué muerte

"argentino hasta la muerte" me había proclamado yo poco
     antes del derrocamiento de Perón
"a esta luz me dieron a esta luz me doy"
enfatizaba yo soportando una patria disminuida que otros
     habían dejado ya de soportar
"destino Buenos Aires" repetía obsesivamene tras el
     derrocamiento de Frondizi
"patria mía tenés que dejarme vivir" había rogado después
     en vano
"¡basta de divertir conquistadores!" había exclamado
     después en vano

y es así que me estaba yendo del país tras el derrocamiento
    de Illia
esta tercera vez yo también había sido derribado de mi
    roca argentina
así que ya no me daba más a la luz acariciante de Buenos
    Aires
sino que empezaba a darme a la luz recia de La Habana
luego me daría a la rojiza de Madrid a la cruda de México
a la poca pero perlada de París

Paco también había sentido fuertemente el hecho casual
    pero decisivo de ser argentino
pero no lo había vitoreado lo había cuestionado desde un
    principio
exhibiendo sin piedad nuestra inmadurez adolescente que
    luego lo mataría
"estoy maravillado de vergüenza y de miedo —decía—
paralizado como una reciente adolescencia"
y luego se preguntaba y me preguntaba
con esa profundidad que luego lo mataría
"de qué manera soy argentino
hasta qué muerte con qué gusto con qué desprecio"
apareciendo aquí ya este sentimiento que estará en la base
    mediata
de aquella su ulterior decisión de morir
cuya piedra miliar será desde luego el amor

                                        paseo por El Vedado

estos Paco ay dolor que ves ahora
campos de soledad mustio Vedado
fueron un tiempo crónica sabrosa
Villas d'Este o de Aquél
los burgueses querían parecer europeos siquiera
    norteamericanos
aunque sea lapones cualquier cosa menos cubanos

Venus de caramelo leones de manteca
columnatas de humo
frisos de papel higiénico
escombros de profesionales liberales
aquel proyecto del creciente bienestar individual
estomatólogo pediatra con letras de bronce que hoy faltan
      algunas
IN ENI R AZU ARE O
viejo te quitaron el dulce
se fueron los falsos propietarios vinieron los verdaderos
adolescentes de torneados muslos
ancianas escuálidas pero vivas
hemos visto las casas de los que se fueron
ocupadas ahora por estudiantes hasta por poetas
casas de marcianos una civilización extinguida
sus fantasmas nos acariaciaban
barnizados aún de grosero lujo
buscando todavía el bar centelleante y el vasto combinado
      ya sin ruido
todo se vino abajo no hicieron falta siglos bastaron unos
      años
antes parodias de grandezas
ahora parodias de ruinas
      ·

pero estas ruinas Paco son ahora el progreso
por cada casa que se cae en el Vedado se levanta una
      escuela en el campo
nuevas siglas florecen con todas sus letras
PCC CDR INDAF FMS INDER IDICT

ellos se fueron siguen imitando en Miami todo lo que
      pueden
mientras tanto los que se quedaron siguen inventando
iluminados por los bustos blancos de Martí sembrados al
      voleo
entre los árboles las flores
la naturaleza también puesta en libertad por la revolución

el Che vivo

y yo le escribo a Paco al regresar de Cuba
porque ya estábamos en ciudades distintas como estaríamos
          siempre en adelante
"creo —le digo— que es objetivamente preferible
una coexistencia con esperanzas que una guerrilla
          desesperada"
y él me contesta "todos —querido César— somos por
          naturaleza más coexistentes que guerrilleros"
que él quisiera simplemente escribir sus libros
yo me acuerdo entonces que el Che nos indica que
          debemos odiar a los imperialistas con un odio
          intransigente
"un odio que impulsa más allá de las limitaciones naturales
          del ser humano
y lo convierte en una efectiva violenta selectiva y fría
          máquina de matar"
Paco insiste "me horroriza la idea de las torturas
de las presiones de la violencia
tengo concretamente miedo" quería confesar
pero "vos considerás la lucha armada desesperada yo
          inevitable
no veo otro camino" y añadía
"no creo que las cosas serán tan rápidas y sorpresivas como
          ya han sido en Cuba"
sino que "nuestro país irá a la cola en ese proceso y
          contradiciéndolo"
y esto me lo decía con su desesperante caligrafía que hacía
          casi ilegible su escritura
hasta cuando escribía a máquina
me lo decía a mediados de 1967 es decir nueve años antes
          de su final sufrimiento
aunque esa carta como casi todas las suyas no llevaba
          fecha

Guantánamo

en Guantánamo arriba de todo
no habíamos encontrado a Joseíto con su
    "Guantanamera"
la que Martí cantaba antes de que existiera
había por cierto un solitario campamento arrasado por el
    calor
no habitado por ciervos heridos sino por soldados en
    perfecto estado de salud
y había un diccionario sobre un banco
lo usaban esos mismos soldados
tanto como sus armas ya que Cuba
es una experiencia guerrillera traspuesta en una
    experiencia educativa
o sea que al diccionario le faltaban las primeras hojas
ya no empezaba con la siempre inicial y brevísima "primera
    letra del alfabeto"
empezaba lo juro en la voz "acometer"
como empezaba siempre
y terminaba el Che

el Che muerto

y es así como el 9 de octubre de aquel mismo 1967
aquel horror y aquel miedo que Paco decía sentir
dejarán sus lugares a un dolor y un desconsuelo
    arrasadores
"c'était bien le Che" titulaban en primera plana los diarios
    franceses
porque ni siquiera sus asesinos podían creer que habían
    matado al Che
pero todos tuvimos que creerlo
"la muerte del Che —me escribe Paco ahora— me ha
    desconsolado
me ha resultado después de esto —tartamudeaba— difícil
    reponerme
pensar en otras cosas

volver a mi pobre vida que tan poco se ha tornado"
era también necesario asumir las consecuencias de esa
    muerte
por eso Paco me anunciaba claramente su futuro
como una manera de tasar la calidad y también la cantidad
    de su vida
"siento que la lucha armada será la única vía
que nos permitirá una vida digna"
o por lo menos una muerte digna
estaría ya pensando seguramente

                            segundo viaje a La Habana

él buscaba esa vida en América
yo más cómodamente en Europa
"hacés bien en irte" diría luego en su novela un personaje
    que podía ser él
a un personaje que podía ser yo
"contá lo que pasa lo que te pasa por qué te has ido de tu
    país
eso vas a saber hacerlo y será necesario"

él venía de vez en cuando a mi nueva ciudad
lazos de amor y de amistad lo cabresteaban
la última vez que vino fue desde mi punto de vista
para explicarme cómo usar la balanza donde pesábamos a
    mi hija recién nacida
él estrenaba una boina de vasco que le quedaba enorme
    por argentino y vasco que fuera
yo lo llevaba en auto al aeropuerto me perdía y le hacía
    perder el avión
él se quedaba un día más entre nosotros
yo también tomaba o perdía de vez en cuando el avión
    para cruzar el Atlántico
recuerdo ahora mi segundo viaje a La Habana
aunque esta vez Paco no fue conmigo
tampoco estaba el Che
en Cuba ni en ninguna parte

es decir la primera vez tampoco estaba pero sabíamos que
    estaba estando en alguna parte
acaso en Bolivia pensábamos tan cerca de nuestra patria
ahora ya no
"ya no se le puede pedir órdenes a mi comandante
ya no anda para seguir contestando
ya ha dado su respuesta —decía Paco—
habrá que recordarla
o adivinarla
o inventar los pasos de nuestro destino"

pero en La Habana volví a encontrar mi lápiz
en el bolsillo de mi última guayabera
y otra vez el lápiz se puso a escribir lo que veía
los aniversarios de la revolución —anotaba— se siguen
    celebrando con creciente fasto
las nuevas insignias siguen pintadas a mano en los viejos
    paredones
los despachos de los altos funcionarios que poco a poco
    van envejeciendo
siguen colgados de retratos de héroes cada vez más jóvenes
los técnicos siguen mostrándote al microscopio los
    espermatozoides del toro importado
uno por uno con el mismo orgullo viril que si fueran los
    propios
los hoteles de lujo de la época imperialista
siguen ofreciendo sus dorados a la época socialista
sus cha cha cha de exportación ahora se consumen adentro
el teléfono equivocado siempre acierta a despertarte
y las ascensoristas que hacen crochet siempre te siguen
    preguntando
¿a qué piso vas mi amor?

montonero

a Buenos Aires la visitábamos cada vez menos
Paco nos recibía en el patio descubierto donde bajo la
    lluvia

su complicada vida familiar lo había llevado a instalar el
      comedor
otras veces yo cenaba con él o tomaba un café en pizzerías
      o bares cuidadosamente elegidos
él me hablaba de su "optimismo trágico"
y es acaso por ese bifurcado sentimiento que lo encontré
      más de una vez con un poema en su bolsillo y una
      pistola en el otro
una de esas veces me invitaba a comer un asadito en una
      quinta de las afueras
y yo le respondía en esa mesa de café en la vereda muy
      cerca de los autos desenfrenados
que con gusto mezclaría mi sangre con la suya si desde uno
      de esos autos le dispararan una ráfaga
pero que no iba a comer ese asado con los Montoneros
le respondía que sólo iría a comer con ellos
si hubiera decidido quedarme con ellos hasta el final

vida cotidiana en La Habana

finalmente me fui a vivir con los cubanos
hay que estar con Cuba me había repetido el viejo Ezequiel
      una y otra vez
el gran Ezequiel aquel día de sol en Bahía Blanca
pero no es tan fácil amar a Cuba
no es fácil amar a quien está dispuesto a vencer o morir
ella realmente no puede vivir por sí sola
necesita apoyarse en alguien ¿en quiénes mejor que en sus
      hermanos?
por eso nos exige que la acompañemos
que avancemos con ella hasta su radiactiva cabecera de
      puente
amar a Cuba déjame decirte es tan difícil como encender
      un fósforo de fabricación cubana
si no crees en él y lo raspas en muchas desesperanzadas
      tentativas
cuando menos lo piensas se enciende y te quema los dedos
pero una vez que arde hay que ver cómo arde

durante cuánto tiempo y con qué fuerza
como para encender un tabaco para el Che
y de este modo Cuba nos va encendiendo a todos
así que empiezo por estar en Cuba don Ezequiel
que es un modo de empezar a estar con Cuba
y ayudando los años a vivir cada día
La Habana se me fue volviendo la vida cotidiana
hasta lograr el tranquilo equilibrio que usted también
     conoció
de afirmar a fondo cada mano
en su bolsillo de la guayabera

frente al puerto

mi casa estaba frente al faro frente a ese puerto cuyos
     mástiles caminan junto al malecón
por no decir que caminan por el malecón
cuando pasan más lejos se los ve avanzar entre las
     chimeneas de La Habana vieja
abres cualquier ventana y te responde una sirena
el relincho del barco que se acerca a las casas
llegan barcos y barcos
ellos te llaman y te llaman
sí barco ya te oigo
barcos del siglo XVI del siglo XIX
carabelas petroleras
cada media hora se desenlaza una novela de Julio Verne
entra la ballena de Melville
pasa la torre Eiffel como barco grúa
llega la Casa Rosada de Buenos Aires flotando cabeceando
como un enorme general hinchado
a La Habana ha venido un barco cargado de barcos
barcos radas barcos radar
barcos búfalo barcos león
barcos chiquitos como náufragos
barcos con una eslora de medio horizonte
barcos que parecen el humo de otro barco
y hasta un barco simplemente un barco

que viene bravamente meneado por el mar
entra en la bahía y se queda tranquilo
como después de hacer el amor

a tu salud

a tu salud este tabaco
Paco
soy yo César desde esta revolución ya hecha
a vos haciéndola no lo ves
yo tomo siempre las cosas hechas
siempre se me dan así
vos siempre tenés que hacerlas
y las hacés carajo
yo tengo que deshacérmelas primero
lo que tengo que hacer como diría León
pasa por lo que tengo que deshacer
lo hemos hablado tantas veces

a la salud de tu bigote este tabaco
Paco
aquí se te recuerda a lo largo del malecón
donde la espuma salta como puma
se te recuerda aquella vez comiendo agnolottis
que se tropezaban con tus bigotes
todavía no leí tu último libro
pero lo tengo todo el tiempo sobre mi mesa
pongo sobre él mis espejuelos la caja de tabacos

aquí se te recuerda padre
se te recuerda abuelo
se te recuerda
hijo
y no te me vayan a matar carajo

dar la vida

Paco había escrito y publicado durante estos años
un nutrido libro de cuentos y una novela que ya he citado
y un nutrido libro de teatro y un nutrido libro de poemas
y en el último verso del último poema de este último libro
decía él "ya no soy de aquí
apenas me siento una memoria de paso
mi confianza se apoya en un profundo desprecio
por este mundo desgraciado"
y terminaba afirmando
al parecer líricamente "le daré
la vida para que nada siga como está"

ahora bien esto no era una metáfora era lo que dice
           alguien que dice lo que propone hacer
paralelamente a su anunciado dar la vida él había
           publicado esas obras que lo definían
como quien ordena sus efectos personales antes de morir
simplemente para no dejar ese trabajo a sus hijos
él me decía tener miedo fue el más valiente de todos
valiente con aviso
"daré la vida" y dio la vida
se convirtió en "una efectiva violenta selectiva y fría
           máquina"
de morir

de esta manera Paco respondió a su propia pregunta
ya sabemos bien hasta qué muerte él era argentino
yo en cambio no he aclarado todavía lo que Paco me
           preguntaba en aquel largo poema sobre la
           adolescencia nacional
y ahora mismo si voy a Buenos Aires a quién puedo llamar
           para compartir aquella perdida luz
que todavía debe de andar iluminando por ahí
en todo caso no puedo llamarlo a él para contestar al fin su
           pregunta
¿hasta qué muerte Paco? parece que no era hasta la mía
¿hasta la muerte tuya? ¿hasta la de la patria?

porque sabés
ella no ha muerto aún ha desaparecido
sus secuestradores reinan en la reina del Plata
ahora sí que me toca a mí
como dije a mi padre cuando ya no me oía
ya no me quedan padre ni patria ni amigo que mueran por
mí

conservar la vida

el hecho es que poco después de dar él su vida en América
yo volví a Europa para seguir conservando la mía
para mí irme de Cuba era como irme de la Argentina
Cuba se da al futuro
yo sólo me doy a la palabra futuro que estoy escribiendo
con los últimos trazos de este lápiz
ya les dije otra vez que el poeta es un palabrero
aquí les dejo hermanos cubanos este abrazo ahogado o
salvado
esta vez me es lo mismo ahogarme o salvarme si es junto
con ustedes
cómo respirar sino con Cuba

lo que me pasa

Paco y yo seguimos teniendo aquel diálogo en su novela
"hacés bien en irte" volvía él a decirme
yo lo escuchaba sin tanto entusiasmo ya
"no tengo la menor idea de lo que voy a hacer" le
contestaba mi personaje "qué querés que cuente"
y el suyo me respondía eternamente
"contá lo que pasa lo que te pasa"

ya me vuelca el avión en cualquier aeropuerto de Europa
las máquinas isócronas empiezan a contar
las propinas y los sobornos se dividen con prodigiosa
velocidad

otra vez el reino de los más complicados botones
las máquinas fotográficas son usadas sin ninguna razón
sale tanta agua de las canillas que hay que bañarse con
    salvavidas
la boca empieza a sentir una necesidad constante de comer
la apertura y ruptura de los envases produce placeres cada
    vez más sofisticados
pasan los camareros llevando las servilletas como
    enfermeros con urgentes compresas
te hacen la cuenta de parados sobre el mantel de papel
un restaurante en Europa
es un equipo de hombres pobres que sirve con angustia a
    un equipo de adinerados que come sin hambre
la sociedad fuertemente estructurada de arriba abajo
te estruja en sus trapiches
te vuelve vino triste te incorpora a su sangre
te ata en horarios te desgasta en calculadas dificultades
y aquel mar aquel sol aquellas canciones se vuelven
    recuerdos
    recuerdos que hay que esforzarse en convocar
    tantas facilidades se te dan para olvidar
    y cuánto más difícil aún para los que nacieron aquí
    darse cuenta salir de esta sociedad
    cuál sería el instante para imaginar otra
    el que no fuera para el televisor
    para el frágil sueño ante la apagada pantalla de la
    noche

esto es ahora Paco lo que me pasa
en vez de ver girar el tiempo en el faro de La Habana
lo veo dar saltitos en el reloj de una torre gótica
en vez de verlo desde el ojo de buey de mi casa
lo veo a través de una tarifa pintada en la vidriera de un café
pero es lo mismo allá se movía una luz aquí un aguja
el que siempre está quieto soy yo soñando que me muevo
anoche soñé que le habían cambiado el rumbo a la calle
    Florida
no más sur/norte sino este/oeste
yo me perdía en Buenos aires

todas las cosas aparecían donde no debían
volví a despertarme aquí
flotando
como un palito en un remanso

recordar con alegría

pero vos nos dejaste dicho
"recuérdame con alegría"
te referías sin duda a esa alegría "que caía de vos" y que
        ellos "volvieron feroz" como bien explicó Juan
y así te recordamos casi todos los días
a solas en la parte de espacio donde cada uno alienta
yo te recuerdo por ejemplo
Noé y yo juntábamos berros en el borde del arroyo
y vos desde la orilla opuesta nos lanzabas invectivas riendo
        con risa entrecortada ya casi feroz
y ahora yo me río cada vez que me acuerdo
con risa entrecortada ya casi feroz

también me acuerdo de aquella canción que escribiste para
        una película
"estaremos juntitos
en el año 2000"
pero hubiste de dar la vida veinticuatro años antes de
        cumplir esa
programada constancia
este anuncio no te salió bien
así que ella quedó juntito a nadie
diste la vida "para que nada siga como está"
y nada sigue como estaba
todo sigue peor en esa desgraciada parte del mundo
que vivos o muertos seguimos amando como nuestra

la Argentina amor masoquista
te queremos y vos querés a otros
te queremos y vos nos golpeás
al que no lo matás lo corrompés

al que se queda lo dejás vivir solo
al que se va lo dejás morir solo
Argentina
amor imposible[3]

el alga y las murallas

y Marta levantó de la playa un alga filigranada
yo le dije pero dejá eso cómo vamos a llevar ese alga en la
         maleta se
va a quebrar
pero ella levantó de la playa ese espacio de Cuba
y lo guardó como ella sabe
entramos en París por la más alta de sus puertas
la puerta de La Habana
y el alga filigranada no se quebró
vive ahora sobre mis planos muros de París
quién te dice que un día esta misma ciudad
con sus murallas viejas con sus murallas nuevas
se vuelva toda ella
una irradiante alga filigranada

el fin del lápiz

y ya no puedo seguir escribiendo realmente
ya se acabó la mina del pequeño lápiz que encontré aquel
         primer día de
La Habana
ya es el último día del último regreso
a este lápiz ya no se le puede sacar más punta
debo arrojarlo definitivamente
ya nadie encontrará sino un trocito de madera
ni yo ni nadie podrá escribir nada con él
era un buen lápiz
un lápiz que escribió y escribió y escribió
eso era lo que él sabía hacer
y eso lo hizo hasta el fin

3. Contrapuntos de La Habana[4]

PERO VOLVÍ A ENCONTRAR MI LÁPIZ

pero volví a encontrar mi lápiz
qué amplio cada minuto —escribía— cuando lo infla el
    futuro
cuando el futuro transfigura el presente
cuando el reciente pasado saluda al presente
cuando el presente da a vivir consigo ese
pasado y ese futuro
el alquiler la venta de los débiles las mujeres los
    adolescentes las niñas
para usar ilimitadamente sus cuerpos
hasta la muerte como quería Sade
la ley de oferta y demanda aplicada en toda su pureza
    neoliberal a la carne humana
la cruza biológicamente fértil de la miseria con las guerras
    neocoloniales
el aumento de la población automatizado en aumento de
    la abyección
ése es el desarrollo que les prometieron década a década
de este desarrollo del mal fuiste salvada Cuba por la
    revolución
hoy nada es así en Cuba
nadie tiene que servir por dinero a las otras almas o
    cuerpos
nadie tiene que gritar ahora su mercadería en las calles
    para sobrevivir
ningún aviso luminoso intenta abusar del deslumbramiento
    de nadie

pero volví a encontrar mi lápiz
en el bolsillo de una vieja guayabera
y otra vez el lápiz se puso a escribir
qué amplio cada minuto cuando lo infla el futuro
cuando el futuro transfigura el presente
entonces se hace posible volver sin miedo los ojos hacia el
        pasado
¿te acordás hermano el show del Capri no era del INIT
        sino del RAFT
los cadillac aún no sabían que iban a ser del ICAP
míster quiere ver cómo singa el gigante negro?
quiere culearse una niña? un cura?
Cuba habían dado sus primeros pasos los comerciantes de
        carne
humana que hoy venden "sex tours"
aquel pasado de Cuba es el presente de tantas otras islas y
        penínsulas del Asia Sudoriental
situaciones humanas que exceden lejos toda la dramaturgia
        occidental

DESDE ENTONCES TODOS ME PREGUNTAN

desde entonces todos me preguntan qué hay y qué no hay
    en Cuba
lo que no hay desde luego es tan malévola curiosidad
hay una lagartija
no hay toda la población útil de La Habana
que está en la zafra
hay
los que quedan viejos niños
mujeres errando por las azoteas de La Habana vieja
o quietas en los patios interiores mirando pasar el
    tiempo
hay el ciclón que viene o que no viene
un viejito en la azotea vecina que sale a mear contra el
    ciclón
si tirás un pucho encendido entre los barrotes de la
    persiana
que te ataja toda el agua del golfo de México empujada por
    el aire del mar Caribe
seguro que ese pucho se apaga

ni hay calles
quiero decir no hay vidrieras
cafés vendedores ambulantes
hay vías pavimentadas
para trasladarse de un lugar a otro
un lugar es la casa
otro lugar es el trabajo

no hay huevos
hay "huevos"

en fin hay lo que hay
y no hay lo que no hay

EL VERANO DE AGOSTO

coloca en un ángulo
de su baranda
con argamasa
un busto desnudo
de mujer y lo
pinta con cal

DOS HOMBRES

a Alejo Carpentier

había dos hombres que vivían en dos terrazas vecinas de La
    Habana
separadas apenas por un pequeño desnivel
uno era cubano otro no tanto
uno era joven otro no tanto
uno era pobre otro no tanto
pero los dos estaban solos
cada uno hacía sus cosas sin mirar al otro
hubiera podido mirarlo
uno martillaba los clavos de sus zapatos
otro bebía su vino
uno encendía sus luces rojas o verdes
otro graduaba el brillo de sus luces equipadas con un
    relay
inmóviles en la dársena los barcos contemplaban a los dos
    por igual

hasta que llegaba la noche
cada uno ponía su música favorita
escuchaba también la del otro pero en un segundo plano
a veces alguno de ellos llegaba a bailar solo
cada uno estaba solo
pero cada uno nunca miraba al otro

por fin cada uno cerraba su puerta con candado
daba cuerda a su respectivo reloj despertador
se arrojaba en el sueño
cada uno dormía abrazado a una almohada suplementaria
y soñaba que acariciaba
y era acariciado por una mujer
que quizá era la misma

y a la mañana
cuando el sol hacía de las dos azoteas una misma lámina de
    oro ardiendo
cada uno se iba a su trabajo
nunca se encontraron al abrir sus respectivas puertas de
    calle
y cada uno se lanzaba en su día
y a lo largo del día y alguna vez en la noche siguiente
cada uno hacía el amor o hubiera querido hacer el amor
con una mujer que quizá era la misma
pero que no era de ningún modo la mujer de ninguno de
    los sueños de cada uno de estos dos hombres que
    vivían en dos terrazas vecinas de La Habana

PASEO POR LA HABANA VIEJA

paseo por un hospicio
los ladrillos las columnatas las volutas las gárgolas las rejas
se caen se caen se caen
Sodoma debía ser castigada
todas las capitales latinoamericanas deberían también ser
          castigadas
por el delito de comerciar y lucrar
y alquilar y vender a vil precio el cuerpo entero del país
La Habana vieja ya fue castigada y perdonada
ya no corre el servicio doméstico por un ochavo de dólar
ni siquiera el baseball sobre el pavimento que se va
          perforando y cubriendo de zanjas
mordidos mandíbulas hundidas es el día del sacamuelas
          como dijo el Che
casas de La Habana vieja
acariciadas noche a noche
por la mirada luminosa del faro
y las piernas quebradas y las piernas cortadas
y las viejas en los sillones de hamaca y los paralíticos en las
          sillas plegables como sus miembros

las revoluciones socialistas en un país subdesarrollado
no son no pueden ser juzgadas sino por estadísticas nunca
          por impresiones
revoluciones sobre cuerpos tan enfermos que apenas
          resisten a la operación
el socialismo hace lo que puede con el subdesarrollo

hacen falta generaciones que les den su sangre
al campo al campo a las nuevas escuelas prefabricadas
a estudiar y trabajar
a la vez

el malecón va desgastándose como una ciudad abandonada
            en la luna
tan poco concurrido
que las olas que saltan la muralla ahí se quedan nomás
            para siempre
calladas en musgo
salado
y el solitario caminante resbala en ellas
resbala y cae cree que no va a caer pero cae
cae en pedazos sobre el duro cemento que el musgo vuelve
            mullido
un aislado motociclista pasa raudo riendo a carcajadas
que explotan a dos tiempos y se alejan hacia Marianao

CON ESE EQUILIBRIO FUI CAPAZ DE HACER COLA

con ese equilibrio fui capaz de hacer cola
entre las multitudes habaneras
para comer el mismo tamal
beber el mismo vaso de papel de cerveza
dar el mismo paseo en el mismo tren de juguete
y allí yo me sentí otra vez en la especie
entre niños y grandes
negros y blancos
ni bien ni mal vestido simplemente cubiertos un poco bajo
    el sol del trópico
y cuando el tamal o la cerveza o el trencito del parque se
    acababan antes de que llegara el punto de la cola
    que yo era
me iba tranquilo como si nunca hubiera existido aquello
    que yo había esperado
como si ya hubiera comido o bebido o viajado con las
    bocas con los ojos con los niños de los demás

EL TIEMPO Y YO[5]

yo le digo al tiempo
no te mi has d'ir maula
te voy a llenar de hechos
incisivos brillantes
hasta superponerme a vos
hacerte igual a mi vida
flotar en vos y vos en mí

el tiempo me responde
no te pongás así muchacho
dejáme correr andá
si yo no te hago nada
te empujo un poco no más
fumáte un cigarrillo
mirá por la ventana
perdéme

esto diciendo
el tiempo gentilmente
pasa

BARACOA

llovía en Baracoa sobre el chocolate
cha cha cha llovía cha cha cha
hernán cortés seguía gesticulando en la plaza de Trinidad
vamos a México decía
verán qué país decía yo les prometo el porvenir decía
yo muestro al guitarrero el albergue donde vamos a pasar
      la noche

y le pregunto ¿vas a cantar aquí?
él entiende "aquí" por la calle
y ahí nomás se pone a cantar en la calle
él no necesitaba introducciones ni aprontes
esta noche estoy de amor cantaba
esta noche estoy de amor mujer
Cuba nos pone así todas las noches
nos pone de amor nos vuela de ciclón de amor
nos arropa en colchones de verdes hojas de amor
así como el presente desaparece en el futuro
la ternura con que los latinoamericanos vamos conociendo
      y reconociendo
        el acento oral de estos hermanos que nos tenían
        ocultos en América latina

y ellos te desgranan su melopea de vocales
y ellos te martillan la t de Guantánamo
y el sabor del guarapo como el del mate
un solo sabor el sabor de la tierra de América

y el negro lustrabotas de Manzanillo
el residual lustrabotas que lustra a la siesta la madera del
      sillón para el cliente que a veces no tiene zapatos
mientras ponía un poco de cera en mis zapatos de visitante
      le dijo a mi silencio argentino
esto es la libertad ahora sí que puedo hacer lo que quiero
gastar alegremente la vida en el trabajo
cortar la caña bañarme en el río volver cantando con los
      compañeros

UNA IGLESIA SIGUE EN PIE

una iglesia sigue en pie
todavía la encalan todavía reparan sus frescos chillones
el cura habla con un micrófono colgado al cuello como un
    escapulario
en el portal yace y respira el último mendigo
tiene una mano extrañamente puesta sobre su latita de
    pedir
pedir qué
no monedas en todo caso
a éste no lo salva ni Cristo ni Marx
saltas sobre el mendigo sales de la iglesia unas gotas de
    lechada te caen sobre la camisa
como una extraña aspersión bendicente y de mal gusto

TRANSCRIBO LA VERSION FRANCESA[6]

transcribo la versión francesa porque esta conclusión sólo
        fue
compartida por algunos de ustedes, hermanos cuando yo
ya me daba a la luz perla malva de París.

je mets sur toi   tout mon corps
a cette lumière   a cette lumière
eh bien je suis argentin

dicen que el concorde pondrá a París a 10 horas de Buenos
        Aires
si nos quedamos a vivir en París vos llorarás todas las
        noches
no podré vivir en La Habana Paco te enojarás porque
no me quedo en Buenos Aires ayudándote a hacer la
        revolución
mi madre morirá sola no hay tanto sol aquí no sé si me
        alcanzará
el dinero me contradigo con poemas anteriores pierdo mi
        chance
de ser poeta nacional de ganar el premio nacional los
        baños son
tan chiquitos —enterrados en París— seré un viejo más en
        el Luxemburgo no sé si
llegaré a pronunciar bien el francés las copas de los árboles
de la Plaza Lavalle vistas desde arriba

así que Buenos Aires *no* me vas a matar
nací hermanos en *aquella* dulce tierra argentina

MIRÁ PAQUITO YO TE ELIJO
OTRA VEZ COMO INTERLOCUTOR[7]

mirá Paquito yo te elijo otra vez como interlocutor
acaso yo supe volar un poco

transido de destino creía yo
a grandes golpes de vida
cósmica
cuatro veces la cuna del avión me hamacó sobre el
        Atlántico
en el primer viaje a Europa no pude ver nada porque
        estaba casado
en el segundo tampoco porque estaba angustiado
en el tercero porque estaba resfriado
pero la música día a día me seguía llevando a Europa
yo sabía que en Europa es donde me hacen andar
entonces —me dije— tengo que volver a París a
        comprarme calzoncillos
y ya lo ves en este cuarto viaje
en este quinto y último momento que yo sepa
me voy quedando por aquí
he resultado ser argentino
hasta esta muerte

mientras Martha hacendosa como siempre
levanta y alquila nuestra casa de Buenos Aires
yo me cago de angustia en París y sus noches

el amor sigue pero ya no es verdad aquello que yo le decía
        con
amor a mi patria

CON EL VIENTO NO SE
PUEDEN LEER LOS DIARIOS

con el viento no se pueden leer los diarios
con el sol no se pueden leer los libros

queda la música
que no se quema que no se vuela
te convierte en el sol y en el viento
la negrita que pasa cantando al lado tuyo
y pasa y te mira a los ojos sin dejar de cantar
la música para bailar solo puede ser interrumpida por la
     sirena de los barcos
los negros dactilografiando sobre los tambores
los petadors repicando con las palmas
y que cante que cante le gritaban al enorme ministro de
     educación
y si a uno no le gusta la música viene otra que le va a gustar

el fruto de la palmera cae secamente
la rama de la palmera que cae con un fastuoso ruido de
     espadas secas
el niño que se acerca como para recoger esa presa recién
     cazada
en este país socialista
todo lo que cae de un árbol pertenece a un niño

melón es la sandía
la fresa es la frutilla

la vida en las azoteas
la grácil mujer tendiendo la ropa
ella misma tendida por el viento
el duro sol de mediodía marca
fuertemente en su blusa
la sombra de sus senos

SIEMPRE HAY QUE ABRIR
LAS PUERTAS CONTRA EL VIENTO

siempre hay que abrir las puertas contra el viento
el viento que aquí se llama aire
puede llegar a brisote después del mediodía
mar ligeramene movida a moderada
mar rizada rizada
"la mar será rizada en ambas costas"
el aire es a veces tan duro
que las aves no vuelan por él
lo trepan lo caminan
"camínalo no lo corras" y lo vuelan y cómo

las motocicletas policiales saliendo en fila
brillantes como grandes hormigas metálicas
el lento camión de la basura dando la vuelta al prócer a la
        mañana
las violentas luces azules y blancas entrando por las tiernas
        celosías blancas y azules por un milímetro de
        persiana penetra todo el sol
la espuma del mar furioso nimando al prócer

quedarse en la playa hasta que se van los hombres y salen
        de sus cuevas los pequeños cangrejos,
en los crepúsculos el sol no se atenúa
aumenta como si fuera el amanecer
a las siete de la tarde el duodécimo amanecer del día
el amanecer de las nubes
los chorros de luz que levanta el sol cayendo en el mar

LOS NIÑOS PIDEN CHICLE

los niños piden chicle

así como en México te lo ofrecen
la contradicción entre el capitalismo y el comunismo pasa
     por el chicle
los niños juegan a la pelota
infinitos golpes en el aire con la delgada madera del cajón
hasta conseguir que se vuelva bate y golpee de pleno la
     pelota

una muchacha desesperada quería dejar un papelito con
     un mensaje
debajo del cristal del féretro donde yacía su padre vestido
     de maniquí

la familiaridad con las cucarachas
la noche circulada por ellas
pastoreando en los campos de la cocina
cucarachas que avanzan como guerreros empenachados
     implacables
me hago la corbata frente a un espejo mientras miro de
     reojo a una enorme cucaracha que está por saltar
     sobre mí
rebelde

AMANECER (FRENTE AL FARO)

el faro desiste ante la luz del día
el mejor día es el que se inicia por un barco blanco
el hecho milagroso de que el tiempo va aclarando el cielo
a esta hora entran los barcos más blancos
una cucaracha seca y desarticulada
el viento fuerte que te levanta más allá del borde de la
       terraza
todo se arregla entre el aire y la luz
el café caliente introduciéndome la vida por la boca
la aguda sirena del ancho petrolero
un barco como una pelota cuelga del cóncavo horizonte
el sol comparte el horizonte con ese barco
y vuela como un enorme copo de espuma

ATARDECER (FRENTE AL FARO)

el faro como un disco rayado
los barcos deslizándose sobre las aguas como si nada.
el hecho milagroso de que el tiempo va oscureciendo el
          cielo
a esta hora entran los barcos oxidados
una gran cucaracha viniendo a alegrar mi soledad hasta
          que yo la mate
la fuerza de gravedad más allá del borde de la terraza
todo se arregla entre la fuerza de gravedad y el tiempo
a ron Caney ex Baccardi introduciendo su ardiente lengua
          en mi boca
la grave sirena del agudo crucero
un barco de cartón navega por una aguafuerte
y se inserta en una hendidura del horizonte

NGOMME NGOMME

ngomme ngomme
de vez en cuando
¡chequeré!
alto y vibrador

bailo bailo bailo
floja como un arco después de tirar
flojo cada brazo me golpea el pecho
me roza cada pecho a cada golpe de la tumbadora
me roza me roza los brazos se cruzan se atraviesan
el pelo cae los ojos caen
alguno me saca de la rueda
la cabeza me cae
desgarrada quieta
me muevo en la quietud

pero sigue la música
de vez en cuando
alto y vibrador
¡agogó agogó!

otro embrión de relámpago sube por mi cintura
me llega hasta los hombros
me sacude apenas como a un resorte dormido
pero de acero
alguien me empuja otra vez a la rueda
flojo cada brazo flojo cada pelo

las rodillas un poco dobladas
bailo bailo hasta los ojos
los ojos cerrados metida en mí misma como un trompo
naturalmente curva floja pero tácita en mí la dura
        posibilidad de tensarme
desaparezco dentro de la música ¡chequeré!

QUÉ HA PASADO

pero por qué querer crecer aquí en España o en Cuba
por qué no seguir allí donde naciste?
qué te ha pasado qué ha pasado?

es muy simple
una capa social más imaginativa o mejor preparada que
        otras
digamos la capa de Paco
definitivamente unida a la base obrera
eso sí a través de Perón
trató de hacer efectiva una maduración total de la patria
que la pusiera por lo menos a la altura de sus metrópolis
        sucesivas
o sea claramente Madrid Londres New York
y pasó simplemente que esas capas eligieron mal o
        demasiado pronto el momento de exteriorizar sus
        exigencias
y otra estólida capa sin ganas de cambiar ni de abandonar
        sus mediocres privilegios
ayudada por los veinticinco verdaderos privilegiados de la
        pampa húmeda
protegidas por el cinturón armado de armas pero no de
        imaginación
a su vez dependiente de la metrópolis de turno
simplemente toda esa gente
expulsó torturó mató a esa capa que hemos llamado
        imaginativa

que hoy sobrevive a pedazos en cien países que la reciben
    no sin desconfianza
simplemente mataron torturaron y finalmente sometieron
    al pueblo todavía soñante en un líder reducido a
    una viuda
simplemente es así
un gran proyecto nacional quedó para mucho más
    adelante
quizá para nunca
en todo caso para nunca nosotros

4. *Otros poemas*[8]

ALGUNAS COSAS SOBRE COLOMBIA

a Jorge Guebelly

Colombianos dijo Santander las armas os han dado
    independencia las leyes os darán libertad
pero el ministerio de obras públicas construye el palacio de
    justicia
y el palacio de justicia colombiano os quitará
    independencia libertad y justicia

liberales conservadores
criminales estafadores
cuidado por las calles que te arrancan el reloj de la muñeca
y sin embargo las calles son una iglesia continua
pero tampoco entres que te arrancan el alma
milagro milagro el frente de la cátedra resplandece con
    una luz preternatural
pero no pibe son los focos de la plaza Bolívar
encendidos antes del crepúsculo para admiración de los
    turistas ciegos
a los piratas del siglo XVI les era más difícil
que a los de ahora violar las murallas de Cartagena
los rascacielos se recortan contra las montañas
cuando no las tapan las montañas están tan cerca como los
    rascacielos
en una casa baja entre los rascacielos y las montañas
algunos italianos mantienen la academia española de la
    lengua

¿SANTO DOMINGO O CUBA?

hice un viaje a Cuba en 1956 quiero decir a Santo
          Domingo en 1976
Fidel Castro estaba muerto quiero decir Caamaño
el Che Guevara olvidado quiero decir Juan Bosch

donde hay un grupo muy pobre y otro grupo muy rico
y además este último sexualmente reprimido
la prostitución es un simple resultado aritmético una
          carambola cantada
así yo viajero bien vestido iba eludiendo la persecución de
          las prostitutas
como una virgen eludiría a los macrós

y el show del Tropicana quiero decir del Jaragua era
          excitante y homosexual
uno no sabía para donde mirar por todas partes aparecían
          mujeres cada vez más desnudas
los choferes de taxi vendían los casinos que vendían las
          mujeres y los muchachitos
el cha cha cha quiero decir el merengue resonaba en los
          bongoes y en los testículos

Gracias a los africanos la casa de
Colón hoy es un son
la casa de Cortés
hoy es un jerk

el campo seco devastado la zafra ya terminada para los
    patrones
yo quiero volverme a la Cuba de hoy
o al Santo Domingo de mañana

EL DOCTOR JORGE QUIROGA

el doctor Jorge Quiroga era Juez de Instrucción en lo
    penal
dejaba a la policía torturar a los jóvenes revolucionarios
qué le vas a hacer decía él amablemente al joven abogado
    defensor
es la única forma de que digan lo que tienen que decir[9]

al Doctor Quiroga los jóvenes revolucionarios lo bajaron a
    balazos desde una motocicleta en su automóvil
    último modelo
qué le vas a hacer decían ellos
es la única forma de que nunca más hable[10]

LIBRE EMPRESA EN MÉXICO

a Jaime Sabines

la estructura gringa implantada desde arriba como un
      férreo molde
da una apariencia de eficacia qué menos le podemos
      reconocer a ellas
eficacia aquí contrariada a cada momento por los miedos y
      trapacerías del indio
qué otra cosa podrían tener y hacer los indios después de
      tanto gringo
entonces la cosa no es india ni gringa
y el que llega de afuera oscila desconsideradamente de
      Iztapalapa a Wall Street

hombres grandes negruzcos sentados en el cordón de la
      vereda
leyendo pequeños libros de historietas
una pareja hablándose personalmente dentro de una
      casilla de teléfono
uno camina pisando las manos extendidas de los mendigos
      tendidos en el suelo
english spoken
—and so what?

la libre empresa
un vagabundo dormido contra una vidriera en la oscuridad
alzando todavía en la mano una caja de chicles

es libre podría dormir en las baldosas
"pase usted pase usted"
dicen en la noche dos puertas transparentes pero
        herméticamente cerradas
salvo a los dólares y de día

imposible conseguir hotel esta noche
los leones han invadido México City
quiero decir el Club de los Leones
libre empresa

HUÉRFANO EN BUDAPEST

a Iván Boldizsar

yo estuve unos días en Budapest
me pusieron en una isla que osaba partir en dos azules el
    Danubio

pero una joven guía me hacía cruzar los puentes
bajar a los museos subir a las terrazas
ella de buena gana hubiera sido occidental
aunque no necesariamente cristiana

en el oeste me habían dicho en efecto
que Budapest era una ciudad del este
pero yo no advertía ese punto cardinal
en los intelectuales en los funcionarios
ni en las señoras que compraban fundas floreadas para
    colchas
con un agujero circular en el medio
para qué será

obreros no recuerdo haber visto
sería porque estábamos en el este
y los gitanos no eran allí considerados como cíngaros
sino como gitanos

lo que sí debo admitir
es que nunca pude saber

a pesar del empeño de mi guía
cuándo estaba en Buda
cuándo estaba en Pest

EXPOSICIONES EN PARÍS

venga señor a las exposiciones
verá a los leprosos exhibir sus llagas
las personales y las pintadas al acrílico
trapitos de colores sobre las llagas sexuales
barbas y pelos procurando compensar lo lampiño de sus
     cuadros
imitadores de constructores de juguetes

basta ya de hacer cositas
ustedes no precisan ateliers sino consultorios
reconozcan que no es éste el momento de la pintura
no es el momento amable de los amables impresionistas
aprendan a pintar
pinten paredes en el país de cada cual
la brocha gorda es verdaderamente noble

pinten siquiera frases agresivas en las paredes
ya encontrarán editor en París
no nos expliquen más qué es el espacio
ocúpenlo de una vez

vamos al cine cómprenme un caleidoscopio
el Sena pierde el tiempo discurriendo junto a ustedes
me volvería a casa si no fuera porque a estas horas no voy
     a encontrar estacionamiento

LA FRANCOFONÍA

a Beatriz Sarlo

los franceses son sobre todo un lenguaje
donde los grandes adjetivos se han gastado de tanto
        prodigarlos
toda mujer fea es "ravissante"
la más mínima idea es "étonnante"
cualquier pavada los deja "désolés"

y dios te libre si te toca discutir con ellos un artículo
        cualquiera de su industria cultural
todo lo arreglan con un adjetivo
ya verás cómo todo es "intéressant" o "amusant"
"marrant" si el que te habla no es un crítico profesional
"sympathique" o "sympa" según la edad del que habla
si la cosa se pone fea se inflan los carrillos con la palabra
        "beau"
y en última instancia te arrojan su sustantivo favorito
y la cosa es entonces un "chef d'œuvre"
que seguro les gusta porque les recuerda a un chef de
        cocina

y no cualquier lenguaje sino uno geométrico
se niegan "carrément" en vez de redondamente
la cuerda floja es "la corde raide"

cuando tienen el estómago revuelto tienen "mal au cœur"

y cuando están de acuerdo se caen
"tombent d'accord"

y cuando se trata de vender algo
un automóvil aúna "la raison et la passion"
un corpiño es "mathématiquement féminin"
pero a un bebé "éveillé" no hay que darle la teta
sino una "alimentation intelligente"
para hacer él "un homme intelligent"
a un hombre cuando tenga una corazonada o haga alguna
          locura habrá tenido "un coup de tête"
es decir no saben amar sin perder la cabeza y hasta la razón

pero hay algunas obvias distinciones
mal que les pese a las feministas
las mujeres "deviennent amoureuses"
los hombres "tombent amoureux"
aquéllas ascienden gradualmente
          a las cumbres del hombre
éstos caen de golpe en el pozo
          de la mujer

LOS FRANCESES

a Paul Verdevoye

—pardon
—pardon
son dos franceses que se cruzan
pero perdón por qué
excusez moi pourquoi?
¿tanto los perturba el uso del espacio
la respiración del aire en común?
perdón por existir

ellos hacen todo al mismo tiempo y a la misma hora
vacaciones trabajos el amor el vino
muchos besos más o menos en las mejillas
larguísimas deliberaciones sobre si ça va o ça va pas
la gente se estrecha las manos
de cada una de las otras pende una botella
y a la voz de "s'il vous plaît" se agarran a patadas

le dan al ingenio
no le tienen miedo al mecanismo
les enseñó Leonardo cuando estuvo en Amboise
tampoco temen a la reglamentación
y les gusta pagar con tarjetitas

en el Bazar Hôtel de Ville venden más barato que en
        cualquier parte a Wolfgang Amadeus Mozart

la educación y la cultura sólo les han aumentado su
      repertorio de lugares comunes
donde los argentinos tenemos diez lugares comunes ellos
      tienen cien
así que no te dejan inventar nada
y cuando no saben lo que piensan sobre algo
consultan un sondaje del IFOP o de SOFRES

pero lo que nunca saben es dónde están
están todos cambiados nadie está en su lugar
en la ciudad "je ne suis pas de ce quartier"
en el campo "je ne suis pas du pays"
lo que da por supuesto que los barrios o pueblos ajenos
son impenetrables incognoscibles para quienes no los
      habitan

CONFERENCIAS INTERNACIONALES

a Pío Rodríguez

yo quisiera saber los pensamientos íntimos de cada
      participante en las conferencias internacionales
mientras otro habla monótonamente de otra cosa
dando larguísimos rodeos para decir que será breve
el embajador de España por ejemplo
suele ponerse los auriculares
para escuchar en un idioma no español
los insultos de los nativos sobre la colonización española en
      América

en cuanto a mí lo que yo quería era rascarme la oreja
pero es claro tenía los auriculares puestos
yo me los ponía y apagaba el contacto
nadie me molestaba yo escribía poemas
en el lujoso papel timbrado de la reunión
sólo volvía a poner el contacto para estornudar
o levantaba el brazo para sacudir la ceniza del cigarrillo
y me concedían la palabra
entonces escuchaba por los auriculares
la versión de lo que yo mismo estaba diciendo en español

mi impronta en las conferencias internacionales
fue más de una vez
un moco pegado en la pared del mingitorio

NOTAS

1   El presente poema, en una versión más larga y muy diferente, de 1955, se encuentra en la sección ESPACIO ESCRITO de "Argentino hasta la muerte", en *Obra poética*, volumen I, Buenos Aires, Perfil Libros, 1999, pp. 101 a 105.

2   Con este poema, publicado por la revista mexicana *Plural* (nº 125, febrero de 1981), César Fernández Moreno ganó el "Premio Plural de Poesía 81".

3   Los ocho versos que componen esta última estrofa no constan en la versión original publicada por la revista *Plural*.

4   Fernández Moreno, en una hoja aparte que acompañaba a la carpeta Querencias III —la de los poemas escritos en Cuba— había anotado: "Contr: poema ELH (continuado con remisiones) con otros textos (en bastardilla y con su título) a manera de ilustraciones o ampliaciones)". La lectura de los poemas que integran esta sección permite imaginar claramente que los mismos habían sido pensados como contrapuntos y —en aquellos en los que se titula con el primer verso del poema— ampliaciones de "Escrito con un lápiz que encontré en La Habana". Sin embargo, a la fecha de su muerte, el autor no les había asignado un lugar definitivo en su largo poema ni había dejado otras anotaciones que permitieran imaginar su ubicación en ese contexto. Por lo tanto, para no ensayar incrustaciones tentativas que, atentando contra su naturaleza orgánica, pudieran restarle coherencia al primer texto, se ha decidido presentarlos de manera independiente como una serie complementaria.

5   Al pie del original se lee manuscrito: "Versión a finalizar IX.81".

6   El original comienza con la indicación: "Intercalar a ELH".

7   El original comienza con la indicación: "Intercalar (empalmando con cita *Adolecer*".

8   Si bien cada uno de los textos de esta serie escapan al tema general de "Escrito con un lápiz que encontré en La Habana", Fernández Moreno había considerado la pertinencia de incorporarlos como contra-

puntos a su poema. De hecho, en la hoja que precede a estos poemas se lee: "A considerar (vienen de Contrapunto)". Por otra parte, cada uno, al costado de su título, llevaba la pregunta: "a ELH?". Lo cierto es que, descartados del libro *Contrapunto,* por su tono, estos "contrapuntos postergados" le habían parecido apropiados para sumarse a los poemas de Cuba.

9   Como alternativa a *"digan lo que tienen que decir"* se lee: *"hablen/confiesen".*

10   Como alternativa a *"hable"* se lee *"vuelva a decir lo que no tiene que decir".*

III
[HOJEANDO UN CATÁLOGO
DE VIEJOS AUTOMÓVILES]

HOJEANDO UN CATÁLOGO
DE VIEJOS AUTOMÓVILES

*Luego volverás a ser poeta. Pero otro
poeta.*
Carta de Enrique Amorim al autor,
fines del 59.

*hojeando un catálogo de viejos automóviles
aquí aparece el double phaeton Ford T modelo 1924
mis primos estancieros decían que FORD era una sigla
Fabricación Ordinaria Rotura Diaria
pero de ese modelo se vendieron quince millones de unidades entre
1903 y 1927
y lo que son las cosas
una de estas unidades la compró mi tío Mario el dentista que
también era artista
y cuando el Ford reposaba bajo el sol de la siesta frente a la casa
vieja
yo me sentaba solitario en el volante y jugaba a que sabía manejar
aprendía para siempre las enigmáticas inscripciones de su tablero*
on dim off park

*cuando mi tío Mario iba a la chacra que había comprado con los
ahorros de su profesión
yo le preguntaba ¿me llevás? y él siempre me llevaba
me llevaba adelante ir atrás era cosa de mujeres
los cambios se hacían a pedal
caja mecánica epicicloidal de dos velocidades*

con la mano se atusaba los "bigotes" bajo el volante
uno era el acelerador otro la chispa
y de vez en cuando al acelerar
mi tío continuando el movimiento de su mano
me daba una fuerte palmada en el muslo que mi pantalón corto
dejaba desnudo
y a mí me dolía esa muestra de confianza viril
pero a la vez comprendía que el gesto de mi tío
era una forma de asegurarme que yo era el compañero de todas sus
empresas y aventuras

sin embargo una vez mi tío Mario lustró su auto
con el mismo cuidado con que pulía el oro en las coronas para sus
clientes
tenía que salir a pasear con su novia rica todos decían que le
convenía casarse con ella
pero él quería a otra más humilde por eso aquella tarde había
lustrado tanto el auto
para decirle a la rica que no se iba a casar con ella sino con la
pobre
y por eso no me quería llevar aquella vez
yo me quedé pataleando en la vereda
tuvieron que llevarme adentro colgado entre dos grandes
coasting switch underneath
aquí veo el discreto Essex 1928 de mi otro tío el médico
y el Hudson Super Six de mis primos estancieros
puede observarse que los niveles económicos estaban debidamente
establecidos a partir del Ford
era mucho más fácil sobrevivir y heredar que trabajar y comprar
mis primos estancieros ya habían entrado en posesión de su hijuela
en cambio el médico todavía no había curado a tanta gente como
para comprar su inevitable estancia
que se llamaría "La Celita" con el nombre de su hija
mi prima la que yo amaba
y que a los dieciséis años se volvería loca para siempre

mis primos venían al pueblo en el Hudson una vez por semana
cilindrada 4740 centímetros cúbicos
3500 revoluciones por minuto

llegaban reciamente vestidos de botas embarradas y bombachas
  blancas
de noche salían con algunas chicas en la voiturette del gordo
válvulas a la cabeza enfriadas por aire
"el Chevrolet salió a ochenta" decíamos entonces
y yo me quedaba dando vueltas en la bicicleta por el patio de la
  casa vieja
ahogado por ese olor a magnolias y naranjas amargas
calculando la nueva llegada del carnaval
y otra vez ir al corso sentado junto a Celita
bien cerca sobre la capota del Essex cuidadosamente plegada y
  enfundada

en la página 74 sale el primer auto propio de este joven
la Voisin 1927 que Enrique le regaló diez años después
Enrique no quería vender esa alhaja mecánica que había
  comprado en París cuando fue por primera vez
era bastante parecida a la Talbot de esta misma página
  pero más audaz
tipo Surbaissé C 22 coupé cuatro plazas
motor sin válvulas seis cilindros encamisado
el cajón de herramientas sobre el estribo izquierdo
ruedas a mariposas con discos plateados
y de este modo gracias a la paternal amistad de un hombre
  que sabía llevar la vida a la novela y ésta a la vida
el joven alcanzó a tener un auto del año en que sus tíos y
  primos ya lo tenían una década atrás
poco le duró un día le rompió la transmisión
lo abandonó por un fin de semana en la puerta de su casa
  del barrio
y cuando volvió de "La Celita" los muchachones habían
  roto y saqueado su alhaja francesa
tuvo que venderla como hierro viejo le dieron unos
  trescientos pesos de entonces

Enrique nunca se lo perdonó
quizá no comprendió que este joven era ya bastante grande
pero no tanto como para tener semejante auto por antiguo
  que fuera

él salía en la Voisin con una señorita que ya lo era cuando
se había lanzado el modelo
le acariciaba los muslos hasta más allá de la parte opaca de
la media
eran como ásperos
la cubría de besos pero ella no quería o no sabía
devolvérselos
igual lo dejaba todo manchado de rouge los lápices
indelebles eran todavía muy caros
a él todavía le costaba demasiado trabajo ser un hombre
cómo ser además un hombre con automóvil
pero Enrique ya le exigía que empezara a ser otro
seguro que por eso nunca se lo perdonó

luego fue un Dodge 1936 sedán dos puertas
este auto no era mío sino de mi padre
se lo hicimos comprar de segunda mano cuando ganó el primer
premio de poesía
pero él no lo quería manejar
una vez yo lo quise obligar y se fue terraplén abajo hasta quedar
encajado de través en una enorme cuneta pampeana
"lejos la margarita de un molino"
él no quería manejar el Dodge ni nada
ni el teléfono ni la radio y menos aún la máquina de escribir
en realidad él andaba en los autos de los otros nada más que para
ir sintiendo la patria
"con la boca entreabierta con el ojo avizor"
preguntándose como a un peón a un linyera
"ninguno le dice
sube compañero"
lo que él quería era ir hilando versos mientras alguien manejaba
y yo entonces sí quería manejar
meter esa fuerte primera esa segunda voluntariosa
hacer vibrar en tercera esos seis cilindros hasta que golpearan esas
válvulas laterales
alcanzar esos 129 kilómetros de velocidad máxima
en realidad nunca pudimos pasar aquellos famosos ochenta
sólo cuando vendimos el Dodge a una tercera mano
esa mano supo descubrir la sórdida basurita en el carburador

también hay en mi vida un Fiat Topolino cómo no
medio Topolino quiero decir
lo compramos entre los dos y a plazos ¿te acordás colega?
cosas de abogados jóvenes
también teníamos nuestras mujeres a medias quiero decir
    estábamos casados con dos hermanas
poco nos duraron esos matrimonios
tenían tan poca potencia como el Topolino
había que bajarse en las cuestas para empujarlos
sólo 572 centímetros cúbicos de cilindrada
y a mí me parecía entonces fíjense lo que son las cosas
que yo no cabía en tanta pequeñez
otra vez ochenta kilómetros por hora me parecía igual que estar
    quieto
y después fue lo mismo con la versión 600 y con la 750

mientras tanto Enrique culpable de pensar había sido encarcelado
    en mi gran país
cuando lo soltaron se fue para siempre a pensar y escribir en su
    pequeño país
fue así como Paco vino a ocupar el lugar de Enrique en mi vida
    cotidiana
es natural que el lugar de un amigo que era como un padre joven
haya sido ocupado por otro que era como un hermano joven
entonces cada vez que cambiaba de modelito yo le decía a Paco sin
    mucha convicción
que mi nuevo Fiat era pequeño pero fuerte y compacto una especie
    de Ford V-8 de bolsillo
y a Paco le daba risa que yo necesitara a toda costa tener un auto
que tuviera la fuerza que era yo quien debía tener
en busca de esa fuerza
volví a remontar el tiempo de los automóviles hasta encontrar esta
    Mercedes; SSK 1933
cómo resistir ese nombre de mujer
seis cilindros en línea a Kompressor
—ésa era la K—
árbol de levas a la cabeza
tres escamados caños de escape salían heráldicamente de su
    larguísimo capot

había llegado segunda en alguna edición de las 500 millas de
   Rafaela
la locura 200 kilómetros por hora la ciudad se me acababa en
   seguida el campo se me venía encima
después tenía que volver lentamente acelerando en punto muerto
y en Buenos Aires no estaba pasando nada de lo que yo quería

es que todo lo que este hombre había perseguido y logrado
   en su juventud
parecía no haberle servido realmente para nada
parecía que siempre había elegido al revés que otros
   habían elegido por él
vehículo familia carrera mujer vivienda
actividad poética pasividad política
era como si tuviera que engendrarse de nuevo después de
   la muerte de su padre
y crecer duramente de nuevo
es por eso que durante su previsible viaje su ya inminente
   evasión a Europa
llegó a decir en broma puesto que él no sabía pedir
   auxilio de otra manera
que habiendo cambiado su domicilio y estando a punto de
   cambiar su estado civil
terminaría por "cambiar de nombre su nacionalidad"
aunque "provisoriamente" según se disculpaba
sin embargo él se había jactado de ser "argentino hasta la
   muerte"
aunque nunca aclaró si esa muerte era la suya propia o la
   muerte de su patria

fue en este mar de confusiones que él cruzó el océano por
   primera vez
se acordaba de Enrique de su prematuro regalo
pero hacía veinte años que Gabriel Voisin no diseñaba más
   automóviles
las dos o tres unidades que todavía circulaban por París
   eran piezas de museo
alcanzó a alquilar una modesta Renault *quatre chevaux*
   motor trasero baúl delantero

equipada eso sí con techo corredizo
cosa de ver el cielo de Francia cuando quiere dejarse ver
las copas de los árboles las flechas de las torres
ese agujero es claro no era otra cosa que su nostalgia de
aquellos abiertos *double phaeton*
así conoció Europa gastado paraíso que resultó perdido
para él
bajo el techo abierto donde las nubes se deslizaban
lentamente
en ese entonces él quería a una muchacha que no era por
cierto la dama que viajaba con él
a su lado como si fueran los carnavales de aquel pueblo
remoto en el tiempo y ahora también en el
espacio
pero no era esa fiesta no era Celita
no era tampoco la muchacha que ahora lo había rechazado
o él había abandonado
regresó a su país compró esta Cisitalia roja convertible
página 120
dos plazas él no necesitaba más aunque estuvieran muy
usadas
acaso ella aceptaría ahora arrellanarse junto a él
siempre se puede manejar con una sola mano
150 kilómetros horarios si no fuera por las pérdidas de
comprensión
entre los bosques de la baja carrocería deslizábase como
lámina metálica
como una fulgurante ondulación del camino
al fin coronada por la leonada melena al viento de su joven
amada

y una noche de lluvia mientras las gotas como chorros
reventaban en la capota
y él acariciaba sus muslos suaves y totalmente desnudos
haciendo sonar sin querer en su confusión la escandalosa
bocina
ella le dijo en voz baja "lleváme adonde quieras"
y entonces él la llevó donde quería
y la próxima vez que la fue a buscar ella le dijo

"te espero una cuadra antes para que mis padres no me
          vean"
y una cuadra antes de su casa ella lo esperó y se arrojó bajo
          las ruedas de la Cisitalia roja
tipo 1100 cabriolet gran sport
ella tenía entonces la misma edad que Celita cuando se
          había vuelto loca para siempre
para qué repetir la palabra dieciséis

después estuve largo tiempo solo sin auto ni nada
caminando no más como mi viejo
pensaba buscar algo sencillo standard
pero no estaba seguro si quería dejar de seguir caminando
hasta que conocí a una señora muy fina
y me di cuenta que ella no era carne de «colectivo» como yo
pedí un préstamo a otra tía rica yo tenía varias
y compré una Estanciera hecha en el país de acuerdo al modelo
          americano Willys Jeep 6-63.
hecha por supuesto muchos años después de lanzado ese modelo
parece que al país todo llegaba tarde
no era un coche tan fino como mi amiga pero tenía cierto rústico
          prestigio
break 6 plazas adecuado para nuestras rutas muy "barrero"
¿se acuerdan de las botas de mis primos?

de este modo yo podía ir al campo con esta señora a quien
          admiraba y acaso amaba
podía imaginarme que cada fin de semana yo estaba en mi
          estancia y la esperaba
a veces me imaginaba vaya a saber por qué complejos
que yo era uno de los perros de mi propia estancia y entonces
"cada vez que llegaras de la ciudad —le explicaba a ella—
yo correría con la lengua al viento
costeando el alambrado saliéndome al camino
hasta cruzar al monstruo de cuatro patas rodantes
ladrándole feroz y perdido entre nubes de polvo"
pero cuando ella bajaba del auto yo me callaba
firme sobre el pasto mirándola contenido
"mientras su pie afilado inauguraba el campo

y por lo alto su risa y su pelo revuelto"
claro que yo no era perro ni corría ni ladraba
simplemente iba a la estancia cada fin de semana en mi auto
        prestado
al casco de esa estancia también prestado por un amigo
y todo era como un carnaval donde yo daba vueltas y vueltas
        disfrazado de rico

a fines de 1959 devolvió todo eso que realmente poco tenía
        que ver con él
cosas y personas
y no se sabe cómo pudo enganchar otro viaje a París
"por favor —le escribía Enrique— no dejes de llevar
        contigo el pasaporte
aun así serás arrestado por argelino"
se refería al matiz indio o quizás árabe de su piel
pero no lo arrestaron ni nada por el contrario devino una
        especie de playboy
lo llevaban en un Rolls Royce a almorzar en el bois de
        Boulogne
Y esta vez el modelo no se deja caracterizar tan fácilmente
era un Rolls Royce intemporal de todos los años y de
        ninguno
el chofer estaba tan lejos que el auto parecía manejarse
        solo
atrás era literalmente como el dormitorio de la señorita
tipo Silver Cloud potencia máxima no publicada

de este modo estamos llegando casi al final de este catálogo
se hizo largo aunque no les hablé de las motocicletas del crucerito
del Wagon-Lits Cook ni menos aún de los aeropuertos
sólo con los aeropuertos yo sería capaz de escribir todo un libro
tantos fueron los medios de transporte que fui necesitando durante
        mi vida
absorto en ese ciego vivir
para ir cambiando de lugar siempre la misma cosa

pero sucede que él iba y volvía a Europa desde el país más
        austral del mundo

y entonces como de paso sin querer iba tocando diversos
        puntos de nuestra América
un día por ejemplo en una de sus bellas ciudades
        precisamente frente al museo de bellas artes
vio una bella mulata discutiendo su propio precio con un
        hijo de familia más bien gordito
que alegaba cómodo desde su Mustang regulando señorial
        con escape libre
casi la misma cilindrada que el viejo Hudson de mis primos
en cambio nada menos que 6000 revoluciones por minuto
la criatura se agachaba hacia el volante desde la calzada
sus valiosos pechos plateaban bajo una blusa transparente
        bajo un corpiño de oropel
por fin la ley de oferta y demanda se fue aquietando hasta
        llegar a eso que los economistas llaman justo
        medio
la mercancía subió y el Mustang salió picando a los
        relinchos

otro día él estaba almorzando en otra de nuestras elevadas
        ciudades
uno de esos lugares para gringos donde dan tanta comida
        que tienen que servirle en fuentes no en platos
y un niño lustrabotas osó traspasar la puerta de cristal *come
        in* pase usted
se le acercó lo hacía gestos no se iba pese a que él se hacía
        el indiferente masticaba mirando para otro lado
pero qué quería este niño no podía pretender lustrar sus
        zapatos que en la ocasión eran de gamuza
en realidad se le acercaba para pedirle los restos del pollo
        que su educado apetito apenas había alcanzado a
        deshilachar
él se los dio y el niño se fue con una sonrisa total
con los labios ya fauces cerrándose sobre esos huesos tibios

como ustedes ven a mí me gustaba el campo cuando era chico
después casi siempre anduve por las ciudades aunque sea de paso
fue así que en otra de las más tradicionales de nuestra América
me acerqué a ver las indias que estaban tiradas en el suelo

ellas emergían de sus montones de trapos
eran como sin piernas como troncos de árboles
parecía que no necesitaban moverse tanto como yo me había
      movido en mi vida
sin embargo una de ellas se estaba moviendo ahora
estaba cruzando en cuatro patas la lujosa avenida central
ella tampoco era un perro tampoco corría ni ladraba
pero juro que andaba en cuatro patas
o sea en dos pies y dos manos ¿me explico?
a cada paso que daba si se los podía llamar así
inauguraba la enfermedad la miseria la injusticia
y es en mí mismo que yo reconocía todo eso
con todo eso yo sí tenía que ver

diré para terminar que estuve un tiempito en un aislado país del
      Caribe
un poco al sur del trópico de Cáncer
al norte de Jamaica al oeste de Haití
inesperadamente se me dio allí otra racha de lujo
yo tenía en la puerta un Cadillac a mi disposición
serie 75 transmisión Hydra-Matic motor por fin V-8
es claro que había ciertas diferencias con mis autos precedentes
su conductor "me llevaba" igual que mi tío Mario
"sube compañero" me decía
aunque en este campo no había peones ni linyeras
él manejaba y yo iba hilando este verso
que viene a ser otra hilera de los que hilaba el viejo
y Chuchu me decía "viejo no cojas lucha que tú quieres
mañana te la traigo a Martha del aeropuerto"
y me la traía no más del aeropuerto José Martí
y ella era como mi prima Celita guardada para mí
en su mejor edad con su más clara razón
hacía poco tiempo que ella había tomado mi vida en sus manos
yo se lo había agradecido valiéndome de la comparación con un gato
Es curiosa esta tendencia mía a asimilarme a los animales
      domésticos
en el caso anterior con un perro y ahora con un gato
cuándo me llegará el turno de ser
por lo menos un hombre[2]

yo no sé si estos famosos Cadillac del ICAP eran de 1958 o de
   1959
algo había pasado justo en la intersección de esos dos años
y todo esto que ahora estoy contando sucedía en Cuba unos ocho
   años después
de manera que yo mantenía más o menos mi constante de atraso
   en materia de autos
este Cadillac que puedo y no puedo llamar mío estaba muy bien
   conservado
sus cristales bajaban y subían todavía eléctricamente
pero ya comenzaba a mostrar las injurias del tiempo
se lo notaba fuera de contexto sobre todo en razón de las líneas
   ampulosas de su carrocería
pero eso no era nada comparado con los autos que yo veía a lo
   largo del malecón
iba reconociendo como en un sueño todos los modelos de mi
   historia
yo los había poseído relucientes aun los de segunda mano
ahora se iban cayendo a pedazos como de cartón
a veces ya estaban caídos del todo dados vuelta despanzurrados
sus herrumbosas entrañas dispersas alrededor del cadáver

así pasaba yo rodeado de la corte fantasma de mis antiguos
   automóviles y amores
mi Estanciera rodaba todavía en su originaria versión americana
pintada de todos colores el radiador humeante dantesco
el paragolpes enrulado como el pelo del negrito que la conducía
mi Cisitalia estaba volcada y seca parecía una cucaracha
   aplastada ya medio comida por las hormigas
mi Fiat Topolino sin ruedas sostenido sobre invisibles tacos como
   empezando a desvanecerse en el aire
mi Dodge bajo un árbol parecía hundirse poco a poco en la tierra
el pastito crecía y crecía alrededor de sus cuatro gomas
   patéticamente ponchadas
y en un baldío de Cojímar cerca del busto de Hemingway
encontré por fin el Ford de mi tío Mario
los enflaquecidos guardabarros apoyándose con dolor sobre la tosca
parqueado para siempre frente al mar

y ya que he mencionado a otro novelista de tu generación
vuelvo a vos viejo Enrique a vos te hubiera gustado verme por
aquí
me hubieras perdonado por fin aquella historia de la Voisin
quizá también otras historias
pero no me fue dado que me vieras ni me perdonaras nada
en cambio parece que merecí tener a Paco a mi lado en esos
momentos
todo esto estaba implícito en el reparto de nuestros papeles
respectivos
el tuyo había sido irte en 1960
justo cuando salía el modelo siguiente de los Cadillac
equipado con ruedas cada vez más pomposas para ir cada vez más
a ninguna parte
y Cuba era precisamente una de esas partes adonde no podía ir
es que los cubanos habían tomado ya ciertas decisiones
no era pues de extrañar que ocho años después
todos esos envejecidos carros de lujo revelaran que sólo eran
chatarra
esta vez mi clásico retardo en la edad del modelo
tenía excelentes motivos por primera vez
fue más o menos por entonces
como vos me escribiste muy poco antes de morir
que yo estaba volviendo a ser acaso poeta
pero otro poeta
acaso un hombre un poco menos distinto de ese otro hombre que
vos siempre habías querido que yo fuera
un hombre acaso dispuesto a bajarse para siempre del automóvil
y poner los pies sobre la tierra

(Continuará)

NOTAS

1   La fecha original de composición de "Hojeando un catálogo de viejos automóviles" es 1967. La publicación efectiva tuvo lugar en sendas versiones: la primera, incluida en *buenos aires me vas a matar* (México, Siglo XXI, 1977) y la segunda, en *Buenos Aires me vas a matar* (La Habana, Casa de las Américas, Colección La Honda, 1982). Los poemas contenidos en ambos volúmenes son casi los mismos, pero presentan numerosas variaciones entre una y otra edición. En el caso específico de "Hojeando...", la versión publicada en La Habana incorpora la distinción tipográfica entre aquellas estrofas escritas en primera persona —donde se emplea la bastardilla— y las escritas en tercera persona —donde se usa redonda—, que no existía en la versión mexicana. Por otra parte, hay cambios significativos en el ordenamiento de las estrofas, así como inclusiones y supresiones que modifican sustancialmente al poema. Respecto de la presente publicación, apenas se agregan unos cuantos versos que aparecieron manuscritos en la parte que se indica con la nota respectiva. Existen, sin embargo, evidencias de que Fernández Moreno consideraba la posibilidad de contrapuntear el texto que aquí se ofrece con otros fragmentos anteriores; algunos propios (sonetos de sus primeros libros) y otros ajenos (por ejemplo, un fragmento de Claude Lévi-Strauss incluido en *Tristes trópicos*).

2   El fragmento agregado comienza en *"hacía poco tiempo"* y concluye en *"por lo menos un hombre "*. Los dos últimos versos presentan una variación entre paréntesis, que luego fue descartada: *"cuándo me llegará el turno de ser (un) / (tigre) por lo menos un hombre"*.

La residencia en París me permitió, por un lado, dedicar gran cantidad de tiempo al estudio de la cultura latinoamericana y, además, me dio una perspectiva regional que antes no tenía. Además, yo viví todo este tiempo en el París latinoamericano, es decir, en una de las capas de esa ciudad integrada por argentinos, venezolanos, chilenos, etcétera, residentes allí, y junto a los latinoamericanos de paso por París. De manera que no fue posible (por las agudas diferencias que se registran con los europeos) ni deseable (por la transformación total de nuestras características que implicaría) una asimilación completa.

César Fernández Moreno,
en una entrevista realizada por
el diario *La Opinión*, de Buenos Aires,
el 12 de julio de 1972

IV
[EL SOBREVIVIENTE]

"en esta generación no es fácil sobrevivir
yo sobrevivo de vivo
yo te lo dije viejo vas a reventar
vos dijiste no importa
entonces no importa
y explotaste de fuerza tuya
tu pellejo era poco para vos
a nosotros sólo nos ganan con la muerte
y qué carajo nos importa"

CFM, "Te acordás Claudio"

1. *El hogar en París*[1]

HAY UN LUGAR DEL MUNDO

hay un lugar del mundo llamado París
ciudad cosmos ciudad aldea
ciudad hotel restaurant mesa de exámenes
hecha con las manos como una escultura
todo se guarda en ella murallas y oficios
ciudad con autor
París por Haussmann
casas sinceras con sus caños a la vista
todos limpios y plateados
poemas enteros escritos en las paredes
ciudad en todas las dimensiones de todos los movimientos
sube baja gira se tuerce
no se entrega no
se resiste a su propio plano
vuelta a vuelta se da vuelta
el sur se vuelve norte
el éste aquél
uno tiene siempre varios París al mismo tiempo
el París París
el París de los vidrios el París del plano del métro el del
          plano del autobús
y cuando el espacio real no te alcanza
te puedes acoger al de los espejos

EL RECIÉN LLEGADO

pues bien estamos viviendo en París
con el espesor de un muro nos alcanza para vivir
vivimos en la calle "chantier interdit au public"[2]
nuestra casa se alza apenas sobre una colina
a la que llaman montaña de Santa Genoveva
se ve que no conocen el Aconcagua
pero en esa colina se alza la iglesia de Saint-Etienne-du-
     Mont
se alza poco poco pero bien
allí está Santa Genoveva enterrada detrás a la derecha de
     su jubé
yo no puedo explicarles aquí qué es un jubé
cuando puedan se dan una vueltita para verlo
las palomas nos traen la bendición
desde el alero de la iglesia al de nuestra ventana
ida y vuelta
ellas atraviesan las pizarras grises
como si fuera su propia sustancia
nosotros las bendecimos también

MI RELOJ

y mi reloj pulsera es una torre
alegre de campanas alcahuetas
ellas son animados interlocutores
hablan sin que se les pregunte
a las siete ya empiezan a agitarse como unas locas
a sacarme del sueño y meterme en el tiempo
a veces asordadas por la nieve
puede descomponerse el juke box del café de enfrente
las campanas nunca se callan
una vez aparecieron detrás de una bocina trancada
me despiertan me arrullan y me vuelvo a dormir
siempre alguna campana empeñada en hablarme
las de Chascomús las de París
mi vida se tiende de ese bronce a este bronce
cada cuarto de hora me empujan a vivir
mencionan puntualmente todos mis atrasos
hasta que todo yo soy un oído impaciente metido adentro
              de la enorme guitarra
                  de piedra

EL RUIDITO DE LA LLUVIA EN EL TECHO

el ruidito de la lluvia en el techo
las gotas de lluvia percutiendo directamente sobre los
    aleros
o los pasos de ella vaya a saber
penetrando despacio en el dormitorio
para no interrumpir mi descanso

llueve de noche sale el sol de día
la lluvia es noche el sol es día
la lluvia repiquetea en las pizarras para arrullar tu sueño
la lluvia cesa y te despierta
es como una campana
me levanto a escribir la primera palabra que se me ocurrió
    entre sueños
me siento en el water clos desde allí se ve la torre
París está mojado pero claro
a trabajar en esa claridad
salgo de casa recibo un golpe de París
como un golpe de viento al salir a la cubierta de un
    barco
la calle tiene olor a pan recién horneado
está fresca a estas horas como una estancia

ahora hablo por segunda vez para comprar mi diario
allume-moi "L'Aurore"
je commence mon "Combat"
à moi "L'Humanité"³

la misma que lee el conductor del camión de basura
mientras sus enguantados compañeros abarajan los restos
de la noche

SALIR

desciendo lentamente como todos los días
dégringolant[4] hasta Maubert
Sainte-Geneviève abajo calle alegre de alcohol por la noche
vomitada de alcohol por el alba
entre esos vestigios voy tranqueando alegremente cada
        mañana
junto a los obreros de la construcción de cada mañana
entumecidos aún y como borrachos de la droga del trabajo
las chicas me dejan atrás con sus taquitos apresurados
hay un rumor de despedidas hasta el final del día
bonjour monsieur
au revoir messieurs-dames
hablo en el día por primera vez para saludar al marchand[5]
        de vinos
bonjour monsieur Besse
llegó ya el Beaujolais nouveau?
el démarrage[6] sincrónico de los autos acá y allá
el ruido de los neumáticos despegándose del adoquinado
        sutil
los papeles me hacen gestos desde las poubelles[7]
un bloque de hielo contra una puerta espera que lo
        recojan
como un gatito congelado

EL DESAYUNO

pero yo entro al café
y me leo un ejemplar de "L'Équipe" olvidado por los
        estudiantes
los de matemáticas juegan su primera partida de dados
los de filosofía empiezan a besarse
tan de mañana
entre beso y beso se dan entrecortadas informaciones
los locos empiezan a gritar solos
tan de mañana

llegan los sedientos carteros a tomar una cervecita
ellos llevan sus bolsas repletas de esperanzas
para los demás

yo tengo lista mi respuesta
no hay croissants? alors une tartine[8]
y la joven propietaria se transforma en una abuela
que despliega sobre tu pan una sutil capa de manteca

y ya me está esperando
en el alto sitial de su autobús
Jean Gabin su conductor
y a veces por qué no Françoise Rosay o Simone Signoret

porque yo vivo entre los chistidos
de las puertas de tres autobuses
alzado paseado acunado por los autobuses

ALMORZANDO

el primer cansancio del día
llega con el sol del mediodía
hoy almuerzo solo
quiero decir con la tour Eiffel
porque yo no puedo desayunar sino mirando el Panteon
ni almorzar sino mirando la tour Eiffel
a ver cuánto me la achica la niebla
los jardineros juntan las hojas del otoño con las hojas de
       sus ramas secas
los barrenderos empujan las marquillas de Gauloises por
       los arroyos de los caniveaux[9]
un hombre en mangas de camisa interrumpe su trabajo
       para salir un momento al balcón
y baja luego a comprar los diarios de la tarde
yo soy comunista por la mañana con "L'Humanité"
y revisionista por la tarde con "Le Monde"
expliquez-moi le monde[10]
tranquilícenos señor redactor jefe
no hay nada que no pueda explicarse
salvo por qué nos venden cada día el diario del día
       siguiente
y si las fuerzas nos alcanzaran
seríamos calaveras a la noche con "Pariscope"
pero no nos alcanzan

EL REGRESO

no las fuerzas tampoco le alcanzan al pegador de carteles
que construye en el métro las bellezas a cuadrados
no le alcanzan a la sirvienta que mira el atardecer desde las
ventanitas de las mansardas
no le alcanzan a la chica que alquila autos
encerrada siempre en su caja de cristal
no le alcanzan a los inmigrantes por intelectuales que sean
y ya vuelve a buscarnos Jean Gabin
o a veces Jean Servais o por qué no Edwige Feuillère
altos en sus sitiales de autobús
todos volvemos con cara de cansados
pero cansados de París
porque yo París de día te quiero como a un hermano
pero al atardecer me das un poco de miedo
ahora es al revés de Maubert a la Montagne
me detengo en mi boîte à lettres[11]
a ver si alguien del mundo se ha acordado de mí
sigo subiendo la calle
que sube ahora por las escaleras de mi casa
las campanas me reciben alborozadas
a veces me duele la cabeza de cansancio
pero igual aprecio su bienvenida
bajo las escaleras desparejas
me siento a comer en la vereda desnivelada
es como el monte de aquella estancia
te acordás Momo?

A DORMIR

ya las campanas dan las diez
en mis diez dedos
apago la luz se enciende el cielo en las ventanas duermo
mis ropas duermen también
se secan en el aire duro de París
ya son las tres de la mañana de tu noche París
mi mujer y yo en nuestro escorado dormitorio
respiramos muy juntos
el uno contra el otro como un solo organismo
toco su cuerpo sin saber qué parte
ella duerme y vos no me dejás dormir París
me levanto para ver tu cielo malva
de día perla de noche malva
los recortes de cielo entre las fachadas y tejados
la biblioteca de Sainte-Geneviève
sostenida por columnas de nombres
qué lindo está el Panteón
lindo para estar muerto pero despierto
qué barbaridad la noche
ya no se puede más
que nos guarde el milagro
de tus ventanas todavía encendidas
tus claraboyas iluminadas no se sabe si ya o todavía
ésa encendida en la niebla
como la lumbre del fogón
en la cercana cocina de los peones

son ya las 12 de la noche
pero yo no me levanto
espero que amanezca

EL CURSO DE LA SEMANA
DIM LUN MAR MER JEU VEN SAM

Los días de entresemana con ruidos de pueblo
martillazos lejanos y perseverantes
es que París se conserva se reconstruye
cambia sus átomos de lugar para seguir viviendo con el
    mismo rostro

silencio cósmico de los domingos a la mañana
se descansa plenamente la semana plenamente vivida
nuestras vecinas de arriba las palomas
empiezan a decirme cosas en el techo
las palomas saben cuándo es domingo
caminan sobre el techo de cinc como si fuera un gallinero

las campanas y yo nos levantamos tarde los domingos
ellas tocan entonces a rebato
yo las silencio con mi afeitadora

EL CURSO DE LAS ESTACIONES

día a día voy arrojando en cualquier poubelle del camino
una hoja de mi almanaque de bolsillo
voy aprendiendo de nuevo las estaciones
comentándolas con la concierge al pasar
París es una continua rentrée[12]
el juke-box está graduado demasiado fuerte
París terminó ya su toilette de verano
pero nos ofrece la delicia de las estaciones superpuestas
la caída de las hojas otoñales tras la lluvia del pleno verano

pero ya es otoño las hojas caen en los parques
las sillas del verano se derrumban y desparraman en
              patéticas posiciones
el otoño corre por los caniveax
en forma de salsa de hojas secas
otras caen hacia arriba en espiral
alzadas por el viento
se caen las hojas secas
se alzan las palomas
las mujeres empiezan a pensar en sus trajes para la nieve

divido en varios planos de niebla distintamente espesa
varios sectores de visibilidad de la tour Eiffel
cada vez menos la punta puede estar en Marte
en otoño caen las hojas secas de los árboles
en invierno caen los copos blancos de los cielos
la nieve cae despacio

la gente se refugia en los cafés
la chica del mostrador debe trabajar ligero
llega la noche
nieva como a hurtadillas

la beaujolais nouveu est arrivé!
grito jubiloso de la primavera
la primavera contribuye
a la "amélioration de l'éclairage"[13]
llueve debes elegir
se te cae la baguette o el paraguas

hasta que los moscardones del verano
cazados por la ventana abierta de mi escritorio
zumban ansiosos para volver al cielo de París
por fin enceguecedor

PARÍS TE ENSEÑA A CAMINAR LENTAMENTE

parís te enseña a caminar lentamente
casi inmóvil
muchos pies a la vez poco avanzan
sólo hay una excepción el trottoir roulant[14] de la estación
      Chatêlet
todos siguen leyendo sus diarios mientras el piso camina
      por ellos
prière de tenir la main courante[15]
llega el tren art nouveau de julio verne
toma airosamente en la tiniebla la curva de entrada
cuando dos llegan juntos uno de cada lado qué fiesta de
      sonidos y colores
los vagones no son insensibles al peso que transportan
yo palmeo su flanco mientras baja la gente
y siento a cada cuerpo que sale
el alivio creciente de la máquina
un breve estirón hacia la libertad
en montant attention au pas la station est en courbe[16]
entrarás al vagón recién desocupado
sentirás el cálido baño de aire humano
en la masa homogénea la gente se abraza y se besa
los desconocidos claro que no tanto
como los amantes o los que están por serlo
de vincennes a neuilly en un solo beso
los que van en primera leen "Le Figaro"
los que van en segunda "L'Humanité"
algunos subrayan "Le Monde" con stylos de distintos colores

el métro lanza sus bufidos de elefante viajero
y a veces se oye mayar un gatito
que va adentro de una canastita
el guarda baja un minuto en cada estación
y cambia una broma con el enjaulado conductor
es inquietante ocupar la banqueta reservada a los
          mutilados de guerra
si no estás mutilado te pueden hacer levantar
no hay que usar los strapontins réservés pour le service
réservés pour le vice le han raspado el ser[17]
verás pasar la teatral melancolía de las estaciones
          clausuradas
arsenal/champ de mars/saint-martin/croix-rouge/cluny
en cambio están bien abiertas
dos estaciones seguidas que te ponen contento
étoile argentine estrella argentina

COMER Y BEBER

tus frutillas enormes París
tus alargados zapallitos y rabanitos
tus cachos de bananas como cabelleras rubias
nos sandwichs variés primeurs en gros la mayonnaise qui
       tient[18]
yo quiero hasta las natas de tu leche
la grasa de tu carne París
los hilos de tus chauchas
la galladura de tus huevos
tu pan hasta duro
tus gauloises difíciles de apagar
tu cerveza que no es blanca o negra
blonde o brune rubia o morena
el primer bocado de tu comida
ya me da ganas de beber tu vino
yo confío mis labios a tu vino
es bueno hasta la borra
hasta cuando me atraganta
es tan bueno que le erro a la boca
me levanto con paso no vacilante pero sí cuidadoso
en tu precioso espacio las botellas se alinean
       cuidadosamente
la civilización del restaurant
grande salle au fond au premier étage
au sous-sol en la piedra del medioevo[19]
los mozos caballerescos j'arrive! désirez-vous? on s'occupe
       de vous?[20]

el ligero pudor de hablar español en voz alta
la angustia y el gusto de contestarles en francés
¿la leche o el leche?
¿el pan o la pan?
comme boisson[21] ¿el cerveza o la cerveza ?
hasta llegar a pedir las cosas debidamente abreviadas
un "château" un "calva"
un parfait mystère un cognac de Cognac un habano de
        Habana
el bálsamo definitivo de un noir
la cafetera maneja su máquina como un concertista su
        órgano
la patrona enmanteca tartinas con destreza de abuela
la campesina espera dignamente que su marido vuelva del
        toilette
las cuentas del almuerzo aparecen veloces sobre el mantel
de papel
la gente va comiendo por tus calles París
tus calles en invierno con olor a castañas asadas
en verano con olor a ostras y glaces portatives
en la rue Monsieur me como un croque-monsieur
en la rue Madame me como un croque-madame[22]
y donde se juntan la rue Monsieur y la rue Madame
ésa te la pido huesito
París gourmet hasta el sadismo
je suis tendre mangez moi dice el lechón[23]
i love you le escriben a la rabadilla del pollo en el aviso
el pollo al horno con la cebolla en el ojo
liebres muertas para que parezcan vivas
cocinadas en su propia sangre
truchas de la pecera a la olla
vivas para que parezcan vivas
yo perdono a los gringos de París
hasta que coman carne de caballo
ce n'est pas grave y sin embargo
comer caballos es como jinetear vacas
ustedes se imaginan un centauro
un gaucho devorándose a sí mismo[24]

LAS BASURAS[25]

ya no le cabe a París su refinada basura
las poubelles se derraman cuernos de la abundancia
a cierta hora del día una corriente límpida
emerge de las bocas de tormenta
y va arrastrando junto al cordón de la vereda
multicolores restos de comida
los boletos verdes o marrones de los métros
juntos por fin los de primera con los de segunda
los tickets cuidadosamente numerados de los señoriales
        autobuses
abollados paquetes de Gitanes
fósforos que cumplieron ya su fugaz misión
así va la acequia de febril inmundicia
rodando por la calle como los clochards
trancándose en las ruedas de los autos
las palomas se bañan en ella
un negro vacilante la empuja
con una escoba hecha de ramas de castaños
yo empujo a los boletos a los fósforos usados
y luego también los acompaño junto al cordón de la vereda
hasta el prometedor boquete en que se hunden
un transeúnte joven salta al paso del coche sport que lo
        salpica
y por fin desaparece todo
burbujeante de roña
en las acogedoras cloacas de París[26]
se incorpora al mundo subterráneo

como los muertos como los suicidas
pero no para siempre
a través de intrincadas cañerías
volverá como Sena gracioso
y perspectiva de árboles y flecha gótica
yo me hundo también en el París de abajo
pero vuelvo a salir en alguna boca de estación
yo cumplo noche a noche el doméstico rito
de tirar la basura nuestra de cada día
oh París una noche yo he visto
salían de tus bocas de tormenta
vacas terneros empapados en un viscoso líquido
nadaban dificultosamente procurando alcanzar el nivel de
    la calle
se ponían de pie chorreando todavía
se alejaban tranqueando tus callejuelas

EL MÉTRO

hacéte a la idea porteñito
aquí no hay colectivos
no hay rémises a pesar de su nombre en francés
no podés sacar con anticipación las entradas de los cines
en cambio sí los tickets de los subterráneos
casi todas las camas de París vibran levemente
con el primer métro de las seis y media
que te llama al trabajo desde las entrañas de la tierra
bon au boulot
au métro à la correspondance[27]
en las bocas de entrada familias enteras estudian los planos
quieren usar París a la perfección
puede suceder que tu cara roce la melena suelta que busca
         la misma estación que vos
mirándose en el plano como en un espejo
hasta los pájaros bajan volando
yo saltando entre ellos
a mí me gusta París por abajo
su plano garabateado por las líneas del métro
llegás te levantás
el strapontin se levanta con vos gracias hermano
atravesás justo a tiempo las últimas sortie ouverte[28] de
         6,30 a 21
los últimos viajeros te sostienen la última puerta de
         resorte
esperan que vos pasés
debés dar un saltito para llegar antes que la suelten

debés usar agradecer esa cortesía que te abruma y
     enternece
subís treinta escalones hasta la garúa de arriba
sacás la última llave de tu casa
la que abre para adentro
no para afuera como creía tu cansancio
y te encontrás de paso en el bolsillo
la tristeza del último amigo que se volvió
dejándote los tickets que no alcanzó a gastar

LA CIUDAD ME MANEJA A CARTELITOS

la ciudad me maneja a cartelitos
tirez poussez[29]
sí con todo gusto
qué privilegio cruzar el Sena
cuanto más gris
tu día me parece más luminoso
aspiro con delicia
tu polen me hace estornudar
me has enseñado a andar con precaución entre la gente
como gato en una vidriera
como uno de sus perros
viajando en la bolsa de compras de su dueña
qué le vamos a hacer me gusta hacer mis cosas en lugares
       chiquitos
       distribuirme dentro de tus espacios irregulares
       pero suaves
sortear sin chocar tu gente que me aprieta

es tan denso París
es como vivir adentro de un diamante

EL CORREO

la gente va leyendo sus cartas por las calles
el chino su carta en papel de seda
el negro sus cartas de la selva
se sonríen a veces a medida que leen
la gente va escribiendo sus cartas por las calles
en los cafés desde las ocho de la mañana
adolescentes pálidas éprises de solitude[30]
escriben a noruega a los países bajos
el correo es completamente infalible
vos podés dejar tu carta flotando arriba del buzón
llegará llegará
"dieu et ma poste"[31] piensan los franceses
"más seguro que correo francés" diría el viejo vizcacha
claro que tiene sus exigencias
il est interdit de pénétrer dans le bureau avec des chiens
                    ou des bicyclettes[32]
señor ¿le gustaría ser el réceveur principal de París?
yo estoy tan natural en París
que ni siquiera empiezo las cartas con su nombre
pongo la fecha y listo
cualquier día que sea quiere decir París

PARÍS ERRÓNEO

y a veces el campanario se equivoca en la hora
su reloj también se detiene a veces
el viento le zarandea las agujas
los carteros también llegan un poco tarde
los ascensores también se detienen entre dos pisos
los teléfonos te rugen a veces en el oído
me da sol cuando tengo frío
me lo nubla cuando empieza a quemar
te ponés el sombrero de lluvia
y el sombrero te sirve para el sol
París no es tan perfecta como yo creía
es tan vulnerable como Buenos Aires
París subdesarrollado
escucháme París
París mi patria chiquitita
mi terruño mi Chascomús
bajo tu lluvia provincial escribo esto
yo te quiero con muros blancos o ennegrecidos
esas paredes tienen una fuerza luminosa
son vibrantes están a punto de estallar
me alimentan me dan de mamar
escupiendo de un nivel a otro de tus veredas
tropezando por tu adoquinado individualista
estudiando cada escalón de tus escaleras
mi pie los reconoce uno por uno
en vos no se me olvida lo que vivo
rinde nostalgia desde el día siguiente[33]

RESTAURANT TROIS ÉTOILES

restaurant trois étoiles[34]
moi seul comme toujours

pero no no estoy solo estoy con París
"me quejo porque estoy acostumbrado"
tus muros me acompañan tus cielos me pasan los brazos
        por el hombro
no estoy solo te veo te siento
a ver un poquito de no hacer
estarse quieto respirar dejar pasar el tiempo
mirar el techo de pizarra la ventana cuya luz se enciende
el anciano que abre su diario junto al velador
la música te inunda de lenguaje
cuando cesa la musica el tráfico te dice
acelero freno me detengo luz roja
la retorcida boca del métro produce siempre su figura
        ascendente
no no estoy solo las gotas de la lluvia la lluvia de París
golpean una a una en el alero de tu ventana
no son arañas no son siniestros dedos de hueso
son gotas dulces gotas de lluvia
no estoy solo estoy entre la multitud
pardon pardon nos decimos por cualquier motivo
pardon por existir por no abrazarlo
pardon por seguir mi camino
je vous en prie je vous aime[35] gente extraña que habla
        distinto que yo

cuya habla me sale ya de adentro
allá voy moviéndome lentamente sin atropellar a nadie
je suis un habitant de votre ville
de ma ville pourquoi pas[36]

UNO SE DESTAPA SE QUITA LA PATRIA[37]

uno se destapa se quita la patria como un sobretodo
respira con frescura quizá con frío mira alrededor
sólo la nostalgia rememora el cambio
los cajones de la mudanza me repiten
CFM fragile
hacéte a la idea porteñito
no hay dulce de leche
no hay empanadas
es claro que también queda el orgullo porteño
los gallos que siempre hablan en argentino
por no decir boquense
"uno llega a París a las tres de la tarde y qué hace?"
¿a mí con estos autobuses tan disciplinados
"les colis encombrants ne sont pas admis dans les
        voitures"?[38]
a mí con estas pequeñas sacudidas
a mí nieto de los lacrozes
hijo dilecto de los colectivos?
también queda el recuerdo es claro
endecasílabo de mi primera juventud
"oporto semillón chianti moscato"[39]

SONETO DESAFORADO[40]
1940

oporto, semillón, chianti, moscato
con este primer verso se me ofrece
aquel camión que sus botellas mece,
si el soneto no acabo, aquí me mato

queda la extrañeza de las fiestas patrias
por qué estas calles embanderadas con cinco días de
        atraso
por qué este abrumador desfile militar
el 14 de julio y no el 9?
la máquina de café
que en un rapto de pasión entregó todos sus paquetitos de
        azúcar a un solo cliente
y luego tiene que servir cafés (amargos) toda la semana
bueno esa máquina me trae a mí
el recuerdo del mate (amargo)
y no digamos nada cuando también se le acaba el café
y sólo sirve agua caliente como una pava
pediré un dubonnetcito

llegó el verano
zas ya empiezan a caer los turistas argentinos
en Baires fumo Gauloises y en París Particulares[41]
los Gauloises difíciles de apagar
hay que ahogarlos en el cenicero con un chorrito de
        Perrier[42]

apagar el pucho de un tacazo como quien mata un sapo
trepado en la espuma del mundo
enterrado en París

2. *París, mayo de 1968*[43]

pero nos gustaría señor guía que los franceses se
prohibieran prohibir tantas cosas
rogamos que no nos hagan más ruegos
dejen funcionar un poco nuestro instinto de
conservación
no necesitamos leer previamente cada gesto de
nuestra vida
el lenguaje es del hombre no el hombre del lenguaje

CFM, Un argentino en Europa, 1959

Il est strictement interdit d'interdire

Alain Ayache, *Les citations de la Revolution
de mai* (París, 1968)

PARÍS, MAYO DE 1968

Si los contemplativos decidieran hacer una huelga, ésta consistiría en trabajar. Es, precisamente, lo que está pasando ahora en París: los estudiantes, o sea los intelectuales, o sea los contemplativos, se han lanzado (sin contemplaciones), a la huelga, o sea a la acción. Consecuencia: la lucha callejera. Una lucha frenada donde no se busca necesariamente la muerte del adversario, pero sí su reducción a la impotencia: mediante las bombas lacrimógenas, mediante las cachiporras, mediante las barras de cualquier metal arrancadas a cualquier estructura metálica (como ser los mostradores de los bares, las rejas de las boleterías de los cines o las que protegen los pacíficos paraísos del boulevard Saint-Michel). En esta lucha, desde luego, los policías son los mejor armados. Frente al ineludible sadismo profesional de éstos, los estudiantes parecen ejercer una especie de reiterado masoquismo, el de hacerse golpear. Pero ambos bandos parecen también respetar ciertas limitaciones a favor de esa regla básica del juego: inutilizar al adversario sin matarlo. Difícil regla que, por estar fundada en la violencia, genera ella misma sus extralimitaciones. De todas maneras, se trata otra vez de la tradicional mesura francesa que, cuando se pierde, se pierde tanto que lleva a la guillotina y al terror.

Parece cierto que el mundo se quiebra, se divide por lugares absurdos —seguramente muy lógicos— que no son precisamente las fronteras de las naciones, ni siquiera, aca-

so, el capitalismo frente al comunismo. Sin embargo, entre
esta agitación y la verdadera revolución, se interpone en
Francia un complejo, denso y bien compartimentado mecanismo constitucional, jurídico, económico y político, muy
bien fraguado por los siglos. Todo parece indicar que las cosas acabarán con una transacción: no hay contexto revolucionario en Francia, como sí lo hay en América latina.
En dos avanzados países europeos el tejido social es tenso, bien trabado; no se advierten esos vacíos entre molécula
y molécula que separan la textura latinoamericana, esos vacíos donde se insertan la injusticia, el hambre, la insurrec-
ción, la lucha a muerte. Los grandes países de Europa son
actualmente un remanso: ya no son el imperio todopodero-
so que debe defender sus posesiones a sangre y fuego, ni menos aún el territorio dependiente que debe conquistar su libertad a sangre y fuego.

Je suis un habitant de ma ville, un de ceux
Qui s'assoient au théâtre et qui vont par les rues…[44]

Esto escribía Jules Romains hace sesenta años justos,
cuando París no había conocido todavía la Primera Guerra
Mundial. Con estos dos versos dejó fundado el unanimis-
mo, escuela poética que pregonaba la abolición del yo, su
fusión en el alma de la multitud. ¿Qué es del yo en la multitud parisién, inmovilizada —o movilizada, según se mire— en esta enorme huelga? Hasta hace muy poco tiempo,
esta Ciudad todavía Luz seguía aparentando la más armó-
nica suma de los contrarios: la máxima libertad dentro del
máximo orden. Cartesianos hasta para el desorden. De
Gaulle expedía las más urticantes declaraciones antiyan-
quis en el exterior, mientras en el interior daba pábulo total a la sociedad de consumo.
    Pero, de pronto, a de Gaulle el interior se le vino aden-
tro. Los motivos inmediatos de esta especie de invaginación
parecen ser una enseñanza anquilosada, estudiantes someti-
dos a un régimen jerárquico y centralizado en cuya conduc-
ción no participan. En suma, parecen no diferir mucho de
los que provocaron hace cincuenta años la reforma universi-

taria en la Argentina. Lo que parece importar es el sentido de esa enseñanza, sea que éste venga dado por los que enseñan o de los que aprenden. Enseñar y aprender es, por lo demás, una actividad unitaria, que se ejerce a la vez activa y pasivamente por ambas partes, como hacer el amor: los estudiantes reclaman hoy su parte creativa en ambos procesos. En la Sorbona han puesto un cartel: "*le plus on fait la révolution, le plus on a envie de faire l'amour*";[45] y en el liceo (secundario) Henri IV, otro más práctico: "*pour faire l'amour, salle 38*".[46]

Hace poco tiempo tuve oportunidad de verlo a Jules Romains: viejo ya y como ausente, me miró con sus ojos glaucos cuando le dije de dónde venía y cómo había aprendido aquellos viejos versos suyos: "*je suis un habitant de ma ville...*" lo ayudaron a levantarse de su sillón, lo llevaron. Ya no es, casi, un habitante de su ciudad. Ya no podría recorrer el barrio latino una de estas noches de *bagarre*.[47]

El hecho es que las pacientes madres francesas ya no pueden explicar las cosas a sus hijos con la claridad habitual. ¿Por qué, si los agentes de policía son buenos y protectores de los niños, por qué entonces lastiman a los estudiantes que no hacen nada? Es difícil explicar a los niños que los estudiantes y los policías son las dos vanguardias, las dos fachadas, las dos epidermis de los dos mundos que se enfrentan hoy en el mundo.

El residente en París ha recorrido la zona de represión: ha visto llamaradas más o menos lejos, gases lacrimógenos han estallado más o menos cerca suyo. Nutridos contingentes de la Cruz Roja (que paradojalmente parecían amenazantes) se agrupan alrededor del Panteón. En la plaza de la Contrescarpe, los mismos barbudos y las mismas camisas de colores mastican las mismas *frites* en los mismos bares: *La Chope*, el "*Mouff*". Los propietarios de automóviles aceleran, más excitados que de costumbre. La multitud rueda, y de pronto se dispersa, se encrespa, corre, espantada como un potro.

París ha cambiado de aspecto. Sigue siendo esa mezcla de aldea y gran ciudad que integra su inescindible encanto. Pero, además, comienza a parecerse a una capital latinoamericana en huelga. A parecerse lisa y llanamente a una capital latinoamericana en situaciones más o menos normales: los autobuses empiezan a correr cada vez más completos, hasta desaparecer; los taxímetros a marchar con sus banderitas tapadas, hasta esfumarse también.

El habitante de París debe hoy concurrir a su trabajo — si no está incluido en la huelga— utilizando improvisados medios de transporte: camiones militares, si vive en la *banlieue*;[48] el autostop, si se tiene fe; y el más antiguo o sea, el "once", la caminata cuando sus tareas se desarrollan no muy lejos de su casa. Claro que esta caminata ya no es morosa, ya no da vueltas por las callejuelas, parándose delante de cada patio o vidriera. Es la marcha en línea recta (todo lo recta que es posible en París, o sea poco), previamente estudiada en el plano, perfectamente utilitaria.

He visto las terrazas de los cafés despoblarse como bajo los efectos de un huracán, ante la inminente llegada de la manifestación (pero en el interior todos seguíamos bebiendo nuestras cervezas). He visto a una mujer que apremiaba desesperadamente a su marido para que terminara de cambiar la goma del auto, diabólicamente pinchada justo cuando llegaban los policías. En rigor, sólo los sillones rodantes de los inválidos siguen indiferentes a los agravados problemas del transporte, pero ni eso, porque su federación (que la hay) se ha plegado también a la huelga.

Pero los teléfonos marchan, siguen llamando y respondiendo; el gas y la luz se encienden, el aprovisionamiento se realiza: los disciplinados obreros y empleados hacen sus huelgas sin perjudicar más de lo necesario al gran público. Las muchachas siguen limpiando diligentemente los mostradores de los cafés, mientras cantan *"et maintenant que vais je faire"*,[49] aunque esta perplejidad no se refiera a la circunstancia actual. Los espectáculos siguen funcionando, los turistas tomando fotos al arco del triunfo, el Matra francés hace sus primeros ensayos para el gran premio de Mónaco, los propietarios de los pequeños automóviles siguen limpiando sus carrocerías con los cepillos especialmente diseñados para ese fin.

Todos siguen comprando sus *baguettes*, esos largos panes que son más largos que el ancho de muchas veredas, con lo que van obstruyendo su paso a manera de barreras ferroviarias. Compran *baguettes* bajo el dubitativo sol de estos días, las compran bajo la lluvia (también hubo días de huelga con lluvia), y entonces tienen que elegir: o se les cae el paraguas o la *baguette*. En general se les caen las dos cosas a la vez. Pero las recogen, y vuelven a subir las retuertas escaleras de sus casas.

El parisién latinoamericano acaba por descubrir que la atracción de esta gran ciudad, aun en épocas normales, consistía en ser igual a su propia nostalgia, o, por lo menos, en no diferenciarse tanto de su respectiva ciudad latinoamericana: en realidad, nunca faltaron aquí taxis que no paran, baches, relojes públicos trancados y hasta campanarios que dan a grandes voces horas absurdas.

Hay tantos Parises como países, y aun como ciudades del mundo. Por lo tanto, el mero "habitante de la ciudad" de que hablaba Romains, puede ser muy normalmente un latinoamericano, y encontrará su respectiva París abocada también a esta situación prerrevolucionaria. La ciudad se ha ido secando como una flor: su aparente perfección, se asombrará este latinoamericano, era sólo fachada; hurgando un poco se descubren pústulas más graves (por más antiguas y complejas), que las de su lejano país.

Y se asombrará más aún, pues una situación así habría dado margen ya, en su América latina, a golpes militares y explosiones guerrilleras. Pero en esta ciudad, oh, no es así. A cierto nivel, continúa imperando Descartes: los restaurantes modestos, los medianos y los de lujo continúan sirviendo minuciosamente sus bien dosificados platos, siempre adornados con hojitas de lechuga. El mozo continúa acercándose a cada cliente y preguntándole, con algo más de urgencia pero siempre con cálida cortesía:

—*Desirez vous...?*
Lo que no impedirá que, entre plato y plato, deslice su comentario;
—Nos hacía falta una revolución. ¡Hace tanto que no teníamos!

Éstas son las inquietudes que viven desde hace tres semanas los habitantes de París, por lo menos los de la *rive gauche*, donde la ciudad parece sitiada o de ciencia-ficción, y cada ida cambia su faz. La *rive droite*, en cambio, tiende a demostrar, con su casi invariable tranquilidad, que este conflicto se mueve a alto nivel ideológico pero a bajo nivel económico. Sin embargo, en ambas orillas los montones de basura —de la rica, delicada basura gastronómica de París—, comienzan a apilarse cada vez menos metódicamente, obstruyendo las entradas *art nouveau* de los subterráneos de todos modos clausurados.

Esta ciudad tiene un autor, que es Haussmann: el boulevard de la *rive droite* que lleva su nombre, no deja de lucir su tajante esplendidez urbanística. Un perro ladraba, solitario, junto a un vacilante montón de basuras (ordenadas, eso sí, dentro de correctas bolsas higiénicas rebosantes de instrucciones para su correcto uso). Sólo dos temores ha hecho públicos el prefecto de París: la demora en la recolección de basuras... y en la inhumación de cadáveres. Los desórdenes sociales traen una consecuencia inmediatamente grave: la sociedad no elimina sus propios restos, de alimentos o de hombres.

¿Ha sido éste un conflicto meramente generacional? (en esta pregunta el ámbito del adverbio es enorme). La adhesión de los obreros al movimiento estudiantil mostraría que no se trata, "meramente", de un movimiento generacional. Hay una acumulación de descontentos. Hay un anhelo de aventura, de evadir la monotonía de la sociedad de consumo, mayor cuanto más desarrollada. Se habla mucho de revolución cultural, de fidelismo, de maoísmo; los affiches con la efigie del "Che" mordiendo su descomunal cigarro ya no se mezclan con los de Brigitte Bardot y Vanessa Redgrave. Pero este movimiento no es chino ni cubano, por fuertemente que se apoye en ellos: es francés, y específicamente parisién.

Frente al conflicto, los franceses —y los hombres del mundo, supongo— se dividen en dos: los que esperan que desemboque en la revolución; los que esperan que todo se arregle pronto para retomar su vida individual en los márgenes hasta ahora normales. Cada uno deberá preguntarse, en público o en secreto, en cuál de esas dos categorías se inscribe.

POCO DESPUÉS. *Todo ha pasado. Ya es 14 de julio, y la gente vuelve a bailar en las calles, pero como autómatas a quienes nuevamente se hubiera aceitado y dado un poco de cuerda. En un segundo discurso, de Gaulle encontró el tono amenazador que hacía falta. Pompidou trabajó eficazmente con la* CGT *y el* PC. *Las ardientes barricadas se recuerdan ahora como juegos infantiles. Los muros de París se han limpiado de inscripciones (antes —casi simultáneamente— recopiladas en libros por los instantáneos editores). Las calles del barrio latino se cubren con una capa de asfalto para que los adoquines no puedan volver a usarse como proyectiles. Los autobuses ruedan de nuevo ceremoniosamente, los subterráneos vuelven a correr, ruidosos, aunque ya no alegres. El latinoamericano ya no vive París como un paraíso para latinoamericanos. No se hizo nada de lo que se quería hacer. Sólo queda, crece en silencio, la nostalgia, el deseo de una vida diferente.*

3. *Angustia/Peligro de muerte*

EL DESENCUENTRO

el océano se ha interpuesto entre los dos
cada uno ha elegido la estación opuesta
a primavera otoño y a verano invierno
la hora salta de meridiano en meridiano
y de tal modo
mientras él duerme soñando morir en un accidente
ella se alza fresca en la mañana escuchando piar al pichón
      de la ventana
mientras ella toma su almuerzo en el balcón y el sol entero
      se le entra por los oídos
él clasifica papeles en el atardecer perforándolos
      cuidadosamente
mientras él vuelve atravesando despacio la niebla helada
ella duerme el sopor de la siesta junto con el pichón que ya
      va creciendo
mientras él se acuesta escuchando apenas caer los copos de
      nieve
ella sale a ver el carnaval y le circundan la cara de papel
      picado

mientras él se levanta en mitad de la noche por donde
      cruza el fantasma de un taxi
ella está desnudándose confusa
él desesperado se vuelve a acostar
y por fin duermen juntos un rato las dos o tres horas que
      les permite la rotación del planeta
arrullados por diez mil kilómetros

cada uno quieto pero girando siempre opuesto al otro
cada uno apoyado en la almohada del otro

ME VOY HACIENDO BAQUEANO

me voy haciendo baqueano en dejar pasar la soledad
mi casa es una cama donde duermo yo solo
me preparo a estar conmigo mismo
a escribir su sentido en el pizarrón-pantalla de la noche
sólo podré dormir si me olvido de todo...
apretados...
tus viejas sillas que crujen
y a la hora en que los borrachos y los amantes vuelven
      acurrucados en sus autos de felpa
yo me levanto un momento y espío por el balcón cómo
      pasa por el boulevard el motociclista solitario y
      protegido por su lucecita roja
y mañana cuando la luz del alba se abata sobre los techos
      inermes de las casas
un poco más tarde a la hora en que todos bajan a saltos las
      escaleras del métro antes de que les cierren el
      portillón automático
yo bajo a saltos las escaleras del métro antes de que me
      cierren el portillón automático
y a la hora en que todos viajan apretaditos en su vagón de
      segunda
yo viajo apretadito en mi vagón de segunda
y a la hora en que todos empiezan a trabajar
yo empiezo a trabajar
yo me hundo como ella en el París de abajo
pero vuelvo a salir en alguna boca de estación
así me ha pasado hasta ahora

para ir a trabajar me meto en el métro de noche
cuando salgo también sale el día
por la mañana temprano hay más solidaridad

otros duermen mientras yo velo
y velan mientras yo duermo
buscan la otra mitad del tiempo de París
la que ahora no es mía
y a la hora en que los mucamos hacen rodar con
　　　　precaución el carrito cargado de botellas
yo me vuelvo a casa caminando cuesta arriba
y a la hora en que el mucamo de la niña ha reservado mesa
　　　　para dos en el gran restaurant
yo como en casa mi ensaladita de lechugas y carottes
　　　　rapées y endives[50]
yo cumplo noche a noche el doméstico rito
de tirar la basura nuestra de cada día
yo aguanto noche a noche
la tentación de dejarme caer a su lado
y a la hora en que las parejas comienzan a cenar en los
　　　　sótanos refinadamente populares
yo me baño y me cepillo con cuidado las rodillas
y a la hora en que empieza la música y salen a escena ya
　　　　desnudas las estrellas del strip-tease
yo me pongo el piyama a cuadros y me voy a dormir

ENDO
ANDO

viviendo en París
escribiendo gerundios
usando sacos de varracán
escupiendo...
pensando en Buenos Aires
vacilando ante Fidel
disimulando ante los embajadores
haciendo seguros de vida
engendrando hijos de diversas edades
viajando confundido
confundiendo viajeros
haciendo el amor
polucionando nocturno
innovando en poesía
escribiendo sonetos
dejándose estar esperando a los otros
teniendo razón
ampliando corazón
viajando en primera viajando en turista
durmiendo en aviones eludiendo compromisos
buscando el baño cagando apurado bañándose en algas
formulando planes dejándose llevar
perdiendo el tiempo cobrando en dólares
presenciando desarrollos lamentando subdesarrollos
soñando revoluciones urdiendo transacciones
mezquinando propinas

llorando en los cines riendo en los discursos
viviendo muriendo

YA SABEMOS LOS HORARIOS
DE TODOS LOS AVIONES

Ya sabemos los horarios de todos los aviones
las sonrisas de todas las camareras
cómo pedir preservativos en varios idiomas
ya sabemos el choque de la belleza súbita
qué pasa poniendo en movimiento el ombligo de una
        mujer
y de otra que parece distinta
ya sabemos ser ricos algunos week-ends
qué se debe comprar en París qué en Londres
qué se debe eso sí vender en Buenos Aires
cómo ganar dinero en distintas monedas
distintas cortesías diferentes apretones de mano
ya sabemos qué hacer con las palabras
hasta qué límite dejarlas que nos hagan cosa suya
pedir otro whisky al mozo tocando el vaso con un dedo
sabemos en síntesis elegir entre una cosa y otra
lo que da la casa lo que da la calle
da que lo la saca que da lo la lleca
estar sereno desgarrarnos
tomar hipnóticos tomar excitantes
caer con elegancia caer como un pingajo
sabemos besar y dejar que nos besen
engañar dejarnos engañar
sacar mentalmente cuentas difíciles
cómo hacer menos dura la derrota al enemigo
sabemos ver morir al amor

ver morir al hermano ver morir al padre ver morir al amigo
sabemos abandonar al hijo a la mujer a la madre
encender una pipa en el viento apagar un pucho en el taco
sabemos manejar patinar andar en bicicleta
ganar posiciones políticas perder posiciones políticas
sabemos dejar pasar el tiempo
sabemos aferrarlo con las uñas
sabemos saber sin que se note notar sin que se sepa
y sabemos señores
que lo que no sabemos todavía
ya no lo sabremos nunca
hasta que la muerte nos dé una manito

CARTA A LEIB[51]

querido Leib quiero escribirte ahora
antes que la muerte venga a perturbar a alguno de los
        dos
ya estoy cansado de ser siempre el sobreviviente
no te acordás Claudio te acordás Momo
        nunca más quiero volver a escribir eso
        epicedio va epicedio viene
quiero decirte Leib que ahora me estoy acordando de vos y
        quizá vos de mí
vos viniste a buscarme a la gare de Austerlitz cuando París
        era un entreveramiento de hierros negros
que se derrumbaban sobre mí desde un cielo gris
y me llevaste hasta mi departamento en el pabellón
        argentino
allí me esperaba una pila de cartas de la mujer que yo
        amaba
yo me quedé leyendo y vos
te volviste a tu pieza infestada de libros como liendres
a esa pieza fui yo para no cumplir solo mis cuarenta años
con un toco de Brie y un troli de Bordeaux
vos estabas con la barra de siempre
Carlitos Marx el pibe Hegel ño Segismundo
¿Leib? tiene un torbellino en la cabeza
me había dicho un intelectual exitoso
tu respuesta es claro hubiera sido
"sure I'm crazy" la respuesta de Dakota Staton la única
        mujer que teníamos entonces entre todos

un disco y vos te bañabas todo el tiempo detrás del biombo
     con una sola canilla y una esponjita
que nadie pueda decir que son sucios los judíos

diez años después de nuevo en París de nuevo negro y
     gris
los estudiantes han jugado a la guerra
el general jugó a las elecciones
unos hablaron de más otros hablamos de menos
al pabellón lo tomaron yo no lo tomé
yo sigo practicando la preceptiva que me enseñó mi viejo
tengo para cada uno "mi sonrisa en mi labio"
claro él necesitaba rimar con "sabio"
habrá que nacer paria para rimar con paria
decíme cómo hiciste vos para ser pobre
y qué mérito tenés en eso
qué mérito hay en que tu viejo en bes de haser bersitos te
     llevaba en un carro a vender botellas de aceite
     mezclado
qué culpa tengo yo si no me echaron de ninguna fiesta por
     judío
liberal de izquierda me clasifica un crítico peruano
pero eso no existe es claro
liberal desgarrado me llama David por ahí va la cosa
y mi estilo mejora cuanto más me desgarro
yo soy tu hermano y además quiero ser tu hermano
compartir tus pasiones como a veces llego a compartir tu
     lucidez
como a veces te llevo con habilidad a compartir mi
     confusión
soñé que eras astronauta y que a último momento yo te
     acompañaba
hacéme más pobre si podés no te digo que me hagas más
     angustiado
un poco más de angustia ya me mataría te acordás César
vamos a comprar algo a la charcuterie
ya sé que vos no tenés hambre nunca tenés pero después
     limpiás el plato de todos
te cambio mi berlina vert fusain por tu motocicleta

la que llevaste desarmada a nuestra patria y nunca pudiste
    volver a armar
mi departamento frente al río por tu pieza en esa calle de
    París agusanada de putas
ya sé ya sé que estoy haciendo literatura
vos también a veces hacés filosofía
vos también tenés autos tenés departamentos
vas pagando las cuotas con la muerte en el alma
y te vas haciendo propietario son cosas que pasan
pero no sé por qué me parece que vos no tenés ni tendrás
    nunca nada
hablemos de algo menos material hablemos del alma
¿cómo es la vagina del alma? explicáme che profesor
qué vamos a hacer viejo Leib
¿la revolución?
¿seguir calzando ideas en nuestro marote?
yo he cambiado el ámbito de mi vida pero parece que no
    puedo cambiar mi vida
todo consiste en escribir estas cosas u otras sobre cualquier
    papel
igual que el viejo sólo que sin rima
la mano que escribía "sobre cualquier mesa"

LA GUELARDIÈRE
así dice la tarjeta que me esperaba en la mesa de este
    boliche
en ella te escribo ahora
se me acabaron las hojitas de mi libreta argentina
VOUS PROPOSE
y yo ¿qué me propondré?
SA GRILLADE MAÎTRE D'HÔTEL
poco bifecito para tanto circunflejo
SES POMMES ALLUMETTE
"et tu m'as fait perdre la tête"
SA SALADE AUX NOIX
xé exquixitex
POUR 9 F
¿muy barato o muy caro?
decíme vos que conocés el valor del dinero

luego viene una viñeta muy bonita que sugiere
        espiritualidad luego
LA CARTE VOUS SERA PRESENTÉE DANS QUELQUES
        INSTANTS
y ¿qué haremos Leib con ese menú?
¿seguiremos pidiendo platos a la sociedad?
¿cómo pagaremos después semejante adición?
MERCI!
nos dicen luego
"je vous en prie" respondemos a la vez
como dos hermanos gemelos
asesinados en el mismo aborto

QUÉ HORA ES NO ES NINGUNA HORA

qué hora es no es ninguna hora
el reloj de la tierra avanza sus élitros a pequeños saltitos
        hacia la muerte
te acordás Claudio
"a nosotros sólo nos ganan con la muerte
y qué carajo nos importa"
y si no nos importa morir
¿por qué habría de importarnos ninguna otra cosa?
qué importa me importa
me importa cualquier cosa más que la muerte
o por lo menos tanto como la muerte
a juzgar por mi estremecimiento
los ojos mal pintados de la mujer madura
la sombra que parece otra cosa
la soledad que parece la muerte
qué le pasa al ayer que ya no quiere ayudar
mamá qué hago
yo te pregunto como ayer
mamá dios existe
yo te pregunto como antes de ayer
mamá yo quiero escuchar en tu pecho cómo late el
        corazón
yo te pido como al principio
mamá qué hago ahora
que estoy haciendo aquí mamá
quiero escupir París me escupe encima
una flema incompleta rueda por mi barbilla

UN RESTAURANT DE VITRAUX ROMBOIDALES

un restaurant de vitraux romboidales
cada hombre chamuyando a su mina
vos pedís una mesa para uno
tendida para la soledad
te castigan por ser uno
te sientan en los peores rincones
mesas tan chiquitas fáciles de voltear
al lado de otras mesas chiquitas con hombres igualmente
        solos
cada uno a solas con su agenda
la intimidad absoluta y fugaz con otro
mastica con el prójimo como contigo mismo
en realidad no existen mesas para uno
una mesa para uno sería una silla
y en una silla me siento yo
a comer solo en otra silla
si ella estuviera sería una mesa
la mesa ideal para el amor
cerca del fuego para que ella seque sus pies
los fotógrafos italianos quieren retratar mi soledad
pero no pero no ya vendrá ella
hoy es mi fiesta solitaria del sábado a la noche
ya no puedo más de estar bien
el mundo es para ir tragándolo a mordiscos
unas copas de vino para ahogar la noche en el Sena
un coñac para pasar la lluvia
así empezó el marqués de sade

landrú jack the ripper
a largos golpes de dolor me salen estas palabras...
ca-mi-no-len-ta-men-te-has-ta-mi-ca-sa
tiro la ropa que me oculta
doblo mis brazos y mis piernas ·
soy un robot bastante adelantado
empiezo a tener como sentimientos
ya sé quedarme quieto para dormir

LO QUE ME ATERRORIZA

es bañarme en ese baño tan cuadrado
con esa ducha como víbora
con ese jabón escurridizo
siempre con algún pelo vaya a saber de quién
esos movimientos precisos calculados
cepillarse esas rodillas tan duras
esos calcañares tan ásperos
desconfiar así de las axilas
maniobrar tanto ese periné
derivar la ducha sobre el glande
siempre virginal
penetrar malamente esas orejas
abandonar la espalda a su propia suerte

secarse con la toalla algo húmeda
con algún olor a baños pasados
cortarme cruelmente esas uñas
ponerme el piyama claramente planchado
pero ya no talco
ya no revolcarme entre los pañales

abrir ese lecho tan bien cerrado
y yacer así mientras pasan
las tropas de la noche densas abigarradas
y así limpio hasta el alba
su difuso tiro de gracia

EL SOBREVIVIENTE
(Poema reversible)

sobrevivió
aguantó los bandazos
se apuró un poco
en el fondo ni se movió

ahora está tranquilo

ingrávido
meridiano tranquilo
tranquilo inmóvil

su forma sale de los ruidos
yace arriba del agua
flota como un palito
deriva hacia algún lugar
la corriente lo sabe

un sol tácito
un horizonte de cortinas

un horizonte de cortinas
un sol tácito

la corriente lo sabe
deriva hacia algún lugar
flota como un palito
yace arriba del agua
su forma sale de los ruidos

tranquilo inmóvil
meridiano tranquilo
ingrávido

ahora está tranquilo

en el fondo ni se movió
se apuró un poco
aguantó los bandazos
sobrevivió

NACISTE GRANEADO DE POSIBILIDADES

naciste graneado de posibilidades
eras un gran tallo cuántas ramas podías elegir
cuántas hojas hacia el este hacia el oeste
gajos para la luna gajos para el sol
creciste fuiste eligiendo
cada vez más arriba
cada vez menos elecciones cada vez más ricas

hubo un momento en que querías elegir todo
hubo otro en que nada querías elegir
nada te impelía suficientemente
a continuar con ese escándalo de crecer
te era indiferente ya el puro dinamismo del cambio
cuando todo cambio conducía a lo mismo
finalmente eliges no elegir
aceptas no elegir
no elegir país no elegir mujer no elegir destino
ya lo sabes esas opciones las hiciste ya
cualquier país cualquier mujer cualquier destino
son ya tú mismo ya nada te cambia
las elecciones llegan ya a su vértice
la elección final vivir o morir
y no serás tú quien elija
en ese fastigio[52]

HAY QUE PREPARARSE A BIEN MORIR

hay que prepararse a bien morir
a bien disolverse
no es fácil hace falta un buen paté
una buena omelette campagnarde
todo del campo
gente hablando en voz medida
un disco de bach donde nadar apenas dejándose llevar por
    la corriente
tibia como la del Paraná
un cognac francés un cigarro cubano
encendido en la Chandelle de Ronsard
estar solo y haber comprendido todo
qué es estar enamorado
qué es amar
qué es un amigo
lo semejante a sí que uno ama en otro
qué harán después los hijos
y uno se desliza suave por la pendiente del tiempo
como la lapicera suave sobre el papel
suave y uno la lleva suave sin forzarla
desciende o asciende el espacio es nada frente al tiempo
mozo la cuentita por favor

la cuentita el juicio final
y basta ya del yo
el cigarro se acaba hay que comprenderlo
nadie puede fumar cenizas

un trago más de alcohol lo echaría todo a perder
en este punto se equilibra todo
nadie debe nada a nadie
no lo toquéis ya más así es la cosa

EL MAZO⁵³

Al comenzar la vida, el hombre dispone del mazo completo de las cartas que la integrarán. El mazo es una unidad y una variedad, la de su vida; por el momento, está constituido el mazo, y puede esperar su más completo y variado despliegue.

Supongamos que el hombre decide jugar un solitario con su mazo. Esta suposición no implica la presuposición de que la vida es soledad; es una metáfora que hace abstracción, para realizarse como tal, de los elementos ajenos al propio jugador que habrá en su vida. Se funde a su destino. La metáfora más real sería que la vida es una partida donde intervienen muchos otros jugadores, pero la del solitario sirve más a la idea que aquí quiero exponer.

Para jugar su solitario, dispone su mazo en una multiplicidad de montones; unas cartas boca arriba, otras boca abajo. Luego, siguiendo determinadas reglas, va tomando una por una las cartas que le quedan del mazo y las va distribuyendo sobre los diversos montones. Cada vez tiene más montones de cartas, más diversidad de figuras boca arriba.

Pero llega un momento del juego en que esa multiplicidad se va reduciendo, y los montones son cada vez menos, porque en eso precisamente consiste el juego. El jugador debe entonces tener en su mente cuál será la evolución conveniente de su juego para que, siguiendo las reglas que le son impuestas por el juego mismo, pueda llegar a su consumación: el solitario debe realizarse, "salir", aun jugando contra el mismo jugador, que es a la vez la persona que juega y su adversario.

Finalmente, los montones van decreciendo geométricamente, y, si el jugador ha calculado bien, habrá ganado su solitario, todas las cartas vuelven a formar un solo montón. Tomará entonces ese montón de la mesa, y volverá a tener en su mano el mazo completo: su vida, nada más que en este momento está totalmente jugada, no tiene otra opción que la muerte.

LA VIDA ES UN HUSO, ES FUSIFORME

la vida es un huso, es fusiforme, como una cucaracha vola-
dora como una nave espacial del futuro comienza estrecha-
mente, fina como un cordón umbilical y se va expandiendo
y envolviendo hasta llegar a la mitad al máximo de su diáme-
tro. Sus materiales son entonces diversos, heteróclitos, con-
tradictorios el oro junto a la escoria y el barro el hierro. Luego, poco a poco, el huso vuelve a afinarse hasta desaparecer.
Pero esta última mitad, desde el centro hasta el fin tiene una
consistencia cada vez más sólida y preciosa la punta final es
ya de un material incompatible llamado la muerte.

A VECES CUANDO MUY TEMPRANO
EN LA MAÑANA

a veces cuando muy temprano en la mañana
mi hijita deja su cama y se introduce tambaleante entre
        medio
yo estoy también medio dormido confuso
y no sé bien en qué tiempo estoy en qué lugar
no sé quién está conmigo en la cama qué hija es la que
        entra
si es alguna de mis hijas primeras hijas madres a su vez
si soy todavía chico y es alguno de mis hermanos menores
tengo la sensación de que alguien falta quizá más de uno
sollozo contra la almohada conteniéndome para que nadie
        me oiga sea quien sea
y así desahogado vuelvo a dormirme profundamente
cuando despierto me encuentro solo en la cama
pero oigo los ruidos que hacen para preparar el desayuno
ella y ella las que hoy son mi vida
falte quien falte en todos los otros tiempos y lugares
las que serán mi vida hasta que sea yo el que falte como es
        natural

ÚLTIMA CANCIÓN A INÉS

ya has aprendido casi todo
    hija del sol
sólo te falta perder el miedo
al instante de morir

bueno vení

yo te voy a enseñar[54]

CANCIÓN A MURIEL
LA ÚLTIMA HIJA

Por las mañanas temprano cuando estoy dando
        vueltas por la casa
y tú sigues entredormida en tu cunita
yo dejo encendida la música para que sepas que
        todavía estoy

y cuando me voy
también dejo la música encendida
para que sigas creyendo que todavía estoy
y también por si llegaras a despertarte del todo
y darte cuenta que me fui

así vas aprendiendo que la música está
que sigue
aun cuando yo no esté[55]

SEGUNDA CANCIÓN A MURIEL
EL ANTIFAZ NEGRO

es para decir una cosa muy sencilla
yo duermo a veces con un antifaz negro
para que no me despierte la luz de la mañana
pues bien y cada mañana bien tempranito
muriel se despierta baja de su cunita
sus pasitos se acercan descalzos
su manito me tantea la frente
y me arranca la máscara de un tirón

entonces yo me levanto
aprovecho que ella se fue a jugar a la terraza y me acuesto
        en su cama
llevo mis almohadones que la ocupan casi del todo
y su almohadita
me sirve para taparme los ojos otra vez

4. *Apéndice*[56]

water clos cireur urinoir
mi abuela me lustra los zapatos
los dedos le tiemblan al poner los cordones nuevos
se oyen ruidos en las cabinas de los water
por lo menos se ignora en cuál de ellas
aquí está la poinçonneuse
con la falda llena de redondelitos
te perfora el ticket sin mirarte
masca chicle mientras lo perfora
o bosteza la cara se le perfora
o quisiera seguir leyendo su revista de historietas
pero incesante la gente le presenta sus tickets
otras conversan frente a frente en sus jaulas de cristal
o de espalda y perfil como en los sillones fin de siècle
otras parece que hablan solas
pero comentan de andén a andén la nueva ley de
          seguridad social
en un extremo del quai un tipo ensaya solo pasos de baile
en el otro una esgrimista sí señor leyendo a robbe-grillet
          sí señor
es heure d'affluence crece la multitud
manejada en sabias oleadas
los portones automáticos
a paladas por los oscuros pasillos portones y escaleras
llenos de imágenes de sol mediterráneo calor y vacaciones

me gusta fumar en la plataforma de tus ómnibus
a mí me alcanzaron las últimas
/desde el autobús/
ver la mano de la mujer acariciando la palanca de cambios
        de su pequeño descapotable
campanarios parados: técnica atrasada, inclusive
respecto al medioevo
(cada vez que paso uno de tus puentes)
le sonrío al Sena [el seno-asociación]
c'est ça tan parecido a mi nombre ce sar
compartir el asiento delantero /del taxi/ con el perro
        atado al radioteléfono
París te enseña el arte de conservar el sombrero en la
        cabeza a pesar del viento
alzado acunado paseado por sus autobuses
/es difícil/ cómo estar de pasada en París
(lois toilettes lavabos)
el romance en el subsuelo
los más modernos revestimientos
sobre los más antiguos muros

a la tarde/todos [poner tiraje] estudian le monde
me encuentro a cada rato conmigo mismo /en los espejos/
me complazco de día en los cafés
me asusto de noche en los pasillos
las parejas de ciegos
los pares de baguettes
gentes sentadas en valijas /en la calle/
estructura urbanística de París
una serie de estrellas de mar arrojadas al azar
cuyos tentáculos se prolongan y superponen
            caprichosamente
en las puertas/los letreros/de bronces/"poussez"
gastados por las manos que empujan /desde siempre/
[París = juego de espejos y vidrios]
los pises de los perros
incomodidad para estar de pie (poco espacio)
el cartero negro que se detiene a la mañana temprano
frente a la ventana cerrada con una reja

el perro le lleva la mano y él le lleva la correa

Rue Mademoiselle! (Monsieur, Madame)

callejuelas tan estrechas que un perro salchicha las
        interrumpe cuando las cruza
qué diré las interrumpe un vecino que las cruza con su
        baguette bajo el brazo

bajo la superficie /de París/ grata al turista o al soñador
subyace una filosa textura de acero a través de la cual
sólo pueden pasar los dueños de los circuitos secretos
que conducen a los bienes y a las situaciones materiales
una filosa trama de acero por la cual no pasas sino hecho
        picadillo (viande hachée)
a condición de que se arroje a esa vía exclusiva en sus
        mínimos detalles
fuera de ello París sólo ofrece supervivencia
trabajar para comer comer trabajar
pero eso sí a cualquiera
[podría ser un epígrafe propio a "cenizas"/ el del sector
        "amor a parís"?]

gente con valijas en cualquier parte de las calles

el gato de verdad
apoyado en la vidriera en el gato/perro/de vidrio

una chica y dos muchachos caminan juntos

la que silba es ella

la gente parada leyendo "le figaro"

espejos o ambientes?

rue du depart /al final/

resbalando mortalmente en las cagadas de perro

no hablo bien francés porque no tengo ganas
inglés porque las palabras son muy/demasiado/cortas

hay gente que habla sola
yo oigo solo

tienen la vida tan escrita que acompañan la palabra a la
          acción
"alors on va tourner a gauche..." [(arg.eur.?)]

aprendo a caminar sin apuro
a no correr tras el portillón automatique que se cierra
a escribir esto en la libreta mientras se vuelve a abrir/el
          port./
todos comen leen cartas mapas planos guías en la calle
escriben como yo

/los belgas/
se confunden ponen mal las letras
dicen meubels en vez de muebles o meubles
las señoras fabrican sus grandes culos en las confiterías

escribiendo sobre una rodilla alzada en el aire
la voz de la ciudad los locos y los borrachos que van
          hablando solos
el oído/y los ojos de la ciudad yo/anotando esto mientras
          pierdo el ómnibus bajo la lluvia/
/yo/ loco borracho
/entre los chistidos de las puertas de los autobuses

amasado por la multitud esculpido por sus pulgares
gente que como yo se detiene a anotarlo
(y yo soy su voz…)
poeta es el que va viendo cómo son las cosas

el portugués castellano arcaico/estancado [(hacer
        cap. LOS IDIOMAS)]
parece mentira ser más atrasados que los
        españoles/portugueses/
también son los primeros productores mundiales de
        corcho/alcornoque/
ellos lo proclaman muy ufanos

/en Francia/
los oculistas te hacen leer un fragmento del discurso del
        método
[el vaudeville]

/los franceses/
cuando no saben qué decir meten la palabra: esprit:

cómo explicar en francés al peluquero cómo quiero que
        me corte el pelo
si no lo sé explicar en castellano
el pelo tiene un idioma muy enredado
un/vándalo/franconio cayó sobre mi cabeza armado de
        todas sus armas
fui violado por un peluquero

parís es un galicismo [(arg. en europa, I?)]

idioma lleno de acentos

este poema se me escribe día a día en mi libreta de
        bolsillo[57]

/escalera mecánica-consejo retórico/
"prière de tenir la main courante"
yo lo aplico para escribir/este poema/ [(Cómo escribir)]

/mujeres/ [Lenguaje]
en el laboratorio de fonética sólo escucho la voz de mi
        profesora su sonido me distrae
le hago guiños a través de los cristales
le envío soplidos de amor a través del micrófono
viejo se me abolló el castellano/abolió castellano
ligero pudor de hablar español en voz alta
he escrito este poema cruzando las calles a favor de la
        luz verde
pero muerto de miedo de la roja
parado como un clochard sobre la rejilla del métro
viva la luz roja
attendez piétons
que me obliga a detenerme/sin cruzar/
frente a nôtre dame iluminada
y yo escribiendo con la lapicera que la camarera olvidó en
        la mesa de luz

LOS CLOCHARDS

los clochards piojos cucarachas ratas del quartier latin
mientras el clochard le pide al de la izquierda
/y éste se niega/ yo me escabullo por la derecha

el clochard sentado en cuclillas sobre la rejilla del métro
con la cabeza gacha esperando el tibio aire que le viene de
        la multitud de abajo
tenazmente mirando hacia la fosa
como conjurando las potencias subterráneas
como esperando algún auxilio demoníaco
aquí arriba en su lugar de siempre un lugar solitario y frío

un clochard/en el atardecer/
tirado en el piso
como/los restos de/un árbol quemado

las únicas voces admonitorias que elevan el tono/en la
        multiud/
son las de los clochards/borrachos/y las de los locos

el perro ladrando de lejos al clochard adormecido/por el
        alcohol y etc. y etc./
los clochards que llevan todas sus cosas en un
        /desvencijado/cochecito de bebé
        [(Cortázar?)]
la libertad de los pies descalzos [(ambages: empieza
        por...)]

los misteriosos intercambios de diarios y botellas de los
   clochards
/el clochard que temblaba sobre su reja/
la gente que lee/ siempre, en todas partes, hasta/en los
   intervalos del cine

EL MÉTRO

[métro-poinçonneuse]
/sin embargo…/le erran al boleto
/a pesar de que su vida consiste en eso/

CES/BANQUETTES/PAQUETTES sont réservées par
        priorité…
"…aux mutilés de GUERRE = CUL"⁵⁸

[métro]
después de tantas vallas
tantos molinetes poussez tirez merci je vous en prie
subir las escaleras/ de la estación/ hacia la calle
el sol la superficie
es/ todo/ un himno/ de alegoría de/ a la libertad

[métro]
"au delà de cette limite les billets ne sont plus valables"⁵⁹

[métro]
"places réservées… aux mutilés de cul"

[métro]
el clochard que grita colérico
cólera contra todos contra nadie
adónde va para qué se mueve
en cualquier estación que emerja a la superficie
encontrará lo mismo

la misma rejilla de aire tibio
del métro donde/ en cuyo interior/ no lo dejan vivir

[métro]
el borracho en el trottoir roulant del chatelet
/sale como un tiro/ "tenez votre droite"

"en cas d pét prolongé entre stations, il est interdit de
descendre sur la voie avant d'y avoir été invité par les
agents de la RATP"[60]

cuando el métro llega a la estación
el primero que sube a la superficie es un niño
el último un ciego

[métro]
si no puedo viajar en primera
viajaré por lo menos en la mitad de 2ª del vagón de 1ª

[métro-perforeuse]
los redondelitos saltan sobre ella
hasta cubrirla de una especie de nevada

[métro]
si has ayudado al anciano a abrir la puerta del vagón
no lo humilles luego subiendo de dos en dos las escaleras

[métro]
los gritos de los locos amplificados por los corredores

[métro]
yo no cedo mi asiento a ninguna
a unas por el gesto avinagrado
a otras por sonreír

"je t'aime" dice la niñita que se relame los labios comiendo
            el chocolate
o le dicen a la niñita/qué sé yo/

cuando el convoy art nouveau del métro toma airosamente
    en la oscuridad con sus ventanas iluminadas la
    curva de la estación

llegás al último portillón automatique también cerrado
el cartel está rayado por los que tratan de pasar
pero sigue siendo *interdit d'empêcher son fonctionnement et*
            tenter de passer pendant sa fermeture
así que tenés que esperar dos minutos
si tenés suerte junto a una belleza tan cansada como vos

ne pas tenter de passer pendant la fermeture
sonnez et poussez fort/las puertas: esto
para abrir, pero se cierran solas/

los portillones: alarma inútil, métro del otro lado

[métro]
la angustia de los boletos que se pegan
y la cola vibra detrás de uno

eyectar/dejar caer/ el boleto del métro como una paloma
            que suelta su cagadita

[métro]
los anuncios pidiendo limosna/ pidiendo que compren
            algo/
la perforeuse con una minifalda sembrada de circulitos de
            colores
/confetti-papel picado/
caminando de "arrière des trains" a la "tête des trains"

[métro-mujeres]
ella se detiene en el métro para buscar el boleto en su
            carterita
flexiona su pierna el talón se sale un poco del zapato

[métro-mujeres]
viajo en el métro como un enfermo

la nuca derribada en el respaldo
al bajar al métro la gente siempre va apurada angustiada
por los sonidos de abajo /que/ siempre sugieren que el
            convoy se va
/en ese momento/

mis peores días son aquellos
en que sólo tengo los boletos del métro para tirar al
            canasto

[las pointilleuses]
algunas te miran mientras te perforan el boleto
parecen creer que hay un hombre detrás de ese boleto

[métro]
la primera es la primera
"porque esa es la ley primera"
[métro]
el estudiante de piano que va apretando teclas imaginarias
            sobre la partitura de la patética
"en cas de pet prolongé entre stations..."

se te cerró el portillón automatique
dos minutos con la belleza que espera a tu lado

el inútil asiento del métro junto a la ventanilla
/...y la serie de avisos/

"au delà de cette limite les billets ne sont plus valables"
en primera viajan los condecorados
cintitas de legiones en /el ojal de/ las solapas

los bigotes y falos en las modelos
"j'aime les nègres" dice la modelo del aviso de ropa
            interior

/con quien te acompaña/
hablando/solo/en cada parada/en cada estación/del
            métro/sólo entonces el ruido cesa

water clos cireur urinoir
una abuela me lustra los zapatos
los dedos le tiemblan al poner los cordones nuevos
se oyen ruidos en las cabinas de los water
por lo menos se ignora en cuál de ellas
aide al niño /inocente/ en los carteles
je vais me faire/engueuler/foutre

llegarás a un portillón automatique
en el preciso momento en que se cierra
deberás aceptar este hecho sin correr
en premio cuando se abra hacia el nuevo andén

LOS CAFÉS

[cafés:] "le pourquoi pas"

bar "l'imprévu"
"le veau qui téte"

[los mozos:] J'arrive
je vous écoute

si pedís un express repiten un café
si pedís un café repiten un express

un petit crème bien noir "comme d'habitude"/toujours
llegar/en los cafés/
al privilegio de pedir "comme d'habitude"
/aunque después te traigan cualquier cosa/

c'est ça como si no se animaran a decir mi nombre del
         todo

c'est ça soy césar conquistando otra vez las galias

[café]
el hombre solitario que hace sus cuentas en el borde del
         diario

"En cas d'affluence certains clients sont priés de ne pas
         occuper

les tables pendant plusieurs heures avec la même
consommation. Merci"[61]

cada vez que me voy del café
me olvido el gato durmiendo sobre la banqueta

en los bares más desiertos
siempre hay una mujer que sale del baño

/cada uno con su libretita/
sólo diferentes formatos y modelos
y distintas formas de guardar el lápiz

[espera en cafés]

terrazas con calefacción sobre el frente como una mano
            maternal

puertas giratorias: hélices: cafés: barcos

vivimos en espacios virtuales/los cafés con espejos/

[cafés]
subdivididos en forma tal
de dar sensación de infinito
trompe l'œil trompe l'âme

[cafés]
drama en dos niveles
1-hombres y mujeres
2-perros y gatos
así como
1-la gran ciudad
2-la provincia

el/poco/espacio que dejan los hombres lo ocupan los
            perros
[descripción P]

PARÍS

[vidrios, espejos, planos]
siempre con tres o cuatro París en la mano

ventanillas de ancho mínimo/indispensable/
para asomarse de perfil
mirar la calle y fumar un cigarrillo
/y tirarlo a lo largo/

/ciudad luz?/
su luminosidad es verdosa
se engendra en la neblina

trancan las puertas con pedazos de hielo

[parís]
un cuadro impresionista
ciudad afelpada/ color niebla/

bajo la lluvia las mangueras siguen regando
            equitativamente el césped del luxemburgo
bajo la lluvia miro el /refugio/ pissotière
desde el transparente /refugio/ para esperar el ómnibus

[arquitectura] los huevos puestos por los siglos

nôtre dame con su chêvet de patas de araña /arbotantes/

[les halles]
"défense de circuler dans le pavillon avec des fardeaux
        malpropres
ou embarrasants – ordonnance de police du 10
        août 1910"[62]

el proceso de empequeñecimiento de una vaca hasta entrar
        a la boca en forma de bocado delicadamente
        sostenido por un tenedor de plata

la pregunta de la tímida doncella
—où est il le toilette/?/madame
comentada a gritos por la patrona
—au fond à gauche mademoiselle

las ostras como copas de mil formas distintas
para beber el mar

boucherie chevaline

de la guillotina del terror a la guillotina de la baguette

ahora ya voy en tus ómnibus con los ojos cerrados
cuando voy abajo ya sé qué hay arriba
escupir París
París me choca a veces en mi paragolpes
me interpela con sus bocinas o sus prostitutas
poco a poco mi correspondencia se va haciendo toda de
         Francia
ya me cubres con tus techos
poco a poco me vas cubriendo con tus ropas
a medida que gasto lo que traje de allá
todo lo que tengo va siendo arreglado con materiales tuyos
tus mediasuelas me van protegiendo el pie
tus botones apretando el cuello
mis células viejas se van cayendo y las nuevas formándose
         de tu oxígeno
¡y yo que me quejaba de BA!
los truenos (con su) vozarrón patrio (...*Vallejo*)
hasta les perdono que coman carne de caballo
ustedes se imaginan un gaucho masticándose
es como jinetear una vaca ⁓
perdonáme vos también carlitos
no sé si volveré ni siquiera con la frente marchita
nací hermanos en aquella dulce tierra argentina

NOTAS

1   A su muerte, César Fernández Moreno no había terminado de establecer el título general de este libro, su estructura definitiva y cada una de las distintas secciones en que posteriormente fue dividido por los editores. La responsabilidad de ese trabajo, así como toda otra decisión referida a los poemas y a su presentación, estuvo a cargo de Inés Fernández Moreno y de Jorge Fondebrider, quienes se guiaron por las muchas anotaciones, esquemas y apuntes dejados por el autor. Finalizado el libro, el lector encontrará, a modo de Apéndice, una serie de materiales parcialmente desarrollados, así como versos dispersos que Fernández Moreno había decidido conservar para utilizarlos luego. Por último, para una mejor comprensión de los poemas, los editores decidieron incluir estas Notas que detallan las variantes de muchos de los versos e, incluso, de algunas de las secciones y, al mismo tiempo, la traducción al castellano de aquellos versos o palabras que, en francés en el original, puedan entorpecer la lectura.

2   *"chantier interdit au public"*: "obra prohibida al público".

3   Tanto en éste como en los dos versos precedentes Fernández Moreno juega con los nombres de los matutinos franceses: *"allume-moi 'L'Aurore'* (ilumíname 'Aurora') / *je commence mon 'Combat'* (empiezo mi 'Combate') / *à moi 'L'Humanité'* (conmigo 'La Humanidad')".

4   *"dégringolant"*: cayendo precipitadamente/rodando.

5   *"marchand"*: vendedor.

6   *"démarrage"*: arranque.

7   *"poubelle"*: tacho de basura/basura.

8   *"alors une tartine"*: "entonces pan untado".

9   *"caniveaux"*: cuneta que da en la alcantarilla

10   *"expliquez-moi le monde"*: juego de palabras que hace alusión al nombre del diario vespertino ("explíqueme el mundo").

11   *"boîte à lettres"*: buzón individual que generalmente se ubica en la planta baja de las casas.

12   *"rentrée"*: vuelta (generalmente de las vacaciones).

13 *"amélioration de l'éclairage"*: mejora de la iluminación.

14 *"trottoir roulant"*: acera rodante.

15 *"prière de tenir la main courante"*: se ruega conservar la derecha.

16 *"en montant attention au pas la station est en courbe"*: cuidado al subir la estación está en curva.

17 *"no hay que usar los strapontins réservés pour le service/ réservés pour le vice le han raspado el ser"*: Fernández Moreno se refiere a la costumbre que hay en Francia de eliminar algunas letras de los carteles públicos, sobre todo en el metro. Literalmente puede leerse: "No hay que usar los asientos plegables reservados para el servicio/ reservados para el vicio le han raspado el ser".

18 *"nos sandwichs variés primeurs en gros la mayonnaise qui tient"*: "nuestros sandwiches variados frutas al por mayor la mayonesa que se conserva".

19 *"grande salle au fond au premier étage/ au sous-sol en la piedra del medioevo"*: "salón al fondo en el primer piso/ en el subsuelo en la piedra del medioevo".

20 *"los mozos caballerescos j'arrive! désirez-vous? on s'occupe de vous?"*: "los mozos caballerescos ya voy! qué desea? lo atienden?".

21 *"comme boisson"*: como bebida.

22 *"Croque-monsieur"*: sandwich horneado de jamón cocido en pan lacteado, en cuya parte superior se pone queso parmesano. El "croquemadame" es una variante del anterior al que se le agrega sobre el queso un huevo horneado.

23 *"je suis tendre mangez moi dice el lechón"*: "soy tierno cómanme dice el lechón".

24 En hojas aparte hay series de variaciones, observaciones y apuntes para este poema, posteriormente no utilizadas: I) *"me gustan/es claro/ los múltiples hilos de tus tournedos/ el pan los fósforos que encienden a la menor presión/ la cosa más traída y llevada en París/* [Cervantes: llevadas y traídas]*/ los croissants que suelen dejar una miguita en la comisura/monsieur, vous désirez? / /* [vinos]*/ las jarras son pequeñas y los vasos enormes/* [restaurant] */ el hombre insensible que espera su plato/ su cara se mueve un poco a la vista de su steak au poivre/ se anima un poco más cuando su mujer le ofrece un pedazo del suyo"*; II) *el quai malaquais/ el quai sé yo / cardinal lemoine ¿cardinal o moine?/ rue monsieur rue madame/ au revoir monsieur au revoir madame/ viejos obstruyen veredas con baguettes como barreras* [de tren]*/ los puentes de la cité la unen a la tierra/ como los arbotantes a nôtre dame/ corazón: cité y la île de saint louis: aurículas y ventrículos/ los caños serpenteando por las paredes/ las semi habitaciones/ lo privado y lo público/ abrazándose en público y en privado/ ¿quién tiene preferencia de paso/ el que lleva su novia de la mano/ o el que lleva una cesta de baguettes?/ en la rue monsieur me como un croque-*

monsieur/ en la rue madame me como un croque-madame y donde ambas se cruzan...".

Como anotaciones sueltas se encuentran asimismo las siguientes series de versos:
"La dégustation" crustacés et coquillages vivantes à la commande

/restaurantes/
la cuenta siempre doblada o boca abajo
como si fuera una vergüenza pasar la cuenta a un amigo

/restaurants/
castigan al que está solo
por malo por tonto por feo
por no saber hacerse amar

un solo cocinero negro o chino cocina para cien comensales de todos los colores

a mano: *deseo esto... y aquello... y aquello otro.*

25 Este poema presenta las siguientes variantes en lo que parece ser una versión previa, luego desechada: *"y claro de tanto comer bien/ la refinada basura de París ya no cabe en su ciudad/ las poubelles se derraman cuernos de la abundancia/ a cierta hora del día (una corriente límpida) el agua del sena/ surge de las rastreras bocas de tormenta/ y ese arroyo la arrastra junto al cordón de la vereda/ restos de comidas y deyecciones/ los boletos verdes o marrones de los métros/ juntos por fin los de primera con los de segunda/ los tickets cuidadosamente numerados de los señoriales autobuses/ abollados paquetes de Gitanes/ fósforos que ya cumplieron su fugaz misión/ allá va la acequia de febril inmundicia/ rodando por la calle como los clochards/ trancándose en las ruedas de los autos/ las palomas se bañan en ella"*. En página aparte, pero también como un ensayo previo a este poema, se lee: *"el agua que corre por los cordones es del sena?/ la basura mi hermana junto al cordón de la vereda"*, y también *"sólo el riesgo de tirarse con ella"*.

26 Al lado de ese verso, en el original se lee, escrito con lápiz, *"sí bocas de tormenta"*.

27 *"bon au boulot/ au métro à la correspondance"*: "bueno al laburo/ al metro al cambio de estación".

28 *"sortie ouverte"*: salida abierta.

29 *"tirez poussez"*: tire empuje.

30 *"éprises de solitude"*: apasionadas por la soledad.

31 *"dieu et ma poste"*: dios y mi correo.

32 *"il est interdit de pénétrer dans le bureau avec des chiens ou des bicyclettes"*: "está prohibido entrar a la oficina con perros o con bicicletas".

33   En hoja aparte hay una serie de variaciones que corresponden a este poema y que luego fueron descartadas: *"miran/todos/el plano de París/ siempre de actualidad/ nada más difícil que salir de París/ nada más fácil que quedarse// para qué tanto plano// parís/ yo me quedo escuchando tus bocinas/ sepan en cambio que algunas veces/ campanarios que se descomponen como relojes pulsera/ el campanario se equivoca en la hora/ su reloj se detiene algunas veces/ el viento le zarandea las agujas/ los carteros también llegan un poco tarde/ los ascensores también se detienen entre dos pisos/ los teléfonos te rugen a veces en el oído/ París no es tan perfecta como yo creía/ es tan vulnerable como Buenos Aires// pont petit pont/ puente puentecito/ como en el 'ainenti'// París mi patria chiquitita/ mi terruño mi Chascomús/ bajo tu lluvia provincial escribo esto"*.

34   En nota manuscrita se lee "retomarlo como estribillo".

35   *"je vous en prie je vous aime":* "se lo ruego lo quiero"

36   *"je suis un habitant de votre ville/ de ma ville pourquoi pas":* "soy un habitante de vuestra ciudad/ de mi ciudad por qué no".

37   Entre corchetes, presidiendo al poema, se lee [Exilio]. Antes del primer verso, entre barras, */ en Europa /*.

38   *"les colis encombrants ne sont pas admis dans les voitures":* "en los coches, no se admiten paquetes que ocupen mucho espacio"

39   La cita pertenece al "Soneto desaforado" de *Gallo ciego* (cfr. la sección "Poemas 1935-1942" en el primer volumen de esta edición). Como variante no utilizada, el autor anotó al pie de la página *"odéon mabillon sèvres-babylone"*, nombres todos de estaciones de métro en París.

40   Manteniendo el mismo título de un poema de juventud (cfr. nota 37), Fernández Moreno retoma, a modo de epígrafe, toda la primera estrofa del mismo.

41   Como variante, se indicaba también "Fontanares".

42   Como variante, se indicaba también "Evian" (otra famosa marca de agua mineral).

43   La fuente de esta sección la constituyen los textos publicados bajo el mismo título en 1971 y, más tarde, en el volumen *¿Poetizar o politizar?* de 1973. La correspondencia, sin embargo, es parcial dado que en esta versión Fernández Moreno eliminó muchos fragmentos y alteró algunos conceptos, dejando de lado la organización original. Todo hace suponer que tenía pensado usar estos textos a manera de contrapunto con otros que no dejó especificados en las insuficientes notas con que trabajaron los editores. Así, en la hoja de presentación correspondiente se lee: *"Descr. obj./irónica"*, y más adelante: *"(1969/1972) refundiéndose con angustia-hastío y Pel. de muerte)*. Por último, *"intercalar como texto papelitos de parís V 68 en Estornudando y/o textos de tramos como epígrafes"*. Al lado de esta última frase escribió a mano *"No"*. Respecto de los epígrafes con que se abre la sección, hay una anotación que los precede —*"racionalizar epígra-*

fes"— y un tercer epígrafe al que también reprobó con un *"No "* manuscrito: *"El despertar de Francia es brutal, despues de años de letargo. Se expresa bajo la forma de una verdadera fermentación, lo bastante madura como para poder hoy encarar seriamente la hipótesis de una revolución (COMBAT, 28 de mayo de 1968)".*

44 *"Je suis un habitant de ma ville, un de ceux/ Qui s'assoient au théâtre et qui vont par les rues..."*: "Soy un habitante de mi ciudad, uno de esos/ Que se sientan en el teatro y que van por las calles...".

45 *"le plus on fait la révolution, le plus on a envie de faire l'amour"*: "cuanto más se hace la revolución, más ganas se tiene de hacer el amor".

46 *"pour faire l'amour, salle 38"*: "para hacer el amor, aula 38".

47 *"bagarre"*: gresca, trifulca.

48 *"Banlieue"*: suburbios.

49 *"et maintenant que vais je faire"*: "¿qué voy a hacer ahora?".

50 *"carottes rapées y endives"*: zanahoria rallada y endivias.

51 "Leib" es León Rozitchner. En el manuscrito original se lee: *"(dos años atrás)* y, más abajo, *"no enviada a León. Modificar suponiéndolo en la situación argentina".*

52 Manuscrito, al final de la página, se lee: "*'tragar el mundo': aceptar la muerte, lo dado".* Algo más abajo: *"sin consuelos meramente 'dinámicos'/cambios de amor que no agregan más opciones a las que cada vez se tienen menos hasta la final y única que ya se sabe: la muerte".* Todavía más abajo, también manuscrito y encolumnado: *"engrana con fragmento: hay que prepararse a bien morir/ (siempre se busca otra cosa)/ es difícil decir aquí me siento a esperar la muerte/ elegir/ya/el campo de batalla/ de la batalla que se perderá".*

53 Cada una de los distintos párrafos de este texto en prosa comenzaba con las siguientes abreviaturas: *"NAC", "INF", "JUV", "MAD"* y *"SEN"* (correspondientes a nacimiento, infancia, juventud, madurez y senectud). Dentro del último párrafo, correspondiente a "senectud", la palabra "MUERTE" estaba escrita con mayúsculas. En la página siguiente, correspondiente a otro texto, se lee entre paréntesis: *"después de la metáfora del solitario escribir otras".*

54 Este poema continúa, de algún modo, a otros dos poemas previos, incluidos en la sección Consentimientos de LOS AEROPUERTOS en *Sentimientos completos* (cfr. el volumen I de esta *Obra poética*). Concretamente, "Segunda canción a Inés" y "Tercera canción a Inés". La versión que aquí se ofrece presentaba distintas variantes que permiten sospechar que no había alcanzado su forma definitiva. En las dos páginas siguientes al poema que parece más acabado se leen encolumnados comentarios y versos, a cuyo costado Fernández Moreno escribió *"NO"* y *"FALTA",* respectivamente: I) "[antecedentes a considerar/ última (4ª)canción a Inés/ (variante)]/¿*te acordás hija del sol que movías los bra-*

zos/ te dije (—) / no te angusties/ y aprendiste a nadar?/ (bueno) ahora te digo/ hija no tengas miedo/ esto se hace así/ vení yo te voy a enseñar/ a morir/ no te angusties/ agarrate de mí/ (mi pierna)/ [OJO/ (la canción eliminada...?] / *'a los enemigos/ que nos (me?) amenazaban/ con su amor'/ ahora...".* II) "*3ª CANCIÓN A INÉS // hija ya te soltaba/ dijiste no me sueltes// me diste un pedazo de pan/ (coronado de manteca)// me preguntaste a quiénes amaba/ (en general y en particular)// entonces yo hice un molinete/ diezmando a los enemigos/ que me amenazaban con su amor".*

55   Como en el caso anterior, este poema presenta otra versión en un estadio que suponemos previo. Antes del título se lee: *"antecedente".* Al costado del título, que se repite, Fernández Moreno puso un asterisco que envía a tres versos que luego descartó, señalando entre paréntesis: *"En poema... junto con últ. canción a* Inés". Los versos encolumnados muestran las siguientes variaciones: *"por las mañanas temprano cuando estoy dando vueltas por la casa/ y tú (hija de la nieve) estás entredormida en tu cunita/ yo dejo encendida la música para que sepas que todavía estoy// y cuando me voy a trabajar también dejo la música encendida/ para que tú sigas creyendo que todavía estoy// y también por si llegaras a despertarte del todo/ y darte cuenta que me fui/ así vas aprendiendo que la música sigue/ aun cuando yo no esté".* Al final, precedidos por un asterisco: *"*el angelito que dios/me ha/mandado/para que me acompañe hasta la/puerta del cielo".*

56   En el Apéndice se hacen constar los fragmentos de poemas, las notas y las observaciones (en todos los casos, correspondientes a la sección "El hogar en París") que no llegaron a plasmar en poemas pero que, por su gracia, por su interés y su valor, los editores consideraron pertinente dar a conocer. Revelan, entre otras cosas, la aguda percepción que Fernández Moreno tenía de los detalles de la ciudad y de las costumbres de sus habitantes, así como su método de trabajo. Para mayor inteligencia, las barras presentes en los poemas constaban en el original como alternativas a los distintos versos; los corchetes, agregados por los editores, indican posibles desarrollos no concretados.

57   Al final del texto se lee escrito a mano: *"paralelizar conv viejo/ por las calles voy componiendo mis versos".*

58   La observación de Fernández Moreno se refiere a los carteles ubicados en los asientos inmediatos a las puertas del subterráneo, en los que se lee: *"Ces banquettes sont reservés par priorité aux mutilés de guerre"* ("Estos asientos están prioritariamente reservados a los mutilados de guerra"). La gente raspa algunas letras de la última palabra, dejando entonces *"Cul"* ("Culo"), con lo que se logra el efecto cómico.

59   *"au delà de cette limite les billets ne sont plus valables":* "más allá de este límite los boletos ya no son válidos", leyenda frecuente en las puertas de salida del métro parisino.

60   *"en cas d pet prolongé entre stations, il est interdit de descendre sur la voie avant d'y avoir été invité par les agents de la RATP":* "en caso de pedo prolongado entre estaciones, se prohibe descender a la vía antes de haber sido invitado a ello por los agentes del subterráneo". Nueva variación humorística que suele observarse en el metro por el reemplazo de la palabra "arrêt" ("detención") por "pet" ("pedo").

61   *"En cas d'affluence certains clients sont priés de ne pas occuper les tables pendant plusieurs heures avec la même consommation. Merci":* "En caso de afluencia se les ruega a ciertos clientes que no ocupen las mesas durante varias horas con la misma consumición. Gracias". Se trata de un típico ejemplo de la "amabilidad" parisina, exhibida en carteles en los bares y cafés.

62   *"défense de circuler dans le pavillon avec des fardeaux mal-propres ou embarrasants – ordonnance de police du 10 août 1910 ":* "prohibido circular en el pasillo con bultos sucios o molestos – ordenanza de policía del 10 de agosto de 1910". La advertencia se refiere al gran mercado de Les Halles, hoy desaparecido, equivalente al Abasto.

V
[AMBAGES COMPLETOS]

A Muriel*

---

* Este libro estaba dedicado al primero que lo leyera a fin de provocar
un tumulto el día de su aparición pero como mi hija lo leyó antes de ser publicado…

APUNTES AUTOCRÍTICOS

Reúno en estos *Ambages completos* más de un libro precedente:
a) Los *Ambages* originarios que, si no merecieron, obtuvieron el premio León de Greiff de 1968 (Monte Ávila Editores, Caracas, 1972).
b) Con *ambages,* libro suscripto por mi abreviado "alter ego", Franz Moreno. En consecuencia, doy por conciliada con él nuestra polémica sobre la paternidad y primacía de los ambages (Editorial Sudamericana, Buenos Aires, 1976).
c) Un numeroso contingente de ambages inéditos acumulados entre el año de esa edición y el de la presente (comprendiendo tanto los éditos como los inéditos incluidos en la pequeña antología *Flor de ambages,* que hubo de publicar y no llegó a hacerlo, en 1980, la editorial Argonauta en su etapa barcelonesa).
Las posibles repeticiones que se me perdieron de vista en el mare mágnum de este libro, quiera el lector considerarlas en cada caso descubierto como un *rappel,* adoptando la paternal costumbre de las señales camineras en Francia.

Pero, ¿qué es esto de los ambages? En su *Tercer libro,* capítulo IV, el doctor Francisco Rabelais explica que cada órgano del cuerpo humano separa la mejor parte del alimento que recibe, y la envía "hacia abajo": la naturaleza ha preparado "oportunos vasos y receptáculos por los cuales descienden esas porciones selectas, *en longs ambages* et flexuositez", hasta los órganos de la reproducción. Todo ello con el ineludible fin de perpetuar el género humano.
En sus primeros tiempos, pues, la palabra "ambages" significaba vueltas y revueltas, codos y recodos. Sin embargo, se ha incorporado, tanto al francés como al español, con una expresión nega-

tiva: decir algo "sin" ambages es decirlo sin circunloquios, sin disimulo. Pues bien: no es ésa la significación del título de este libro;
por el contrario, el autor ha procurado devolver a la palabra "ambages" aquella acepción positiva con que Rabelais la utilizaba en el
campo anatómico.

En este libro, por lo tanto, las cosas se dicen "con" ambages,
con toda clase de rodeos: insinuando por la ironía, por la ambigüedad, por la falacia, por el doble o múltiple sentido. Y su autor se ha
identificado tanto con estas maneras de decir que, cuando alguno
de sus amigos anuncia que va a hacer o decir algo "sin ambages",
debe pedirle disculpas y aclarar que ello no significa un juicio des-
pectivo sobre esta obra.

Estos "ambages", por lo tanto (y aquí la palabra vuelve a ser un
simple sustantivo), son pequeñas unidades literarias que se incorpo-
ran al conjunto —debidamente estudiado, por ejemplo, en el coloquio organizado en 1982 por la Universidad de Provenza— de las
"formas breves" de la literatura. Formas que acaso empiezan, en la
cultura occidental, con Heráclito, y que comprenden, en la española, variantes tan diversas como las invenciones y letras de justadores,
los proverbios judeo-españoles y los epitafios barrocos. Contemporáneamente, José Guilherme Merquior ha querido señalar el parentesco de los ambages con algunos otros textos "aparentemente incalifi-
cables" que él cita con sus autores y nosotros no, y que, según
afirma, "consiguen mezclar la ficción, las memorias y el ensayo".

Más modestamente, diré que a mí los ambages me parecen
maquinitas de pensar, encendedores del sentir; me parecen piedri-
tas, tosquillas de la laguna de Chascomús, donde pasé mi infancia.
O quizás, evitando la dureza de la piedra, aunque sea recordada
con nostalgia, podría decir que los ambages son como vacuolas o
células, como globitos de carnaval llenos de aire o de agua (esto
también es Chascomús para mí), como chicles inflables pero no de
goma sino de lenguaje, que es más elástico aún.

Son como eructos… perdón, veo que mis tentativas de explicar lo que es un ambage me llevan una y otra vez a metáforas aé-
reas. Esto me desalienta (otra imagen neumática), porque acaso la
plena expresión de los ambages se aproxime al silencio a cuyo borde son llevados en razón de su extrema brevedad.

Puedo agrupar, en el conjunto de estos ambages, algunas categorías o series comprendidas en la oposición que algunas veces le puse como título, *gravedades y ligerezas,* o, en la redundancia rabelesiana que alguna otra vez me gustaría ponerle, *ambages y flexuosidades.* Paso a señalar algunos de esos posibles agrupamientos:

a) Mínimos poemas, ínfimos ensayos, es decir, vistazos a la realidad entre emotivos y racionales; con abundancia de gallos, campanarios y despertadores, porque muchos ambages se me han aparecido entre insomnio y alba.

b) Pensamientos algo más intelectuales que, sin querer, se aproximan a las inmediaciones de los alrededores de los aledaños de lo filosófico; en particular, sobre la vida y la muerte y sobre su vínculo, el tiempo. Lo que hará fracasar mis ambages de este tipo es mi incompetencia y no su brevedad: dice Nietzsche que "todas las obras profundas tienen, como los *Pensamientos* de Pascal, algo de aforístico y repentino".

c) Y ya que acabo de citar en serio a dos famosos escritores, diré que otro grupo de mis ambages consiste en amplificaciones, contradicciones o parodias de frases célebres o de hombres célebres: lo mismo dicho de otra manera u otra cosa dicha de la misma manera.

d) Análogamente, la sección *Paremiología* consiste, toda, en amplificaciones, contradicciones o parodias de refranes, dichos populares y familiares. Además, a lo largo de todo el libro, podrá el lector atento descubrir constantes tentativas de algo tan difícil como "fundar" nuevos refranes. La afición por estos me viene de un compañero mío de infancia, llamado Sancho Panza. Decía Aristóteles que los proverbios eran remotos restos de la filosofía, salvados del naufragio de las edades gracias a su picante concisión; contemporáneamente, nuestro gran Macedonio Fernández afirma que "la única garantía de que un hombre sea un genio es que llegue a inventar un proverbio". En todo caso, no hay duda de que los refranes son formas de expresión poéticas en sí, en virtud de su uso analógico y comprimido del lenguaje; dicen a veces una cosa y a veces la contraria y, por eso mismo, nunca y siempre se equivocan. Por mi parte, ensayo con ellos todos los juegos que se me ocurren, sin pretensión de alzarme a la genialidad pero cuidando de no caer en la estupidez: como reza un viejo ambage, una de mis ambiciones es poetizar en las fronteras mismas de la boludez.

e) En consecuencia, ensayo también todos los juegos posibles con las palabras: conceptuales, fonéticos y hasta tipográficos. Meras metáforas, imágenes o comparaciones. Chistes que, como tales, sólo tienden a hacer reír o sonreír, aunque es sabido que los verdaderos chistes dan tanta risa que es imposible decirlos hasta el final.

f) Construcciones de varias "buenas" palabras centradas en torno de una de las llamadas "malas", rozamiento que busca, es claro, producir alguna chispa. ¿Por qué, en efecto, no escribir aquí algunas frases análogas a las que el pueblo escribe en las paredes de los aseos públicos? Este libro, señores, tiene muchas malas palabras, pero sobre todo muchas buenas intenciones.

g) Enconada preocupación sobre la mujer y el amor; apuntes de diario íntimo que rozan acaso situaciones de validez más amplia; algunas pocas jactancias, siempre irónicas, y muchas autocríticas, siempre sinceras. En esto (y en todo, sin duda), los ambages toman su punto de partida de *La mariposa y la viga,* libro de aforismos que mi padre publicara en 1947. (Y conste que el parentesco de sus aforismos con las no siempre concisas greguerías de Gómez de la Serna, varias veces aducido, es bastante simplificador: más pertinente sería referirlos al troquel humano de Séneca o al casuismo castellano de Juan de Mairena.)

h) Crueldades que ojalá transparenten su angustia y fraternidad, y no barato sadismo, sobre las carencias y deficiencias que suelen afectar a los seres humanos, a todos nosotros.

i) Precisiones que vacilan entre lo lírico y lo estético, cuando no descienden hasta lo meramente retórico, acerca del menester literario, y, en particular, sobre la poesía misma. Y, más en particular, sobre este libro, que es uno de los temas principales de sí mismo, lo que demuestra, por supuesto, su inseguridad. Una nota de desesperanza, un sentimiento de la inoportunidad (por lo menos circunstancial) de la literatura (y, con más razón, de la poesía), nota y sentimiento que llegan a traducirse en una paradojal apología del no escribir, un regreso al silencio.

Como era preciso poner algún coto a tanto desorden, he coleccionado estos ambages bajo el más aparente de los órdenes: el alfabético. No tan aparente, porque avecina temas, crea como insistentes moldes, facilita cierta armonía, gradación o montaje en el desamparado curso de un ambage a otro. El libro todo obtiene así una especie de contexto o estructura, cierta macicez o unidad (mecánica). Dentro de esta forma general, distingo una variedad de formas particulares, que a menudo se superponen entre sí, y que, por cierto, no impiden que los temas generales se sigan desarrollando libremente a lo largo del orden alfabético. Así, por ejemplo:

1) Ambages en verso, casi como coplas (compuestos casi siempre en bastardillas); o casi en verso (aun los más prosaicos ambages aceptan una limitación a dos o tres líneas, casi siempre). Se cumplen así algunas de las intenciones técnicas de la poesía: que el tipógrafo componga cada una de sus proposiciones en un solo renglón, que el lector las entienda en una sola operación mental y las pronuncie en una sola emisión de voz. Análogamente, elimino casi siempre las mayúsculas y los signos de puntuación, que serían demasiado lastre para tan pequeñas unidades expresivas.

2) Ambages sinópticos, o en cuadros o planillas: graves continentes que, por contraste con la liviandad de su contenido, pueden arrojar alguna luz suplementaria en la estrecha zona de conocimiento por donde se mueven los ambages. Como un extremamiento gráfico de este recurso, trazo también algunos ambages-organigrama.

3) En particular, diversos cuadros de distinciones o deslindes verbales o sustanciales ("no es lo mismo", "no hay que confundir", "una cosa es y otra cosa es"). Las enseñanzas de Perogrullo, la deliberada tautología (que también puede llamarse regreso a las fuentes), son recursos favoritos de estos cuadros provocadores.

4) Brevísimos diálogos o conatos de diálogo; preguntas simples con respuestas insidiosas ("¿ha leído usted?", "¿usted cree?"), o preguntas insidiosas sin respuesta posible ("¿usted qué prefiere?").

5) Ambages con título: esto ayuda a desembrollar redacciones enrevesadas y orienta de entrada hacia la solución del acertijo que propone ese ambage.

6) Ambages desdoblados en ambage más nota al pie: es cuando me ha parecido conveniente un hiato de tiempo más una coda que clarifique u oscurezca el sentido de la afirmación primera (en los ambages, la pausa entre una línea y otra da tiempo al autor "como al prestidigitador" para confundir la certeza lógica del lector; la nota al pie de página es una ampliación de este recurso). Como

inquietante propensión del género hacia el barroquismo, alguna
vez se presenta otra nota a la nota misma: no es otra cosa que el famoso *esprit d'escalier* lo que tiende a provocar esta cadena.
7) Hablando de cadenas: ambages encadenados. Las pala-
bras-vínculo, válidas para cada par de unidades que se ofrecen seguidas, son entonces compuestas en mayúsculas. Este procedi-
miento es análogo al de las cartas en ciertos solitarios, cuando
tienen cierta relación entre sí y deben ser colocadas las unas sobre
las otras. También es un recurso mecánico, algo así como la rema-
nida asociación libre, obtenida en estos casos como a la fuerza tipográfica. Creo conseguir así contrapuntos, oposiciones, mordidas
de cola o, siquiera, la extrañeza de ver juntas dos ideas que, en
principio, se son indiferentes.
8) Series temáticas, que se agrupan según ese tema: *Arte poética, Don Juan,* los errores cotidianos. Pero quizá son más eficaces
las series que se van deslizando con tenacidad a lo largo del orden
alfabético: la pipa, la hoguera, el payaso, los consejos al hijo, y, por
fin, etc. (que es el fin inevitable de toda enumeración).

Un amigo y crítico literario me dijo alguna vez que los ambages eran un género "estadístico", y tenía razón: son como perdigo-
nes, que se abren en ángulo para compensar la esquivez del blanco. Basta con que acierte uno de cada cien; en este libro, que
cuenta ya con tantos que no tengo tiempo de contarlos, me daría
por contento si acertaran, entre todos, unos diez. Pero esos diez no
serían nunca los mismos para cada lector: aunque ese lector se
identifique con un ambage en un momento dado, ese mismo ambage puede perder significación, por imponderables motivos, ante
otro lector, o en muchos otros momentos de la vida del mismo lector. Para mí mismo, adolecen de una inestabilidad que los hace un
día, un minuto, parecer agudísimos, y otro día, otro minuto, una
verdadera tontería.
De todos modos, la ambigüedad inherente a cada ambage
ofrece, al lector como celdillas vacías donde puede poner alguna
gota de la miel —o acíbar— que lleva en sí. Especialmente, se re-
clama su cooperación en la solución de algunas adivinanzas (que
son, como los proverbios, una de las formas del nacimiento de la
poesía); y también en el cuadro "meramente", compuesto por am-

bages con fuga de predicado donde se propone al lector, dado el antecedente, averiguar el consecuente. De este modo, el género de los ambages llega a aproximarse a las charadas, acrósticos, fugas de vocales, palabras cruzadas: una de sus aspiraciones es ofrecer un estímulo parecido al que tan familiarmente ofrecían los almanaques de la "belle époque".

En resumen: a lo largo de todo el libro, se invita al lector a escribir una obra en colaboración (como en toda la literatura, desde luego, pero aquí en dimensión mínima, diría fácil). La aspiración final es que, desde este punto de vista, llegue a borrarse la frontera entre autor y lector, qué alivio y qué fraternidad. Tanto, que algunos de los ambages que figuran en este libro son sugestiones de parientes y amigos, cuando no mi mera transcripción de lo que ellos decían sin darse cuenta de que "era" un ambage.

Es más: siendo tal la falibilidad que estos ambages añaden a la propia de autor, sueño que sean leídos como quien mira esos dibujos donde se ocultan ciertos deliberados errores a descubrir por el observador. A quien los encuentre, le ruego tenga la bondad de suponer que no siempre me equivoqué por una invencible propensión al error, sino a propósito y para mejor salvarme en la perspicacia ajena.

En cuanto a mí, grande es el placer que me ha producido jugar con tan pequeñas cantidades de palabras: es por eso que tengo la esperanza de que análogo placer haya sido sentido alguna vez por el imaginado lector. La verdad es que quiero a este librito como a un hijo menor (su manera fragmentaria coincide más de lo que yo quisiera con mi vida y persona).

Es por eso que me gusta señalar en las conversaciones de todos los días, cuando viene a cuento y aun cuando no viene: "yo tengo un ambage que dice...". Yo tengo un ambage que dice que "si por algo quisiera ser inmortal es para seguir escribiendo siempre este librito".

Así que ¡hasta siempre!

C. F. M.

en el principio
fue la palabra
                    FIN

En este libro el autor estableció un sistema de notas al pie que forman parte de los poemas y en el que usó en ocasiones asteriscos y a veces corazones.
[N. del E.]

a no es b
y si no todo es a♥

a cada {
   rato estoy en las últimas

   una de mis prendas de vestir
   le falta el botón esencial

a ese perro no le faltaba más que hablar♥♥

a la final {
   es el tiempo quien mide al reloj

   los que murieron
   son los que estaban equivocados

   no hay amores imposibles

a la historia la mueven los hinchapelotas

♥ y si todo es a
   ¡bah!
   ponéle h
♥♥ pero era mudo

a los {
   árboles hay que acariciarlos con un martillo

   muertos les crece el esqueleto

a medida que {
   me avanza la miopía
   les tengo menos miedo a las cucarachas

   va perdiendo dientes
   el peine va ganando mango

a mí {

Bach y jacarandaes

lo que me hace mal es estar despierto

me gusta que haga mucho calor
y abrir bien las ventanas
para que no haga tanto calor

no me engrupen con efervescencias

que no me vengan a hablar de revolución
los que no están muertos

se me ocurren cosas
pero sosténganme

> a través de la mujer sólo se llega a la especie pero si querés
> ir más lejos no conozco otro camino

a usted {
   ¿le gusta realmente el cuerpo de las mujeres
   o las telas con que ellas lo cubren?

   ¿le interesa realmente el conocimiento
   o la experiencia del conocimiento?

acepto encanecer
pero no en las fosas nasales

acertar en las inmediaciones de la salivadera
no está mal no está mal

ADIVINANZAS

aumenta la población
disminuyen los alimentos

¡Brahmaputra Cotopaxi!

come tinieblas y vomita luz

forma sádica del amor
que acaba con la muerte del más débil

habla una sola vez por día
y eso le basta para imponer su criterio

un póker jugado con un mazo
que no deja de ser barajado ni siquiera
cuando están repartidas todas las cartas

un titiritero
hilos de leche marionetas de espuma♥

ADVERTENCIA

está por gustarme Brahms

♥ respuestas en desorden
la voz del Tercer Mundo el ordeñador
el despertador el gallo la política
la antropofagia el matrimonio

agradezco {
cualquier sonrisa
por profesional que sea

la menor llovizna sobre mi insomnio
}

ahora que soy viejo adivino enseguida
el asesino de las novelas policiales*

al empezar a vivir el tiempo parece un ángel
luego te vas dando cuenta que es un demonio

al hombre medio dormido
las cosas se le dan vuelta

al leño no le es fácil consumirse

al que {
arriesga muchas pelotas
se le dan muchos rebotes

no se sale de sí mismo
no le entra la música

se le hinchan los pies
se le nota en los ojos

se queda atrás lo cagan a pedos

tiene auto chico le franelan la mujer
}

---

* porque son las mismas novelas
que había leído cuando era joven

¿alguien sabe exactamente cuáles son sus pañuelos?

algunos {

críticos me reconocieron como ensayista
con tal de negarme como poeta

funcionarios me admiraron como poeta
para desprestigiarme y ocupar mi puesto

allegro vivace andantino allegretto…
¿quién no quisiera ser como Rossini?♥

amo por amo prefiero al más débil

ANGUSTIA

pienso demasiado qué camisa voy a ponerme

anoche tuve un insomnio reparador

antes {

de levantarme
debo consultarlo con la almohada

sólo distinguía la música de Beethoven
ahora es la única que confundo con todas

ARTE POÉTICA

de obsesión en obsesión
despunta la inspiración

♥   sonata número 4 en si bemol mayor
por si usted es de los que desconfían

ARTE POÉTICA (conclusión)

el espacio no se deja decir en palabras*

escribe en negro
corrige en rojo
publica en blanco

la más acerada medida de tu autocrítica
y por lo tanto la única confiable
no la encontrarás sino en tu insomnio

lo que sirve para el prólogo
igual puede servir para el epílogo

ningún poema debe ser más largo que una página**

no distraer al lector con analogías intrascendentes

no distraer al lector con analogías significativas
cuando son largas de explicar

no hay que poner "silencio absoluto" sino "silencio"

¿que cómo calentarse para escribir?
¡franeleando bien los papeles!

si no corriges ni tampoco eres un genio
sólo eres un negligente

ya no puedes corregir más un texto
ya no es cosa tuya debes devolverlo
quiero decir publicarlo

—————

* salvo por Proust que lo dice
   mediante sobreimpresiones a lo largo del tiempo
** ningún poema admite
   la interrupción de volver la página

ARTE POÉTICA ACTUALIZADA

la función de las artes en el siglo XX
es no joder

las palabras deben ordenarse con la Olivetti
los párrafos con las tijeras
los capítulos con la fotocopiadora

tus tijeras no hallarán resistencia
en la carne fofa de la mala poesía

ya no escribo
manipulo scotch xerox cassettes
y de noche me dejo contar un cuentito por el cine

aunque te den la peor carta del mazo
no te quejes hasta ver qué juego hace con la siguiente♥

atragantarse no tiene nada de malo
hijo mío
salvo cuando el maître te da a probar el vino

AUTOBIOGRAFÍA

1. nací el 26 de noviembre de 1919
   quince días después Marcel Proust
   me arrebataba injustamente el premio Goncourt

2. dos austeros maestros plasmaron mi carácter
   Groucho Marx y Cary Grant

3. cuando ataqué debí siempre retroceder
   cuando me retiré pude siempre avanzar

♥ ni aunque te den la peor mano hasta recibir la próxima ni por una
noche sin suerte hasta probar la que viene etc. etc.

AUTOBIOGRAFÍA (continuación)

4. sólo en parte mi conducta
    fue capaz de acompañar mi pensamiento
    ergo mi pensamiento
    se desarrolló sólo en parte

5. lo que acepté con entusiasmo acabó desencantándome
    lo que acepté con desgano llegó a entusiasmarme

6. amé y fui amado por varias personas
    pero no logré que ellas se amaran entre sí

7. algunos me apuraban a bocinazos
    después los pasé sin darme cuenta

8. una mujer me ofreció la muerte
    otra me dio un jardín

9. tuve algunos compañeros de generación
    pero después ellos fueron envejeciendo

10. varias ligaduras fui capaz de aflojarme
    pero no de romperlas
    cuando me encontré libre ya era tarde

11. diez años de infancia
    diez años de precocidad
    diez años de boludez juvenil
    diez años de reajustes
    a los cuarenta empiezo a vivir
    poco después acepto morir

12. en 1959 llegué a París dispuesto a conquistarla
    veinte años después pude comprar un *deux pièces*
    a veinte años de crédito

13. conseguí lugar en ese departamentito
    pero me quedé afuera de la patria

AUTOBIOGRAFÍA (continuación)

14. escuché a Bach de vez en cuando

15. he cumplido sesenta años
    soy un sexoagenario

16. el acto más audaz de mi vida
    fue jubilarme

17. yo cuando joven era flaco
    después tuve flaquezas

18. en mi juventud
    el póker ocupó el lugar de la política

19. el dulce de leche
    ha sido una fatalidad en mi vida

20. comprendía bastante más que otros
    pero no era eso lo que importaba

21. no fui capaz de recibir
    tanto amor como se me ofreció

22. yo iba diciendo cada cosa
    a medida que me iba dando cuenta

23. cuando era oportunista escribía mal
    ahora que escribo bien soy inoportuno

23. hoy podría escribir con brillo sobre la generación del 40
    pero no puedo menos que escribir torpemente
    sobre la revolución en América Latina

24. no he sido genial*

* ¿y di'áhi?

AUTOBIOGRAFÍA (conclusión)

25. alcancé a ordenar mis originales
     cuando ya ninguno me interesaba

26. sólo tuve tiempo de ganarme el pan
     y de hablar un poco

AUTOCRÍTICA

me estoy quedando sin currículum

. releo mis viejos originales y se me caen
  como el empapelado de un caserón abandonado

AVISO

Sodoma, Gomorra & Cía. están liquidando

AVISO CLASIFICADO

acepto generación nueva
entregando anterior a cuenta

bajar una escalera
es buen momento para hacer algo con las manos

$$\text{basta} \left\{ \begin{array}{l} \text{el menor ladrido de mi perro} \\ \text{para hacerme cambiar la Weltanschauung} \\ \text{mirar el parque para que salga el sol} \end{array} \right.$$

beso que se logra dar
es un triunfo de la boca sobre la nariz

BIBLIOTECOLOGÍA

basta que los libros no estén cabeza abajo

nunca prestes un libro y menos a su autor

BIOGRAFÍAS

al desbarrancarse dios abajo
Nietzsche se aferra a los griegos a la aristocracia
a Bismarck a Wagner
hasta que la sífilis lo salva en la locura

un gran escritor es un hombre que vive de rentas
y que pasa su vida acostado
a ratos con sus papeles
a ratos con otros hombres♥

♥ definición basada en la vida de Proust

cada ambage de este librito me ha costado la vida

cada atardecer escucho un concierto por televisión
aunque mi receptor esté descompuesto♥

cada civilización y cada amor crean sus propios mitos

cada día
{
es una fiesta que honrarás bailando
hasta caer rendido cada noche

estoy más ciego
decía a un ciego su compasivo lazarillo

noto menos convicción
cuando me dicen que estoy más joven que nunca
}

CADA DÍA

Cada día, no escribo mejor.
Mejor, cada día no escribo.
Cada día, mejor no escribo.
No escribo. Cada día. Mejor.
Cada día no escribo. ¡Mejor!

♥ un sinsonte se para a cantar en mi antena

cada gota de lluvia es un sol

cada instante de mi vida
me ha parecido el de la suprema madurez

cada loco con su cuerdo

cada mañana {
asalto con audacia el nuevo día
cada atardecer me retiro en desorden

me hago explicar por Bach
por qué debo vivir ese nuevo día
}

cada mujer con su par de tetas
y tan campante

cada palabra tiene por contexto el cosmos y la historia

cada rayo que cae
cree que ha terminado con el mundo

cada soneto que escribo ahora
me sale como de cuatrocientas páginas

cada treinta y uno de diciembre
conviene sacar punta a los lápices gordos

cada uno {
es su niño y su cadáver

lleva en los guardabarros de su auto
marcadas las cicatrices de su alma

tiene la edad que resulta
dividiendo sus años por sus casamientos
}

cada vez

que Bach emprende una fuga
se abren todas las cárceles del mundo

que he tomado un atajo
resultó que no había otro camino

voy necesitando píldoras más grandes

CAMPEONATO DE LA PACIENCIA

primero absoluto dios
segundo el tiempo que nunca se impacientó
tercero el genio que es una larga
últimos los angustiados

carga tu pipa y échala al bolsillo
el destino te dirá cuándo fumarla

cásate con la hija del hotelero y devendrás mozo

ciego con pipa no necesita lazarillo

CÓDIGO DEL TRÁNSITO

los autos verdes deben marchar constantemente
los rojos deben estar siempre inmóviles

Colón descubrió América por la cintura

comer

con la boca abierta
es como vomitar con la boca cerrada

sin vino es como beber sin agua

como mínimo
hay que creerse a sí mismo

como van las cosas veo bastantes posibilidades de SOBREVIVIR
es un mínimo de juventud

como virginidad siempre queda LA MUERTE se produce cuando
lo ya vivido no deja lugar para que entre MÁS alto es un
enano que un muerto

¿cómo...
> ...hablarle al intérprete del embajador chino
> sin que él interprete que le hablan al embajador?
>
> ...no voy a coger esta guinda
> si tiene cabo?
>
> ...se dice Hitler en alemán?
>
> ...se las arregla un escritor
> cuando todo lo que piensa merece ser escrito?♥

comprendí que lo sucedido era irremediable
sólo me restaba aceptar mi destino♥♥

con las mujeres rubias de ojos claros de estatura mediana
suelo casarme

conlasmujereshesabidosiempreguardarladebidadistancia

con máscara de gallo el día penetra en el recinto de
LA NOCHE tiene un motor de ochenta mil grillos de fuerza

con relación a un chancho
¿quién no es un gentleman?

♥ disquisiciones de un grafómano
♥♥ había sonado el despertador

con un ala el gallo disipa la noche y con la otra suscita
EL DÍA es hijo del gallo y por lo tanto nieto de LA NOCHE
es un paisaje de sonidos

concedo audiencias a toda hora
en cualquier esquina de Buenos Aires

concibo una política para la humanidad
pero no logro ejecutarla más allá de mi familia

¡confundí... {
...mi propia respiración
con un llamado telefónico!

...un grillo con un motor!

considerándolo como un hombre involucionado
un perrito es un animal terrorífico

contra las paredes tenebrosas
el insomne proyecta una sombra fosforescente

creería en dios si su profeta fuera UN ÁRBOL es un
surtidor de savia con espuma de hojas

creía {
haberme colocado muy rápido en la cola
pero sólo le había ganado a una vieja inválida

tener un cáncer
pero sólo era un moco

¿cuál es peor ceguera
no ver o no ser visto?

cualquier {

cuadro es colorido
si representa a un payaso

epígrafe es bueno
siempre que su autor sea más famoso que vos

hombre cayéndose
es más importante que el ángel caído

cuando abrí los ojos
vi que los tenía cerrados

cuando algo {

huele mal y no sabes qué es
busca en ti mismo

no se te da
puede estar eligiendo el momento para dársete

cuando Bach hincha mis velas
¡qué me importa hacia dónde navego!

cuando desayuno escuchando a Prokofieff
¡pobres de ellos durante el día!

cuando el despertador me despierta
yo le estornudo

cuando ella abrió limpió se puso los anteojos
¡no se aclaró mi visión!

cuando empieces a fracasar en todo
es que estás por triunfar en morir

cuando estoy
- borracho
  reviso mis cuentas del banco

- encendiendo la pipa

- por estornudar

no es el momento de

preguntarme si te quiero

- fumando una pipa siento ganas de otra cosa
  pero son ganas de fumar esa pipa

cuando hayas cometido
- un error de máquina
  compénsalo con un acierto de hombre

- un error material
  procura decir algo espiritual

cuando la
- cabeza ya no quiere nada
  todavía quiere música

- pipa se está apagando
  ningún poema parece bueno

cuando las máquinas empiezan a hablarme
prefiero no oírlas

cuando lo despiertan
nadie quiere reconocer que estaba dormido*

cuando los hombres te exigen que actúes como un dios
dios te está exigiendo que actúes como un hombre

cuando llega a la eternidad
el tiempo desaparece en las fauces del espacio

---

* y menos aún que estaba muerto

cuando más temas ser visto hijo mío
es cuando más debes mirar a los que te ven

cuando me
{
    levanto pongo los pies
    en la alfombrita que está junto a mi cama
    y eso produce el sonido del despertador

    muera
    hablaremos

    traen una jarra de agua en el restaurant
    yo la pongo al lado del paraguas
}

cuando mi afeitadora está rugiendo
no es el momento de susurrarme cosas al oído

cuando nadie lo mira
{
    el manisero come una mandarina

    el vendedor de café toma leche
}

cuando nieva
los ciegos deberían usar bastones negros

cuando no
{
    hay música
    la manera de bailar es estar quieto

    me queda otro calzado que las botas de montar
    ando todo el tiempo a caballo

    puedas ya penetrar una mujer
    déjate penetrar por la música

    tengas fuerzas para escribir un nuevo libro
    corrige la fe de erratas del anterior
}

cuando pienses "qué hermoso día para dormir"
ya estás cerca del día de tu muerte♥

cuando por casualidad encuentro un lápiz
escribo un ambage como éste y sigo viaje

cuando se {
está balanceando la pipa que acabas de dejar
es el momento de encender la siguiente

me estropean todas las pipas
emigro en busca de otras

sienta alérgico
póngase enérgico

te caiga la pipa de la boca hijo mío
lo mejor es que te hagas un chequeo general

cuando te llegan los honores
ya sólo quieres tus labores

cuando te muestren los pezones
andá aprontando los cojones

cuando tenía 35 años creía saber todas las cosas
ahora tengo todos los años y sólo sé 35 cosas

cuando termine esta pipa lo decidiré todo

cuando un {
intelectual dice "no entiendo"
es cuando va a pulverizar a su adversario

niño tose es culpa de su madre

♥ salvo que hayas pasado la noche anterior en una orgía

cuando una {

calle huele a jazmines
hijo mío
camínala hasta el fondo

paloma se posa sobre un semáforo
su luz significa que se puede volar

pipa se acabó se acabó
si no lo comprendes fumarás ceniza

cuando usted se lastima el índice
¿con qué dedo se hurga la nariz?

cuando veas juntos a un hombre y una mujer
hijo mío
es que están unidos por el sexo

cuando Vivaldi terminó de componer las Cuatro Estaciones
¿supo que ya nunca más lo olvidaríamos?

cuando viví dos días sin correr las cortinas
en una habitación frente al mar
me di cuenta de que estaba realmente viejo

cuando volvió en sí
había nacido

cuando ya te queda muy poco
no importa que se te vuelque el vaso

cuanto

más

  ancho el bretel más lúbrica su caída

  desteñida la cinta de mi Olivetti
  con más vigor escribo

  fotocopies un secreto
  más difícil te será conservarlo

  grande sea tu mesa
  más solo deberás comer

me

    abandonan
    más soy

    enloquece la poesía
    más me cura la música

  ordenado tengas tu archivo
  más apto estás para ser archivado

  sutil es una idea
  más posibilidades tiene de ser verdadera♥

mejor me pasan en limpio lo que escribo
más me gusta mi borrador

menos ruido hagan
más me despiertan

cuenta conmigo
me dijo mi cronómetro♥♥

cuidado con los académicos
son gente que cada siglo cambia de opinión

___

♥ o sea que la realidad no es tan sencilla
♥♥ cfr. ambages que empiezan con "pero"

cuidar una hoguera
significa ayudarla a consumirse

CURRÍCULUM VITAE

1...   y he escrito un enorme libro en colores
       quiero decir un catálogo de papeles de empapelar

2...   y he dictado numerosas conferencias en sueños

3...   y he preparado este currículum vitae

4...   y para terminar
       Lista de las cosas que nunca hice

5...   en rigor este currículum es tan completo
       que debería incluir mi muerte

che

Berceo
hoy escribimos palabras
no sílabas contadas

Calderón
la vida es somnolencia

Descartes
je pense donc je dèconne

Goethe
el Sturm und Drang
¿era un solo de percusión?

Greco
el caballero de la mano al pecho
¿pero de qué dama?

Haydn
hoy te haré la gauchada
de escucharte en vez de Bach

José Hernández
hasta el muerto más delgao
hace su tumba en el suelo

Julio César
yo me quedé enceguecí y perdí

yo vine vi y empaté

Mariano Moreno
ni ebrio ni dormido
dejaré de beber ni de soñar

dado un campanario
¿desde qué punto cardinal prefiere usted escucharlo?

dame dos círculos de tu cuerpo
y te daré un lugar en el mundo♥

dar la espalda al viento no es cobardía

**de ahora
en adelante** ⎨ sólo me compraré tabaco ron y guayaberas

sólo me pondré anteojos los días de fiesta

*de cariño y de farmacia
la mujer nunca se sacia*

de las distintas partes del pan
la que más me gusta es la que voy comiendo

de los bienes materiales
sólo me interesa el dinero

_____

♥   dijo el perforador a la hoja de papel

de ombligo en ombligo
la especie es una añadidura de tripas

de pronto sentí una melancolía de muerto

¿de qué vale un cenicero bajo un ciclón?

de todo los discos rayados
el más prudente se raya en el último surco

debajo del párpado el ojo sigue abierto

¿deben tenerse en cuenta las recomendaciones
de un comité de expertos reunido
en el sueño de un funcionario internacional?

debería haber un idioma especial
para preguntar a cualquiera qué idiomas sabe hablar

debo a mi padre todo lo que soy♥

déjenme vivir un tiempito en París
y les prometo morir pronto en Buenos Aires

demasiado con no saber volar
para además no saber nadar

desde el punto de vista del silencio
un ladrido es lo mismo que Beethoven

DESMENTIDO

   no estoy en coma sino en cama

   ♥ así son los intereses que le pago

DESPERTAR

uno a uno
iban reapareciendo todos mis dolores

después de comer
nada mejor que el arte puro

deténganme o no me responsabilizo de este libro

difícil
- dar en el clavo
  siendo tan grande la herradura

  distinguir
  - un especialista de un obseso

  - una dama con su gigoló
    de una madre con su hijo afeminado

  - un rengo de un displicente

  - un revolucionario de un hinchapelotas

- encenderse solo
  decía un leño

- no ser igual a su enemigo

díganle
- a ese gallo
  que no insista que estoy ocupado

- a la muerte
  que por ahora no voy a poder recibirla

dime
- cuán linda eres
  y te diré cuánto te esperaré

- qué haces en la oscuridad
  y te diré quién eres♥

dios

castiga
- a los boludos

- a los que creen en él

de ellos
aparta de mí este cáliz

es un fullero
pero igual ganaría sin hacer trampas

hablaba en sánscrito ¿no?

no los cría y ellos se juntan*

pensó
hay que castigar esos sueños pecaminosos
y creó la vigilia

te enriquece con una noche hirviente de estrellas
tú la reduces a otra noche de insomnio

¡dios te libre y guarde de un boludo inteligente!

discúlpenme por favor
en otra encarnación prometo no ser tan brillante**

♥   yo
     escribo este ambage
*   los petisos
**   cfr. los ambages que empiezan con «pero»

disimulando mi herida
le voy cuerpeando a la vida

divido mis versos en dos categorías
todos los que escribí tranquilo
y dos o tres que escribí llorando

—do you like to hear Offenbach?
—no sir
I prefer to hear often Bach

DON JUAN

a la mujer de Barba Azul hijo mío
no le preguntes si la raspas con tu bozo

a los senos blandos hijo mío
los rozarás apenas y verás qué duros

con estos desnudos en las playas
cualquier belinún ha visto más tetas que yo

cuando mires a una fea hijo mío
debes estar listo para dejar de mirarla
antes que ella te mire

deberás administrar tu seducción hijo mío
a fin de no seducir lo que no deseas

el amor cuántas vueltas
para tapar fugazmente un agujero

el desnudo hijo mío
no es nada más que la ausencia de ropa

en mano cerrada no entran tetas

DON JUAN (continuación)

hay las que quieren y las que no quieren
las que saben y las que no saben♥

hay sólo dos clases de mujeres hijo mío
blandas y duras

hijo mío para hacer el amor
has de poner tanto calor como paciencia♥♥

importan hijo mío tus erecciones
no tus eyaculaciones♥♥♥

la atracción de las mujeres es inversamente proporcional
al cuadrado de las distancias♥♥♥♥

la impotencia no es mi fuerte♥♥♥♥♥

las mujeres me gustan cada vez más
lástima que ya casi no las veo♥♥♥♥♥♥

las mujeres que no cogen hijo mío
odian a las que cogen♥♥♥♥♥♥♥

lo que no te muestran hijo mío
es porque no lo tienen

♥ adiviná cuál es la mejor combinación
♥♥ igual que pasa sacar el hielo de la cubetera
♥♥♥ pero no te preocupes hijo mío
mal que mal todos hemos logrado alguna erección
♥♥♥♥ más simplemente hijo mío
cuanto más te acercás más te gustan
♥♥♥♥♥ don Juan comienza a sentirse inseguro
♥♥♥♥♥♥ Ahora comienza realmente a declinar
♥♥♥♥♥♥♥ precisamente tu deber de hombre
es apaciguar ese odio

DON JUAN (conclusión)

me he asegurado un buen surtido de imágenes
para las poluciones nocturnas de mi vejez

me he pasado la vida no cogiendo♥

mi único problema para conquistar una mujer
era cómo deshacerme de la anterior

mujer bien cogida
bien agradecida

no es necesario hijo mío tener el pito muy largo
pero al menos más largo que el vello de tu pubis

para qué tantos amores
es como si hubiera abrazado a una sola mujer gorda

sólo en las películas　　{　las mujeres te despiertan
hijo mío　　　　　　　　con un desayuno humeante
después de una noche　　las mujeres toman el tren
de amor　　　　　　　　mientras tú sigues dormidito

tras la mujer más rutilante hijo mío
se agazapa la vida cotidiana♥♥

uno se pasa la vida entre mujeres desnudas
que a veces lloran

♥ severa autocrítica del uso de su tiempo
♥♥ pero no hay nada más rutilante hijo múo
que la vida cotidiana[1]

[1] ¡don Juan preconiza el casamiento!

y serás hijo mío digno de tu padre
cuando en cada ciudad del mundo
tengas una mujer a quien buscar
y otra de quien esconderte

y sin embargo llega un momento
en que la mujer ya no alcanza
a taparle la muerte

ya fui bastante hacia las mujeres
es hora de que ellas vengan hacia mí♥

ya no hay mujer que se me resista♥♥

donde explota un genio
cuidado con la radiactividad

dormido la cabeza duele menos y muerto NADA produce la
angustia sólo la NADA se coge sino a través de UNA MUJER
te dio a la luz otra te cerrará LOS OJOS son el puente
levadizo del alma

dormir $\left\{\begin{array}{l}\text{es meramente}\\\text{una forma distinta de pensar}\\\\\text{son cosas del tronco}\\\text{se disculpaba la cabeza}\end{array}\right.$

dos cosas necesarias
en mi escritorio $\left\{\begin{array}{l}\text{una buena mesa para que yo trabaje}\\\text{una buena cama para que ella duerma}\end{array}\right.$

♥   clara alusión a la muerte
♥♥ ¿a qué podría resistirse?
    un muerto es impotente ¿no?

Dostoievski murió a los sesenta años
a esa edad yo me jubilé
y empecé a escribir mi primer libro

el agua
¿es un humectante?

el alemán es el idioma de la filosofía
el inglés el de la poesía
el francés el de la publicidad♥

el alma { del hombre se ve en el cuerpo de su mujer

es la parte de adentro del cuerpo

es cosa de mujeres

el amor { es un juego intelectual
apoyado en un buen físico

mirando a los ojos
mimando a los hijos

el ángulo recto
se sacrifica
por sus hermanos {
el obtuso
que es un inútil

el agudo
que es un calavera

♥ el español sirve para escribir este ambage

el arte de moverse sin torpeza
sólo se aprende en París♥
y a los cincuenta años♥♥

el buen tiempo
en invierno es malo

el campeón olímpico de cien metros llanos
murió atropellado por el carrito de un paralítico

el ciclón lee la enciclopedia en un segundo

el ciego
{
canta
y no ve que nadie lo oye

pone el disco de cualquier lado

prefiere corredores
no campo abierto
}

el ciprés
siempre con las manos en los bolsillos

el comunismo es como un istmo

el corazón del tiempo tiene tres cavidades
{
noche
gallo
día
}

el culo suspira de amor
al oído del inodoro

el derecho a morir se gana con una vida noble

♥ hay poco espacio
♥♥ queda poco tiempo

el despertador

duerme a tu lado como una bomba
cargada con tu día siguiente

eyacula

me despierta pero luego sigue durmiendo

no sabe decir más que una sola palabra♥

no tiene sentido del humor

piensa por mí que debo levantarme

si no me despierta con su tic-tac
no me despierta con nada

te llama como un teléfono
pero mejor es no contestar

tiene mala conciencia
y se despierta gritando

EL DESPERTAR

terminó la fiesta de soñar
empieza la de pensar

♥ la pronuncia más corta o más larga
según el sueño del interlocutor

el día {

me abofetea hasta que se queda sin luz
y me arroja a empujones en la noche

que cumpla cien años
escribiré cien ambages

que te toque esperar a una mujer renga
pensarás que todas lo son

EL DÍA Y LA NOCHE

¿cuál es el mago
cuál su ayudante?

el diccionario {

cuanto más roto más seguro

es un guarango

el dilatado arte de las abreviaturas

el dique del sueño no puede con el caudal de la vigilia

el dolor es tiempo {

a secas

sensible

el empeine es el cerebro del pie

EL ENAMORADO

dan ganas de meterse en eso

EL ESCRITOR

cuando no se me ocurre nada
rompo papeles en blanco y los tiro al canasto
dedos de grafito y codos de goma

EL ESCRITOR O JARDINERO

acechando papeles
cosechando laureles

el esquema es a la vida lo que la raspa al racimo

el faro amanece cada cinco segundos

el filósofo tensa los hilos
el poeta tiende la ropa

el frío se siente en la nariz♥

el fuelle está siempre angustiado

EL FUGITIVO

no quiero ver más
a los personajes secundarios de mi vida

♥ comprobaciones de un payaso

el gallo
- es demasiado
  - reservado con la noche
  - espontáneo con el día
- es un teléfono por donde te llama el sol
- pone el huevo del día y cacarea
- se come las estrellas y vomita el sol

el hambre debe satisfacerse sin quedar con hambre
ni con remordimientos

el hielo se mea

el hogar
- es un espacio para poner el tiempo en general
- un lugar donde los rollos de papel higiénico
  flamean al soplo de los estornudos
- es un planeta que gira sobre su falo
- **un quilombo**
  - cerrado
  - entretejido con una nursery

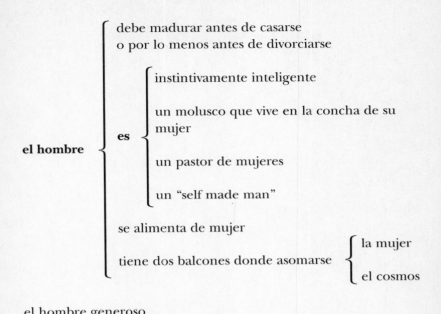

el hombre generoso
destapa la botella y tira el corcho

EL HUÉRFANO

    hace tiempo que no veo a mi padre
    lo llamaré cuando me despierte

    soñé que abrazaba a mi padre
    desperté con los brazos cruzados sobre los hombros

    yo besaba a mi padre en la mejilla como cada mañana
    pero él creía que yo lo besaba porque era su cumpleaños
    pero yo no me acordaba que era su cumpleaños
    pero nada importaba todo era un sueño

el idealismo es una mariconada♥

♥ NOTA BENE
    Platón era marica

EL INFIERNO

el egoísmo da ventajas inmediatas
pero a la larga se vuelve contra el egoísta

el insomne se arroja sobre la noche
y atrapa el alba

el insomnio es un motor que se abastece de noche líquida

EL INTELECTUAL

tanto me doy cuenta
tanto debo dar cuenta

EL JUICIO FINAL

el cosmos es un enorme reloj despertador

EL MAESTRO

repugna escuchar en otros labios
las sandeces que salieron de los míos

el mar { es de por sí una tormenta

siempre está ahí
pero sólo aparece cuando se le presta atención

EL MATRIMONIO

dos personas del sexo opuesto
subiendo y bajando alternadamente
la tabla del inodoro

el matrimonio es {
el mejor anticonceptivo

la más grave de las enfermedades venéreas

una bolsa de dormir

el mejor lugar para esconder un portafolio negro
es contra el piano

el mundo es {
un pañuelo♥

terrorífico
por lo tanto sólo hay una virtud
el valor

el mundo {
está hecho con la forma exacta
para dar cabida a tu forma♥♥

hace coro a la nueva pareja
hasta que la nueva pareja entra en el coro

nunca comprenderá tu necesidad
de su sometimiento absoluto

se compone de mis poemas♥♥♥

ya empezaba a conocer mis obras
y ¡zas! me colonizan la luna

♥   lleno de mocos
♥♥   en otros términos
    el mundo forma cada cosa desde adentro y desde afuera
    como el cuño a una medalla
    como el aire a una burbuja
♥♥♥   del diario de dios

**el otoño no es
buen momento para**
{
barrer las hojas de los árboles♥

dinamitar tus ventanales
}

el pájaro ya ha partido
y la rama sigue diciendo que sí

el papel carbónico significa que las noches se repiten

el paraíso
{
era el tiempo sin dividir

es un anexo del infierno
}

el pasado es al presente
lo mismo que las cenizas a la nueva hoguera

el pene coge
la vagina acoge

el pie fecunda la pelota

el pincel es una flor
que entrega sus colores a la tela

el plan de más largos alcances
comienza por meter el pie en una pantufla

el presente
{
es un mirador
en la confluencia del pasado y el futuro

no existe
la vida es nostalgia o anhelo
}

─────────

♥ esta sugestión no es válida para el viento

el primer violín está radiante
el segundo enfurruñado
el tercero hecho un trapo

el problema de la espera es que cuanto más se espera
más se justifica seguir esperando

el pucho exige ser arrojado con violencia
no dejado caer

el pulgar descorcha
los labios beben

el que aprende a bailar cuando es viejo
aprende al mismo tiempo a bailar y a morir

el que elude a un mendigo tropieza con el diablo

el que enciende la luz
la apaga*

el que entiende algo entiende todo
y si no entiende algo
es porque no lo atiende

el que limpia los urinarios
orina más temprano que cualquiera

el que lleva { un marco se siente cuadro

un perro con una correa
va como un ciego con un caprichoso bastón

una carga muy pesada
siempre puede ponerla en el suelo
y hasta sentarse en ella

---

* cuando la luz ya estaba encendida

el que no oyó el silencio
    no vio las tinieblas
    no gustó el hambre
    no tocó el vacío
    no olió la muerte
nada oyó vio gustó tocó olió

el que no
    rompe yema no come huevo

    sabe es como el que no ve
    pensaba un sabio ciego

    se pone duro
    no coge

el que quiera gozar mucho de algo
deberá sufrir otro tanto de lo contrario

el que remata su tiempo siempre encuentra postor♥

el que sabe algo sabe todo
y si no sabe todo no sabe nada

el que se limpia
ensucia

el que tiene un perro
oye ladrar a su perro y a todos los otros

el que va a remolque aguanta la polvareda

el relámpago trata de escribir poemas en el cielo
pero no le salen y los borra en el acto

♥ la muerte es compradora a cualquier precio

EL RELÁMPAGO Y EL TRUENO

¿cuál es el mago
cuál su ayudante?

el rengo vuelve una y otra vez
a verificar si su carta entró bien en el buzón

EL SECRETO DE MI ÉXITO

supe aprovechar el tiempo
que las mujeres me hicieron esperar

el sepulturero siembra huesos y cosecha viudas

el ser tiene cara de loco

el serrallo
abrillo

el silencio es la nota final de toda música

el sobre cree ser la carta

el sol { es un reloj
cuyos rayos marcan todas las horas a la vez

sale a escena entre los bravos del gallo

el sustantivo "cerveza" exige el adjetivo "otra"

el teléfono es un arma que los desconocidos
usan para hostilizarse unos a otros
cuando están durmiendo duchándose o haciendo el amor

el tiempo

es
- un campanario que da la hora cada segundo
  mejor dicho continuamente
  como una sirena
- un subproducto de la atención del hombre
- una vasija que conviene llenar de alcohol

está lleno de veces

la festeja a la eternidad
pero los padres de la iglesia le hacen oposición

no me alcanza ni para planear
el uso de mi tiempo

pasa sin consultarme

puede beberse
- puro♥
- aguado♥♥

se llama Historia

se te va espesando a medida que vives
como el dulce de leche a medida que hierve♥♥♥

♥ vigilia
♥♥ sueño
♥♥♥ o sea que debes revolverlo bien
para evitar que se te pegue

el tipo más apurado que he conocido
era jefe de un archivo paleográfico

el valor es una forma acelerada de la paciencia

el verdadero

> amigo de la casa
> se atreve a echar al perro cuando molesta
>
> hipnotizador
> es el que despierta a la gente
>
> viudo
> es el que se muere

el viento

> de la impaciencia
> sopla en las velas de la pereza
>
> es los músculos de los árboles
>
> es un titiritero de árboles

el vino emborracha pero el agua sacia

él quería ser

> un gran crítico literario
> pero sólo lograba escribir sus propios síntomas
>
> un gran cítrico literario
> pero ¡estaba tan inmaduro!

ELLA DICE	ÉL RESPONDE ♥
¡así que tenías un hijo natural!	es natural
¡desde que me casé contigo no siento nada!	lo siento mucho
¡estás sordo!	¡estás muda!
¿le gusta a usted el Partenón?	en parte sí y en parte non
¿lo aburro a usted? .	todo lo contrario usted me orruba
¿qué hora tienes?	¿qué hora te tiene?
¿te olvidaste los anteojos?	no había nada que ver

emborracharse es exagerar un día de lluvia

empiezo escribiendo muy erguido
termino rodilla en tierra

en cada hoguera que enciendas
dejarás un poco de tus propias cenizas

en caso de apuro { el plumero puede reemplazar al gato

un paraguas
puede reemplazar a un escudo heráldico

___

♥ mientras no han hecho el amor
todo diálogo entre hombre y mujer es irónico

en cuanto me descuide voy a ser un héroe*

en el {

    camino de cada hombre hay { varias mujeres-rodeo
                                    una mujer-laberinto
                                    una mujer-carretera

    cielo no hay provincias

    suelo
    no hay ningún papel sin pisar

    vacío el filósofo patalea
    y cree que pedalea

en la {

    ciudad cada uno vive su propia aldea♥

    frase "tiempo irreversible"
    "irreversible" es el sustantivo

    vida del solitario
    el sueño magnífica su importancia♥♥

    vida no hay que ganarle a nadie
    basta con igualar consigo mismo

en las calaveras se ve mucho espacio

en lo que de mí dependa
no dejaré de ser longevo

---

*   cfr. ambages que comienzan con «pero»
♥   limitada además por las aldeas de los otros
♥♥   es una tregua de la soledad

en los {
    actos oficiales
    sólo resulto conocer a los fotógrafos

    momentos críticos de mi vida
    pongo al día mi archivo

en medio de todo
el ombligo

en otoño al atardecer cada hoja que cae
es reemplazada automáticamente por un gorrión

en principio
besar y bostezar no son actividades sucesivas

¿en qué hora debe dejarse parado un reloj?

en realidad el dentista
sólo es la parte exterior del paciente

en rigor habría que recibir cada instante
con el canto de un gallo

en sus relaciones con los objetos
las mujeres practican el amor libre

en un inodoro no es asombroso
encontrar rastros de mierda

en verdad sólo temo a mi propia estupidez

entra luz por la hendija
no estoy muerto

la lady Godiva de la caspa

tan

belga que parecía suizo

precipitada como la lluvia

veloz que atropellaba sus propias escupidas

era

tuberculosa
pero tenía una graciosa cintura pelviana

un caballero
como todos los camareros

un relámpago permanente

ERÓTICA

todo lo ancho incita a perforarlo
pero todo lo largo incita a cortarlo

cerrar los ojos para no ver un sueño

escribir consignas revolucionarias
en los muros del instituto de ciegos

hablar con mujeres feas

las únicas
que se quedan en la playa hasta
el anochecer son las gordas

que se desvisten junto
a la ventana son las viejas

es al ñudo
hijo mío

limpiarse el culo
sin haber terminado de cagar

preguntar los nombres de los árboles

que dios nos mande profetas
si sólo él puede identificarlos

tomar en broma las primeras canas

tramitar en sueños un crédito bancario

es duro
admitir el fracaso de una corbata

ser el único pasajero parado del colectivo

es en sueños
donde uno comienza a comprometerse con las mujeres

es increíble lo que ella tarda en arreglarse
la atención que presta a cada detalle de su cuerpo*

---

* reflexiones de un virus filtrable sobre su esposa

es lunes
entro a saco en la semana

es mejor salir atravesado pero entero
y con un ligero estampido de satisfacción
que aferrarse a un cuello querido
del que te arrancarán despedazado*

es posible disimular la miseria a la altura de la corbata
pero no a la altura de los zapatos

es triste esperar en vano a una mujer
aunque sea fea

es una vergüenza {
comer ostras a solas

empezar a comer
antes que el mozo se dé vuelta

pedir el postre
masticando aún el último bocado

terminar de comer
y ponerse a releer el menú
}

es verdad que ella siempre llega tarde
mientras tanto yo cicatrizo mis heridas

esa {
muchacha tiene la cara gris♥

tragedia es cómica♥♥
}

---

* reflexiones de un corcho al salir de la botella
♥ apreciaciones de un payaso
♥♥ notas críticas de un payaso

escribir {
  a máquina
  es una manera de escribir a mano

  se divide en {
    poesía
    redactar

escribo {
  de mañana
  corrijo de tarde
  tacho de noche

  este libro muy lentamente
  para que me dure más

  mucho
  publico demasiado
  todas son formas de aprender

  muy mal
  pero corrijo como los dioses

  para sentirme

esencialmente
un ambage debe dejar trastabillando al lector♥

espero una larga vida
por algo soy tan lento para comprender

España
no me extraña

estaba tan desnuda que no atinaba a ponerse nada

♥ lector
  éste ¿cómo te dejó?

estamos radicalmente engañados
ergo sólo lo absurdo puede ser verdadero

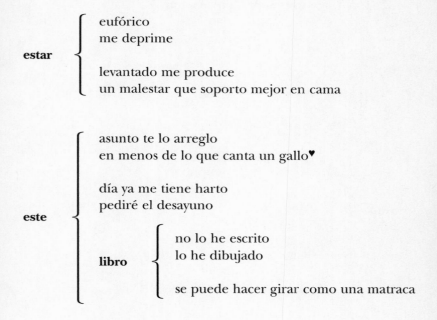

estar {
    eufórico
    me deprime

    levantado me produce
    un malestar que soporto mejor en cama

este {
    asunto te lo arreglo
    en menos de lo que canta un gallo♥

    día ya me tiene harto
    pediré el desayuno

    libro {
        no lo he escrito
        lo he dibujado

        se puede hacer girar como una matraca

¡éste es el mejor momento de mi vida!
exclamaron al unísono un recién nacido y un agonizante

ESTÉTICA

    borrar el pizarrón
    no es ser un innovador

estos ambages sólo sirven para gente ligeramente inquieta

♥ piaba un pollo recién nacido

estoy
{
aprendiendo los poemas que diré
en el recital de mi obra póstuma

deslumbrado por mi currículum

digiriendo la muerte♥

escribiendo un viejo poema

harto {
de no ser perfecto

de ser dios♥♥
}

podrido de ser incorruptible
}

ÉTICA

uso mi tiempo como puedo

excitante como el alba para UN CAMPANARIO es una yegua
madrina

EXPLOSIÓN

para enriquecer tu vida
deja crecer todas tus contradicciones

♥   discúlpenme este eructo
♥♥ del diario de un poeta

falleció víctima de una larga enfermedad
y de una corta vida

FE DE ERRATAS

    donde dice "debe decir" debe decir "donde dice"
    donde dice "donde dice" debe decir "debe decir"

    donde dice "teórico" debe decir "erótico"

Fernández
en la China es un apellido impronunciable

finalmente la multitud camina
al paso del niño más pequeño que la integra

francamente
el amor deja mucho que desear

fraternidad es llevar una damajuana entre dos

FRATERNIDAD

    es un hijo de puta pero nos llevamos bien

fumar en pipa
es un recurso
para dejar hablar un poco a los demás

es una manera de mostrar los dientes

me ayuda a pensar♥

y cagar al mismo tiempo
es compatible

♥ a pensar qué tabaco elegir

gastar el dinero sin ton ni son
es un despilfarro pero ayuda
a gastar el tiempo sin ton ni son

gasto el día en ser mi propio mucamo
por momentos me asciendo
y soy mi propio secretario

gracias a los rascacielos
el arte de escupir se ha elevado

GRADOS DE MODESTIA

    soy el hombre más modesto del mundo
    (no es modesto)
    soy muy modesto
    (es poco modesto)
    soy modesto
    (es modesto)
    ....
    es el hombre más modesto del mundo

¿**ha leído usted** ...

...el Corán?
—Sí, pero en papel Biblia

...El ser y el tiempo?
—No pudo ser
no tuve tiempo

...El ser y la nada?
—Sí pero sólo la segunda parte

...la Divina Comedia?
—No, pero si sigo así
voy a terminar leyéndola

—Sí, fue algo dantesco

la Ilíada?
—Sí, fue una odisea

...la última novela del boom?
—Por supuesto
he leído el Quijote

...las Antimemorias de Malraux?
—Sólo las he antileído

...Las palabras y las cosas?
—Ni media palabra
¡lo que son las cosas!

...mi Opera Omnia?
—No, omnia mecum porto

ha sido el mejor día de tu vida
llegas a tu casa
la llave no entra en la cerradura

hablaba en sueños revelaba peligrosos secretos
decía "ajó ajó"

hace {

más de cuarenta años que escribo estos ambages
pero en este volumen sólo pongo los que escribí ayer

mucho que no tengo un auto colorado

hacer {

crítica no es arrastrar un dedo sucio de grafito
por algunas páginas de cualquier libro

ejercicios espirituales
arruina el físico

hacían más ruido
que dos feas solas en un café

has hecho todo lo que podías hacer
date por muerto

hasta el silencio hace ruido
cuando suena en el oído

hay

  días

en que

ambages insumergibles
uno los tacha y siempre salen a flote

en que la música me entra por un oído
y me sale por el otro
hay días en que me entra por la cava
y me sale por la aorta

en que Mozart parece Beethoven
otros en que Bach parece Mozart
qué angustia consultaré a mi confesor

en que todos los músicos parecen Berlioz

familias tan caóticas que no se puede entrar en ellas
ni siquiera como amante

gallos que cantan para confirmar la noche

libros tan pesados que uno tarda un año
en llegar a la última página♥

hombres-helicóptero que usan el cerebro como hélice
y hombres-botella que lo usan como tapón

interlocutores cuya conversación es una autopista
otros que la transforman en un guadal

mucha diferencia entre pisar bosta y pisar nieve

pedos más expresivos

♥ por ejemplo el calendario

hay dos clases de

    desesperación
- la relativa o poesía
- la absoluta o muerte

    hoteles
- aquellos en que faltan jabones
- aquellos en que sobran jabones

    mujeres
- unas se conmueven ante el dormitorio
  otras se conmueven ante la cocina
- unas se transforman en tu cocinera
  otras te transforman en su mucamo

    personas
- las de tiempo
  - blando
  - duro
- los que saben y los que no saben
  que están sobre un abismo
- los resentidos y los esperanzados*

---

* cuando los esperanzados comprenden esta división
es que están volviéndose resentidos

hay que

aceptar la muerte o suicidarse

aprender a estar solo
o a matarse solo

andar con pies de plomo
pero como sobre ruedas

dejar fracasar unas cuantas cosas

elegir
- perder el tiempo
  perder la noción del tiempo
- ser barriga
  ser ombligo

repetir cada chiste tantas veces
como sea necesario para que haga reír

ser
- natural
  aunque sea a costa de un gran esfuerzo
- sociable
  por lo menos con las mujeres que uno ama

tener
- la cabeza a pájaros
  pero a pie firme
- la mano ancha
- la vida hecha un caos
  los papeles en orden

HAY QUE TENER VALOR PARA BEBER

el último trago
de la última copa
la última botella

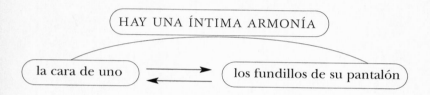

hay tres maneras de estar {
despierto
dormido
en el cine

HAY UNA ÍNTIMA ARMONÍA

la cara de uno ⟷ los fundillos de su pantalón

hay una sola virtud
el valor
y un solo pecado
la boludez

he caído en Goethe

he decidido

- **dejar**
  - el cigarrillo*
  - para el final de mi vida
    los clásicos y las putas
- llevar mi sobriedad hasta el frenesí
- **no**
  - correr tras ninguna máquina
  - emborracharme más de lo necesario
  - leer ni escribir
    más que obras maestras
- pagar todas mis deudas**
- **ser**
  - mucho más anguloso
  - un estilista
    o sea escribir claramente
- tenerme un poco más de consideración
- volver a ser romántico

he logrado circunscribir a mis uñas
el desorden de mi vida

he publicado treinta libros
es como si hubiera arrojado treinta bombas
pero ninguna explotó

---

*   en el borde de la mesa de luz
** pero pagarlas en sueños pibe

**he
tenido**

el privilegio de vivir dos vidas en una*

en la vida el doble que cualquiera**

**mucha suerte
en la vida**

me han tocado como tres
dormitorios
con ventanas junto al mar

una vez encontré en la calle
a la mujer que amaba en secreto

he visto

a un rengo caminando y bostezando

una mujer que si fuera un hombre
igual parecería una mujer

HERRARE UMANUM EST***

adivina hoy cuál será mañana tu primer error
y acaso puedas no cometerlo

cada mañana me despiertan
la amargura por mis errores de ayer
la alegre expectativa por los de hoy

cada poeta debe soportar
las erratas que se merece

---

   * pero te la voglio dire cuando se ponían en contacto
  ** pero me ha costado el cuádruple
*** como decía un caballo antropólogo

HERRARE UMANUM EST (continuación)

cometido un error ya no podrás corregirlo
a lo sumo cambiarlo por otro*

conviene empezar la mañana por los errores leves
reservando los graves para el atardecer

el primer error que cometas cada mañana
va repercutiendo en todos tus actos hasta la noche
sólo podrás borrarlo con un sueño feliz

entre las páginas de algunos libros
hay erratas como arañas pollito

errores sin importancia
te van fundiendo la estancia

gracias a las erratas
he llegado señores al estoicismo

la vida es la línea imaginaria determinada
por la intersección del tiempo con tus errores

mi primer error del día de mañana
¡lo cometí hoy!

no hacer lo óptimo no es un error**

no se preocupe señor corrector
las erratas son hermanas de los ambages

ortografía
¿se escribe con h?

---

* en otros términos
todo error te acompaña toda la vida
** por ejemplo este ambage no es óptimo
pero no es un error

HERRARE UMANUM EST (conclusión)

sufrir los embates de la suerte
no es cometer errores

tu día no comienza al despertarte
sino cuando cometes el primer error

un error corregido instantáneamente
deja de ser un error*

una torpeza no es un error
sólo es el deseo ahogado de cometerlo

hijo mío

    serás tolerante pero no admitirás
    que nadie te llame "fino poeta"

    serás un
    buen escritor

        cuando aprendas a administrar
        tus papeles carbónicos

        cuando de cada libro tuyo
        digan que era mejor el anterior

    serás un gran escritor cuando tus reediciones
    vayan más rápido que tus correcciones

HISTORIA DE UN AMOR DESESPERADO

no atinamos a ser el uno para el otro

---

* por ejemplo que se te caiga una cosa
  y abarajarla antes de que llegue al suelo

HISTORIA DEL PARAGUAY

cuando expulsaron a los jesuitas
se acabaron los guaraníes

hombre
{
apresurado
carga lleva

que mira barco
no debe ser interrumpido

que pasea perro
es que comprende las necesidades ajenas
}

HOMBRE SOLO	HOMBRE CON MUJER
se acoda en mostrador	espera mesita
se arregla con banquito	necesita sofá*

HOMEOSTASIS

de nada te sirve adelantarte a los acontecimientos
deberás volver a vivirlos con los que se atrasaron**

el más alto ve menos por las ventanas más bajas

enriquece tu vida hijo mío
pero sabrás que a cierta altura
unas riquezas devoran a las otras

---

  * cuando no cama camera
** en otros términos
    ser demasiado rápido equivale a ser más lento

estar bien es lo que te permite
volver a hacer lo que te pone mal

las mujeres se van arrugando
pero los hombres van perdiendo la vista

un milímetro de persiana
tapa miríadas de estrellas

HOMO FABER

los grillos hacen la noche
los mosquitos hacen el insomnio
los gallos hacen el amanecer
las golondrinas hacen el aire
las gaviotas hacen el mar
los gusanos hacen la muerte

hoy ⎨ me siento muy aplastada*

no tengo más que seis dolores

voy a ⎨ dedicar el día
a los personajes secundarios de mi vida

jugar a trabajar

---

* últimas palabras de una cucaracha

igual vuelan las palomas al paso { del príncipe

del mendigo

imposible {
cambiar la cinta de la máquina de escribir
o la mujer
sin enchastrarse bien los dedos

evitar que una paloma
se pare en el dedo del monumento a San Martín

limpiarse el culo con delicadeza

INGENUIDAD

día tras día
el sol confía su secreto al gallo

jamás
onomatopeya de una carcajada eterna

je suis { aveuglement voyeur

censé être insensé

la angustia es una droga que durante cierto tiempo
ayuda a soportar la nada

la atmósfera del más rutilante comedor
está inflada de eructos

la basura empieza por un fósforo
y termina por un cadáver

la belleza es para que los tontos
puedan advertir la virtud

la biografía es el único género literario
que no admite happy end

la boca es una herida hasta el hueso

la buena vecindad es una lucha
para sorprender desnuda la mujer del vecino

la cabeza $\left\{\begin{array}{l}\text{por dentro me duele} \\ \text{por fuera me pica}\end{array}\right.$

la cagada más resplandeciente
a los cinco minutos es lamentable*

la caída es un medio de transporte

la calidad de un juego de copas
no se ve hasta que no te queda una sola

la cara es el culo del alma

la cigarra es el chirrido del eje de la tierra

la ciudad sólo se deja ver por la ventana de la cocina

la correa es el pis del que sostiene
al perro que hace pis

la cosa es {
    inspirar confianza
    pero moviéndose no estando quieto

    sobrenadar hasta la mañana

la cultura {
    es lo que el hombre le hace a la naturaleza

    ¿es un refinamiento de la naturaleza
    o lo opuesto a ella?

---

* en otros términos
no hay cagada que no lo sea

la decisión de ser longevo
deber ser tomada antes de cumplir cuarenta años

la distancia menor entre dos puntos
es por el pasto

LA EDAD MEDIA	LA EDAD MODERNA
dice que el tiempo din don	dice que tic-tac
miraba el cielo desde los castillos	mira los castillos desde el cielo

la educación tiene por objeto
que todos lleguen a robar libros de poesía

la era cristiana es una secular tentativa
de impedir que las mujeres vuelvan a desnudarse

la espalda de las mujeres
nada anticipa de los senos

la eternidad es un cuchillo
que divide el tiempo en pasado y futuro
el presente sólo es ese corte

la fama es muy trompeta

LA FAMA

me parece que a usted lo he visto en alguna parte

la felicidad consiste ⎰ en elegir la camisa
que nos pondremos cada día

en no estar resfriado

LA FIDELIDAD

una relativa preferencia

la fiebre de ambages se cura con la verdad
o con la muerte

la función del perro
es animar los intersticios del hogar

la gente me parece demasiado seria*

la gloria es un énfasis del qué dirán

la gramática es cosa de jóvenes

* confidencia de un payaso

la hoguera {

ilumina su propia destrucción

quema todo libro que se le arroje
pero no sin abrirlo hoja por hoja

se ha apagado
pero quién sabe qué se sigue quemando

va buscando su forma
cuando la encuentra ya es ceniza

la huelga de los contemplativos consistiría en trabajar

la inteligencia es una refinería de azúcar impalpable

la intensidad del lenguaje es inversamente proporcional
al número de personas que lo intercambia*

la juventud {

desdeña las comodidades
claro ella es la total comodidad

deslumbra como la desnudez

se acaba con el primer error

---

* la menor es un cocktail diplomático
el término medio una mesa redonda
la mayor es el diálogo
acaso el monólogo[1]

[1] el diálogo viene a ser la filosofía
el monólogo la poesía

LA JUVENTUD	LA VEJEZ
coge	cojea
coge	se encoge
garcha	se agacha

la lapicera quiere estar en la mano
no en el bolsillo

la libertad empieza por los pies descalzos

la lluvia te acompaña
aunque no estés solo

la madurez me cae bien*

la mejor lapicera es la que más fluye
el mejor papel el que más absorbe

la menor catástrofe me inquieta

---

* decía una pera
desprendiéndose de la rama

la muerte **es**

algo que pone muy nervioso
pero después uno se tranquiliza

el Dentista General

hija de la vida
el tiempo es su cordón umbilical

un juego que uno inventa
para entretener a los hijos

¡qué pérdida de tiempo!

¡qué porvenir asegurado!

te crece igualito que la barriga

vamos vamos un pequeño esfuerzo
sólo se trata de cancelar la conciencia

LA MUERTE

cuanto menos tiempo te va quedando
más fácil te resulta dejarlo pasar

la mujer teje los tejidos del hijo
el hombre sólo pone la aguja

**la
música**

es

cuando el destino se deja oír

el fiel de una balanza cuyos platillos son
el sueño y la vigilia

exactamente el pasado convocado al presente
bajo la forma de sonido

mi aparato circulatorio

sonido amniótico

un núcleo a cuyo alrededor
el mundo se ordena concéntricamente

una virtud no un arte

me

entra por un oído
y me entra por el otro

limpia las bujías

respira

son

fotografías del tiempo

huellas del alma

los vagidos
del tiempo que va naciendo

suena según su circunstancia
la circunstancia escucha distraídamente

la naturaleza del hombre
es la cultura

LA NOCHE Y EL DÍA

usted qué prefiere
¿muchas estrellas muy lejos
o una sola muy cerca?

la normalidad es una crisis más larga

la novela nació cuando alguien escribió
la palabra "llueve"

la pampa tiene su oleaje
el galope

LA PEREZA Y LA POLÍTICA

si duermo sobre la derecha me entumezco
si duermo sobre la izquierda me sofoco

la pipa

agradece que se la sacuda contra un árbol

da cohesión a las horas

es sucia pero pita

me da una boca
sin quitarme ninguna mano

LA POESÍA

meta lenguaje y lenguaje

la poesía es una potenciación de la vida
la muerte una potenciación de la poesía

la precocidad terminó por hacerme un retardado

la primavera es la estación que más vuelve

LA PRIMERA VEZ UNO SE CASA...

como dios manda
la segunda como dios le da a entender*

en menos de lo que canta un gallo
la segunda entre gallos y medias noches**

LA RAZÓN

la pasión se lanza de trapecio en trapecio
pero debajo hay una red

LA RIQUEZA

en cada viaje romperás una pipa
pero comprarás dos

---

* y la tercera ¡a la buena de dios!
** y si no se hubiera casado ninguna vez
    ¡otro gallo le cantara!

si una mujer te perdió una pipa
otra te regalará dos

LA RODILLA

entre largos huesos de pasado y futuro
el presente la rótula oscila

la semana santa es santa porque tocan música de BACH es un
laberinto de boj

LA SIESTA

por ahora el tiempo se va disimulando

la sombra
¡qué perro fiel!

la tengo loca a mi lapicera

la timidez es el freno de la historia

la valentía es la tía del valor

la vejez
{
está cerca de la muerte
pero no tanto como la adolescencia

tiene prohibida la entrada en mi despacho
el caso de la muerte
será considerado por cuerda separada
}

LA VEJEZ

las cosas que antes me parecían trágicas
ahora sólo me parecen incómodas

voy perdiendo mis vicios
pero junto con la vida

ya no escribo versos
solamente libros

ya no hay dormir que me alcance
para reparar los estragos de la vigilia

LA VERDAD

nunca me gustó fumar en pipa

la verdad absoluta es una propina de las verdades relativas

la vida

es

de esencia en esencia
termina por destilar la muerte

el bien supremo
toda queja que no sea suicidio
es hipocresía

el tránsito de la roña a la carroña

un quilombo
pero uno lo va regenteando

un ratito de buen humor
entre las enfermedades de la infancia
y los estragos de la vejez

un viaje a la muerte
con escala en la mujer

una enfermedad que conviene pasar en cama

una plácida sucesión de tours de force

**se divide
en dos
mitades**

en la primera
los padres abandonan a los hijos
en la segunda
los hijos abandonan a los padres

en la primera todo se hace mal
en la segunda todo se hace bien*

---

* parece tranquilizador pero en la mitad buena
deberás sufrir las consecuencias de la mitad mala

las banderas son las regalonas del viento

las bellezas no andan sueltas

las cajas de fósforos deberían avisar cuando están vacías

las campanas {
llaman a la mañana por su nombre

son las únicas estrellas
que no se apagan al amanecer

las comidas muy calientes
son malas para impacientes

las condiciones básicas que yo exijo en mis amigos
claro yo no las tengo

las cosas son ellas mismas
pero también aquello en que se transforman

las deudas son heridas que supuran durante la noche

las dos manos me dejaría cortar
por saber tocar bien el piano

las injurias del tiempo*

_____

* que lo recontra

las jirafas y los ojos se alimentan
de las hojas más altas de los árboles

LAS LÍNEAS DE MI MANO

varios libros nuevos
alguna reedición

las mejores intuiciones
son fantasmas de ecuaciones

las mujeres

a lo largo del día van ensartando sus problemas
al llegar la noche los usan de collar

echan hijos como los barcos anclas

están pendientes de sus tetas
no éstas de aquéllas

han agotado su capital de desnudez

no son misteriosas sino renuentes

quieren amor y cosas

siempre andan buscando gatos que acariciar

son como las motocicletas
sólo arrancan pateándolas bien*

son imprevisibles
sólo tienen reglas una vez por mes

viven intoxicadas por su sexo

---

* perdón chicas ya sé que todas las motos
vienen ahora con arranque eléctrico

las notas al pie de página
son como piedras en el zapato de la página

las orejas ponen la nariz entre paréntesis

las palabras son broches
para tender a secar la realidad

las peras son gotas de una lluvia de peras

las tormentas son obra de los malos marinos

las tragedias $\begin{cases} \text{no tienen sentido del humor} \\ \\ \text{se resuelven solas} \\ \text{lo trágico es la vida cotidiana} \end{cases}$

las valijas deben hacerse de noche
los viajes al amanecer

leño apartado se quema a medias*

les prometo que mañana sí
voy a estar inspirado

lo contrario de $\begin{cases} \text{Bach es el teléfono} \\ \\ \text{una pipa es un pelota} \end{cases}$

---

* pero participa de la próxima hoguera

lo malo de los terremotos
es que no se puede jugar al dominó

lo menos que un ciclón puede volar
es un ambage

lo particular son granos que le salen a lo general

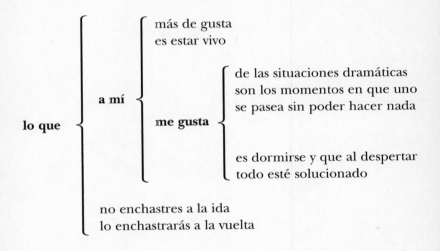

lo que importa en el momento de morir es no haberse quedado
con NADA es inútil todo sirve para aproximar LA MUERTE es
cuando a uno ya no le sale VIVIR es jugar vas perdiendo
debes doblar las apuestas al final para pagar sólo te
alcanza LA MUERTE es una tranquilidad exageradísima

lo siento {
  mucho
  tengo que ser mi propio personaje

  pero no tengo tiempo para morirme

  por los buenos autores
  pero yo tengo mucho que publicar

lo último que se pierde es la esperanza
de que salga talco de la talquera

lo único que no me gusta de mi poesía
es mi vida

los aeropuertos {
  atraen {
    las mujeres más bellas
    los curas más astutos

  me hacen bien

los ambages {
  deben escribirse en diagonal

  se alimentan con esperma de poema

los brahmanes son unos bacanes

los campanarios {
  son los molinos del tiempo

  son los picapedreros del tiempo

los caracteres sexuales secundarios
¡son fundamentales che!

los ciegos no se visten de ningún color

los cosmonautas son unos desarraigados

los chinos
¿pueden tener mala letra?

los descansillos de las escaleras
son para tirarse pedos

los despertadores desvencijados despiertan más

los espejos me deforman los rasgos*

los gallos {
    cantan a deshora
    la canción de cuna del insomne

    jóvenes cantan antes del alba
    los agonizantes al atardecer

    son al insomne
    lo que los sueños al dormido

    son bombas incendiarias
    que el sol arroja contra la noche

---

*   confusión de un payaso

los gatos {
en realidad son ciempiés

en realidad
son tortugas calientes blandas y elásticas*

y los buenos libros siempre caen parados
}

los grandes {
financistas siempre comienzan
por una prudente administración de sus camisas

hombres deberían resucitar de vez en cuando
para evaluar sus efectos sobre los pequeños
}

los grillos dirigen el tráfico del campo

los hechos {
son dioses

son pretextos del tiempo
}

los hombres {
creen que alzan casas sobre la tierra
en realidad las alzan contra el cielo

deberían llevar el anillo matrimonial
en el pene

son mortales
Sócrates ya murió
no es más un hombre no es mortal
}

---

* este ambage es ejemplo de cómo tres adjetivos
pueden convertir un sustantivo en su contrario

LOS HOMBRES	LAS MUJERES
están sobre sí	están en sí
hacen lo que dicen	dicen lo que hacen*
inventaron el despertador	inventaron el arrorró
inventaron las armaduras	inventaron la desnudez
tienen tratos con la sombra	tienen tratos con el sol

los homosexuales se han divorciado de su SEXO debería
escribirse «xexo» o «xeso»

los impulsos bestiales
¡son bestiales che!

los intelectuales prefieren viajar en primera**
para leer tranquilos

los jardines y las pasiones
al fondo

los largos corredores son para silbar

los mancos no corren el riesgo de escupirse el brazo

---

   *   los homosexuales no dicen lo que hacen
       los escritores dicen lo que dicen
 **   en los trenes y en la sociedad

los médicos empiezan sacándote pequeñas partes del cuerpo
y al final se quedan con todo

los niños {
ejercen su maldad ruidosamente
los mayores silenciosamente

parecen maravillosos
comparados con la corrupción de los mayores

son máquinas de joder

los pájaros son el polen del paisaje

los peces son personas atadas de pies y manos

los pelos ocultan a la gente*

los piyamas suelen tener un fin desgarrador

los que son amados deben hacerse perdonar
por quienes no lo son hijo mío
aun cuando sea un perro quien los ama

los rengos {
son los sacacorchos de la tierra

suben la escalera tan rápido como un sprinter**

los saltos cualitativos se deben a los pasitos cuantitativos

---

  * especulaciones de un chimpancé
 ** cuando la escalera es mecánica

los siglos suelen olvidar que provienen de los días

los sillones giratorios obligan a moverse continuamente*

los sueños pueden prescindir del desenlace

no pueden permitirse el lujo de ser pesimistas

los viejos se encuentran cada vez más jóvenes
los unos a los otros

son unos guarangos**

los zapatos deben guardarse contra el techo

---

* excusa de un epiléptico
** no pueden disimular su vejez

llamarse es ya una vergüenza*

llamo buen

cortinado al que exige
caminar varios pasos para descorrerlo

despertar
despertar con un ambage recién soñado

funcionario al que puede
permanecer inmóvil en su escritorio
fumando hasta el fin de su jornada

hospital al que responde a la vez
a las exigencias de San Vicente de Paúl
y del marqués de Sade

papel higiénico al que se deja
cortar fácilmente cumple sus funciones
y se deja caer sin desvíos

tabaco al que me rinde
una página por pipa

---

* firmado: NN

cola a la que se acorta
rápidamente delante tuyo
y se alarga rápidamente detrás tuyo

hoguera a la { un corazón caliente
que tiene   { un cuerpo ansioso por arder

pipa a la que se enciende pronto
y una vez acabada se enfría enseguida

llamo buena

taquígrafa a la que puede
tomar dictado y rascarse a la vez

uva a la que se deja
cortar fácilmente de su racimo
y buen racimo al que se deja
cortar fácilmente de su rama*

vista a la que alcanza
a ver dónde están los anteojos

llueve**

---

*   y buena rama a la que no se deja cortar
** más claro echále agua

MADUREZ

ha llegado el momento de ser
meramente
un servidor de lo objetivo

he llevado a la cumbre mis sueños eróticos

me cansé de ser torpe

                                   para alzar cadáveres de cucarachas
                                   y arrojarlas al inodoro
magníficas las
tarjetas de invitación
                                   para sacarse residuos
                                   de entre los dientes

mal negocio rendir cuentas al alba

mamá
¿dios es una mala palabra?

manchado pero honrado
dice el deshollinador

MANIFIESTOS

1. los poemas deben ser cortos
   las novelas largas
   los ensayos que se entiendan
   las películas de acción contemporánea
   y todas las óperas son atroces

2. a mí me gustan las novelas de Novalis
   los poemas de Poe
   los cuentos de Comte
   los cánticos de Kant
   y la filosofía de Adorno

3. Mozart es aritmético
   Beethoven geométrico
   Ravel trigonométrico
   Stravinsky algebraico

4. yo escucho a Bach por la mañana
   a Stravinsky al mediodía
   a Mozart después de almorzar
   a Debussy a la hora del té
   a Chopin al atardecer
   a Mahler después de cenar
   y a Beethoven para dormir

5. con Rodin se acaba la escultura
   con Picasso la pintura
   con Prokofieff la música
   con Macedonio la literatura
   y con este ambage me acabo yo

6. el cine es el término medio entre el sueño y la vigilia
   la música es el término medio entre el ruido y el silencio
   la poesía el término medio entre el lenguaje y el silencio
   el silencio el término medio entre la vida y la muerte
   la muerte es el término medio entre la muerte y la muerte

MÁS	QUE
aburrido	ascensor sin espejos
apurado	repartidor de hielo
atropellador	colectivo atrasado
boleado	ascensorista en escalera
desahuciado	cucaracha a la luz del día
elevado	traje limpio en tintorería
engolado	Beethoven por la mañana
equitativo	ventilador rotativo
excitado	campanario al amanecer
feliz	paloma en catedral gótica
fuerte	meñique de pianista
ineludible	pedo en ascensor
paseandero	la sangre
promisorio	olor a pan tostado
silencioso	congreso de sordomudos
traicionero	lluvia de bidet
versátil	hotel de aeropuerto

más vale eyaculación precoz que hijo póstumo

me aprecia mucho
se ríe de todo lo que hago*

me canso mortalmente de entender

me como las uñas
pero con tijeras

me da fiaca ser un gran ESCRITOR es el que ve si no ve
no puede escribir si ve no puede no ESCRIBIR se divide
en poesía y redactar

me despierto
{
me encuentro conmigo mismo

porque soy incompatible con el sueño
pero no me levanto
porque soy incompatible con la vigilia

soñando
me levanto escribiendo
}

me dije
{
¡basta de torpezas!
y al pronunciar la zeta me mordí la lengua

hoy he perdido el día no hice nada
después supe que había hecho un hijo
}

---

* jactancia de un payaso

me doy vuelta en la cama
para que el sueño me tueste parejo

me duermo junto con las almas
me despierto junto con los motores

me es fácil levantarme
a condición de no darme cuenta

me estoy {
    poniendo viejo
    necesito un perro o un amigo estúpido

    por hacer invulnerable

    quedando sin necesidades

me gusta {
    ayudar pero que los otros
    hagan el trabajo principal

    leer las críticas sobre mis libros
    pero solamente lo que me transcriben

    más que dormir dormirme y mucho más
    mientras los otros siguen trabajando

    tirar a la basura algunos libros de poesía
    sobre todo cuando son una edición definitiva

    tomar las calles por donde nacen

me gustaría escribir una novela de anticipación*

---

  * de anticipación de derechos de autor

me he {
pasado la vida explicando a las mujeres
cómo se cuentan los tantos en el tenis

trazado un plan de espontaneidad
}

me insultó soezmente
y yo le respondí con toda altura

me levanto {
a las siete para trabajar
a las diez ya he conseguido encender la pipa

hago sonar mi despertador
y me vuelvo a acostar
}

me llevan al amor
el ocio y el amor

me parece que con un pequeño esfuerzo
podría ser un gran poeta*

me pongo a escuchar música
y de pronto me encuentro haciendo fiaca

me preguntaba qué sería ese ruido
cuando lo produje

me revienta la gente que no vuela
imagínese la que tropieza

---

* en realidad
con un gran esfuerzo podría ser un pequeño poeta

me siento inclinada
hacia quien acepta mi lado peligroso*

me tienen loco entre la fuerza de gravedad y las cosas

MEDIDAS DEL TIEMPO

3 cigarrillos equivalen a una pipa
2 pipas a un habano
la eternidad es humo

mejor
{
no averiguar qué hace un hombre
con la cabeza entre las rodillas

que tener buena salud
es tener buena convalecencia
}

---

* confidencia de la torre de Pisa

dormir es	M	dejar sin efecto el nacimiento
el dolor consiste	E	en no ser multimillonario
el dolor es		sensibilidad al cosmos
el romanticismo el erotismo la pornografía la lírica provenzal etc. consisten	R A .	en prestarse atención a sí mismo
enamorarse es		la ausencia total de boludez
la angustia es	M	una forma distraída de pensar
la beatitud es	E	percibir a fondo la diferencia entre una persona y las demás
la cultura es	N	una aceleración de la acción
la vejez consiste	T	en darse cuenta poco a poco de los males que siempre tuviste
la violencia es	E*	lo que el hombre le hace a la naturaleza
mi bohemia consiste		en sofisticar las circunstancias del coito
morir es		nostalgia del no dolor
un hijo es		un proveedor de recuerdos para sus hijos
un padre es		un espermatozoide hidratado

* todas las definiciones menos una están en desorden
el lector deberá buscar en la columna derecha
cuál es el predicado que corresponde a cada sujeto

mi almohada es UN GALLO es un insomne resentido

mi cabeza
{
   es mi propia
{
radio
televisión

cassette
videocassette
}

   trata a mi cuerpo como a un pelele
}

mi cama
{
   es
{
mi mar
mi naufragio
mi isla
}

   me trata como a un inválido
}

mi corazón es mi verdadero esqueleto

mi destino me conmueve

mi eficacia
{
fue aplastante*

me pierde**
}

mi estilo mejora a medida que me desgarro

mi modestia es tal que raya en la cobardía

mi plan de trabajo puede hacerme inmortal
a condición de ser inmortal para cumplirlo

---

  * en las pequeñeces
** al no fracasar en nada
    acumulo insolubles contradicciones

mi reino por alguien que me explique
dónde y cuándo guardar un papel carbónico

mi sabiduría irá creciendo naturalmente
hasta transformarse en mi muerte*

mi sombra está por saltar sobre mí

mi vida ha sido un itinerario de loco en loco**

mi vista disminuye a ojos vistas

mientras duermes se va sedimentando tu verdad
lo que te obsede a la madrugada
eso eres

mirar mucho a un enano
es mirar poco

mis acciones políticas son escandalosamente contradictorias
pero tan intrascendentes que nadie se da cuenta

mis hermanos son los que como yo
han llegado a ser sus propios padres

---

 * esto lo citarán en mi nota necrológica[1]
    [1] para negar mi sabiduría
** no es tan evidente que el loco sea yo

mis mayores éxitos se los debo a la pereza*

mis siestas son cada vez más perfectas

mis virtudes me depravan tanto como mis vicios

MNEMOTECNIA

Freud en alemán
se pronuncia como frío en francés
pero leído en castellano

morir
{
es como dormir
pero sin levantarse a hacer pis

es tarea que lleva toda una vida

es una hazaña inevitable
}

mucha espuma es poca cerveza

¿murió Fulano?
{
bien hecho
por viejo

claro
era arqueólogo
}

---

* me he pasado la vida trabajando

muy enferma ha de estar una uña
para que no se ponga a rascar

música llevan
valijas de forma rara

nada {
   más {

angustioso que una conversación languideciente
mantenida a toda velocidad

confortable que ser un mediano poeta

difícil de disimular que la generosidad

imitado que el pecado original

intimidatorio que una toalla caída

lejos de mí que…
las antípodas

produce la angustia
sólo la nada

}

mejor que un sobretodo apolillado*

se acaba tanto como un sifón

se acumula tanto como los diarios
nada se dispersa tanto como los días

}

_____

* para el verano

nada más difícil que {
arrojar un hilo al canasto

introducir una víbora en un buzón

nada más fácil que {
dar órdenes a un jorobado

escribir un poema
1. basta crearse un vacío de acción
2. basta crearse una situación poética y redactarla
3. basta mencionar un momento poético de la vida

ser inmortal
basta tener más paciencia
que el tiempo

nadie {
camina más apurado que un rengo*

más {
agresivo que uno que te corre para darte la mano

generoso que un avaro en las pequeñeces
}

puede tener más que una sola pipa**

necesito un par de anteojos limpios
para ver si mis anteojos están empañados

---

  * no te digo nada cuando va detrás de su mujer
 ** excusas de un monógamo

ni {
bien me acuesto se me empiezan a ocurrir cosas
ni bien me levanto me da sueño

mi auto ni yo aguantamos
más de 50.000 kilómetros en una misma ciudad*
}

no {
la música no deja de sonar porque tú te alejes

la noche no viene porque tú cierres los ojos

me hagan hablar
que estoy terminando de tragar la muerte

ni por un momento he dejado de nacer

señor de ningún modo
no acepto morir sin haber entendido mi vida

si alguien chista por la calle
y otro hace un gesto de reconocimiento
ninguno de los dos se dirige a ti

si el concierto de la radio termina
al mismo tiempo que tú terminas de afeitarte
no es que la multitud aplauda tu afeitada

si te tiras un pedo y un perro ladra al mismo tiempo
no es que tu pedo suene como un ladrido
}

no afirmes en sánscrito lo que negarás en lunfardo

no crean que me faltan ignominias de que enorgullecerme

---

* escrito en la pared de su celda
   por un condenado a prisión perpetua

no des un portazo al irte antes de comprobar si el
picaporte cierra BIEN por la sensibilidad siempre que no
sirva para no servir

no entiendo cómo he podido sobrevivir a mi boludez

no es

fácil
entrar en confianza
con la cama de un hospital

que un muerto acelere

posible
aplaudir y atarse los zapatos
al mismo tiempo

comer y vomitar al mismo tiempo

que las religiones sean falsas
sino excesivamente metafóricas

recomendable
afeitarse y estornudar al mismo tiempo

satisfactorio
escupir cuando llueve

útil encender la luz
y cerrar los ojos al mismo tiempo

NO ES LO MISMO	QUE
Bach	¡bah!
descubrir	darse cuenta
desempeñarse	despeñarse
el cuerno de la abundancia	la abundancia de cuernos
el huevo de Colón	el colon de un huevón
Juan Pico de la Mirándola	mirándole el pico a Juan
orador	horadador
que el río se salga de madre	tu madre se salga del río
ser equilibrado	ser equilibrista
ser una violeta	ser una violenta
ser veloz	ir cuesta abajo
sinsonte	sin ton ni son
tener tétanos	no tener tetas
aliento de rosas	aliento del tiempo de Rosas
un hembrón	en embrión
un orgasmo	un organigrama
un piscolabis	un psicoanálisis
un regalo de bodas	un regado de bolas

no es que yo
{
ande descaminado
es que ando a campo traviesa

sea ordenado sino que debo
estar siempre listo para partir
}

no es tan sencillo
{
llegar a tener un solo diente

ser un tipo complicado
}

no hace el mismo ruido un viejo bajando las escaleras
que un joven subiéndolas

no has terminado de asumir la muerte de tu padre
y ya está asomando la tuya propia

no hay
{
buena cena sin mozo sensible

espejos para verse con los ojos cerrados

nada más caro que la boludez

que asustarse
de despertarse

que
{
llevar el espíritu autocrítico
hasta ser alérgico a su propia mierda

perseguir a la gente
y mucho menos invocando amor
}
}

NO HAY QUE CONFUNDIR...

dos animales haciendo el amor
con un animal de dos cuerpos

el colectivo que viene
con el reflejo del colectivo que se va

el diario que estás doblando y metiendo en el bolsillo
con un perro que te asalta y muerde ferozmente

el pelo de tu propia axila
con un hombre que te acecha en el baño para matarte

la heladera abierta
con la chimenea encendida

la rodilla de una señora
con el culo de su bebé

panes ázimos
con merengues de chantilly

peines
con reglas de cálculo

un asiento desocupado en el colectivo
con un asiento ocupado por un enano

un automovilista que te hace signos extraños
con un automovilista que saca una mano
en la que sólo tiene dos dedos

un barrendero con su cepillo
con un hombre de tres piernas
que camina arrastrando una de ellas que es de palo

un bizco
con un hombre de mirada poco inteligente

NO HAY QUE CONFUNDIR... (continuación)

un brazo con ajorcas
con un brazo en cabestrillo

un calzoncillo moderno
con un calzoncillo que te queda chico

un ciego tratando de cruzar la calle
con un hombre haciendo pis blanco contra el cordón

un espejo
con un hombre que te mira desde atrás de un vidrio

un hombre {

de barba muy negra con un hombre
que habla por un teléfono negro

en cuclillas acariciando un gato blanco
con un mendigo en el suelo
extendiendo su pierna enyesada

lanzando una gran bocanada de humo
con un hombre que habla por un teléfono gris

llevando una baguette al hombro
y seguido por su mujer
con un hombre que arrastra a su mujer
con una soga al cuello

que se pone la bufanda
con un hombre que hace gestos desesperados

un mozo doblando una servilleta
con una mujer que viene a asesinarte

un par de mellizos
con un gordo

NO HAY QUE CONFUNDIR... (continuación)

un perro de hocico largo
con un hombre fumando una gran pipa apagada

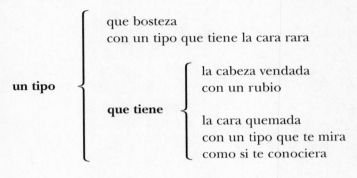

un tipo

que bosteza
con un tipo que tiene la cara rara

que tiene

la cabeza vendada
con un rubio

la cara quemada
con un tipo que te mira
como si te conociera

un vigilante haciendo sonar su silbato
con un católico chupando su medallita

una hoja seca que aún no cayó del árbol
con un fruto

NO HAY QUE CONFUNDIR... (conclusión)

cargando en el hombro a su hijo
con una mujer que tiene la cara en la nuca

que lleva

medias negras de algodón
y una falda cortita
con una mujer de raza negra
por abajo y blanca por arriba

un vestido en una percha
con un mujer desnuda

una mujer

que te saca la lengua
con un hombre de bigotes rojizos

que tiene

grandes tetas caídas
con un mujer
embarazada de mellizos

los dientes salidos
con una mujer a punto de vomitar

un lunar en el labio
con una mujer fumando un cigarro

una sonrisa
con un enjuague

verrugas
con gotas de sudor

no hay que confundir "confundir" con "fundir"

no hay que ser {
  más monista que el mono

  piedra de escándalo
  ni piedra
}

no importa {
  lo difícil de la empresa
  de todos modos lo intentaré*

  que estos ambages sean incomprensibles
  en rigor se dirigen a quienes ya los saben
}

no logro ser perfectamente derrotado

no me distraigan por favor
estoy concentrado en la lectura**

¡no me dejen a solas con mi cabeza!

no me gusta {
  dormir sino quedarme dormido
  y mejor mientras los demás trabajan

  la gente que {
    anda con Dante

    cambia de máquina de escribir
  }

  nada el aspecto que voy tomando
}

| no me hagan perder el tiempo ahora que soy viejo |

---

  * pasar detrás de un jorobado y sentarme
    en el asiento libre del colectivo
 ** del menú

ambiciono la gloria literaria sólo quisiera
escribir el romance del conde Arnaldos

creo en no dios

no, no

es que venga el alba
es que aclaras la noche de tanto mirarla

me suicidaré
ahora he decidido ser longevo

no quiero tener cosas sino instrumentos
y guay de ellos si no funcionan

no se le ocurría apagar el fuego
sino con más fuego

servir sin violencia
el fondo de la botella

no se puede

vivir en la ansiosa expectación
así sea de un colectivo

no se te ocurra buscar colores en LA OSCURIDAD es para
tropezar

hablar inglés
pero sé fingir que lo hablo

no sé

bien si me estoy volviendo cada vez más torpe
o cada vez más hábil para advertir mis torpezas

no siempre la estupidez es decisiva

no soy {
escritor sino lector*

muy ducho
en no ver mucho

neto ni siquiera en mis errores

no ateo

una computadora
sólo una puta**
}

no te preguntes cuál será tu enfermedad mortal
en todo caso no le faltará nombre

nunca {
digas de este agua no beberé
recomendaba un ahogado a un decapitado

me he masturbado colectivamente***

se sabe qué viene después de un pedo

soy más claro
que cuando escribo sobre lo que no entiendo
}

---

   * de lo que yo escribo
 ** se excusaba la robot-prostituta
*** en un colectivo sí

¡¡odio ferviente y mortalmente el énfasis!!*

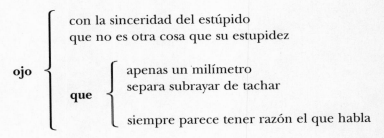

ojo
con la sinceridad del estúpido
que no es otra cosa que su estupidez

que
apenas un milímetro
separa subrayar de tachar

siempre parece tener razón el que habla

orfebres de la ensoñación
cincelan anillos de humo

_____

* quiero decir
  le tengo ligera antipatía

para caminar por los pasillos de los tribunales
es mejor ser rengo

para comer { dos naranjas hijo mío
has de saber primero cuál es la más dulce

lo mejor es una mesa bien grande
donde desparramar los platos a medio acabar

para cometer torpezas
nada mejor que un banquete

para discreción el hielo
uno lo deja solo y desaparece

para dormir
¿quién no tiene una técnica?

para el

indigestado
el ayuno ¡qué banquete!

inodoro
la mierda es alimento

que vive de postergaciones
sólo la muerte aporta soluciones

rengo
nada es suficientemente bailable

para escribir cualquier lápiz es bueno
para corregir hay que afilar la punta

para evitar olvidarse el paraguas
lo mejor es olvidarse de llevarlo

para fechar muertes
las estaciones

para gozar de un buen Retiro
hay que tener una buena Constitución

para hacer espacio
hay que hacer cenizas

para la
- alhaja
  todas las edades son de oro

- paleta del pintor
  el cuadro es la paleta del pintor

- ratonera
  dar fruto es dar un cadáver

para mirar
- hacia adelante
  hay que empezar por tener nuca

- la oscuridad
  basta con abrir un ojo

- nevar
  hay que dar la espalda al fuego

para no espantar los temas
conviene empezar por otros completamente distintos

para pasarla bien
nada mejor que ser un mediano poeta

para poner un título que diga "varios"
mejor no poner ningún título

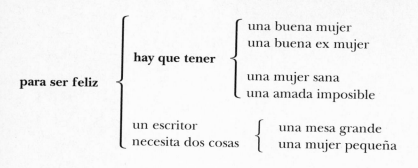

para triunfar del todo sólo me falta llamar la atención
por algún hecho importante y acaso inesperado*

para un
- ciego
  ¿qué importa ser bizco?
- rengo en un desfile militar
  lo más vistoso es participar como bastonero

para una paloma
¿es grave ser renga?

PAREMIOLOGÍA

a buena hembra pene duro

a buen tiempo malacara**

a falta de plan bolas son cortas

a la vejez vihuelas

---

* la boca se te haga a un lao
  si estás pensando que ese hecho será mi muerte
** decía Martín Fierro
  paseando en su malacara

PAREMIOLOGÍA (continuación)

a las almas las caga el diablo

a palabras recias oídos gordos

a peine de peluquería no le mires los dientes

al que ayuda dios lo madruga

cada loco con su cuerdo

cada zapato sabe dónde lo aprieta uno

cuando el gallo suena agua trae

cuando el río sueña agua abstrae

cuando el whisky suena hielo trae

del mar el mero*

dime cuántas clases de velador puedes encender a ciegas
y te diré cuánto has viajado

dime qué haces en la oscuridad
y te diré quién eres**

dime qué mesa eliges en el restaurant
y te diré quién eres***

dios aprie... ta pero no ... a... hor...

---

    *   esto lo dicen de verdad en España
        pero no por eso deja de ser un ambage
   ** yo escribo este ambage
 *** yo elijo una donde puedo escribir este ambage

PAREMIOLOGÍA (continuación)

donde fueres haz lo que vieres
le decía un preso a un ciego

el fin no justifica los medios
pero... en fin...

el hombre supone y dios pospone

el que encuentra busca

el que no sale es como el que no va

el tiempo es el padre de todos los vicios*

el tiempo es la podre de todos los bocios

en la duda abstente
de dudar

la razón tiene corazones que el corazón no comprende

lo caliente no quita lo cortés

lo que abunda no daña**

muerto el pelo se acabó la raya

muerto el pelo se acabó la rubia

no es hondo todo lo que repuse

no hay peor gordo que el que no quiere ir***

_____

   * especialmente de la vejez
     que es el peor de todos
 ** decía una gorda
*** de cuerpo

PAREMIOLOGÍA (conclusión)

no hay peor sordo que el que no quiere ir*

no por mucho madrugar uno se madruga a sí mismo

no por mucho sestear atardece más temprano

ojos que no ven corazón que no siente
dijo un ciego y murió de un infarto

ojos seno ven corazón ¡cómo siente!

parir es morir un poco

por la boca muerde el pez

por la boca muere el PC

por la foca muere el pez

¿quién me quita lo baldado?

participo a usted el casamiento {
  de la campana con el yunque

  de la música con mi torrente circulatorio

  del tren con la noche
}

pasaré la noche debajo de este poema

pensaba escribir un tratado pero me pareció suficiente
este AMBAGE que escribo ambage que ya tenía escrito

---

* a comprarse un audífono

pensando constantemente en la muerte
llegarás a morir sin pensarlo

> a mí lo que se me vuela es el pisapapel
>
> ¿cuál es el borde de la muerte?**
>
> el gallo sopla y hace la botella del día
>
> el molinero comulga con ruedas de molino
>
> la sombra de la garza blanca también es negra
>
> **pero*** las muletas no protegen de la lluvia
>
> las palomas también asustan***
>
> mi cronómetro apenas distingue el día de la noche
>
> **qué difícil distinguir** { un especialista de un obseso
>
> un héroe de un boludo
>
> señor sea feliz no me venga con excusas

---

   * a criterio del lector estos ambages pueden usarse sueltos
o bien opuestos a cualquier otro por ejemplo
"cuenta conmigo me dijo mi reloj
pero mi cronómetro apenas distingue el día de la noche"
"en cuanto me descuide voy a ser un héroe
pero qué difícil distinguir un héroe de un boludo" etc.
  ** ¿es áspero? ¿es una baranda?
¿es como el alféizar de una ventana?
¿de un palco?
*** sobre todo cuando arrullan

pero cuando

> el canillita termina de darme el vuelto
> yo ya terminé de leer el diario
>
> el sommelier termina de descorchar la botella
> yo ya terminé el vino
>
> una pipa se acaba
> queda la tabaquera

pero mientras

> mis pipas se curan yo me enfermo
>
> uno se va muriendo tiene que vivir

piénsalo bien antes de dejarte crecer la barba
pero no tanto que te crezca mientras lo piensas

pienso escribir una obra maestra
pero cortita*

PLAN RACIONAL DE LECTURA

   he decidido leer una página
   por cada kilómetro que recorra mi automóvil

pobrecitas

> caerse es el lenguaje de las cosas
>
> las ventanas sólo saben hacerse entender a golpes

poca mierda mucho ensucia

---

* NOTA BENE: no es este ambage

poco a poco {

el deseo de dormir se me fue volviendo
deseo de morir
fue entonces cuando nací

los muertos se van apoderando de mis sueños

se me va formando la cara que tengo
en las fotos de los carnets de identidad

sólo voy sirviendo para dormir

poderoso es el que ha llegado a tener tanto poder
que puede usarlo para no ser obligado a ejercerlo

POESÍA EXISTENCIAL

la poesía se hace con palabras
no de palabras

¿qué poesía más pura que mantener a su familia?

quiero llegar a escribir como si hablara
pero sólo he logrado hablar como si escribiera

yo no hablo de lo que escribo
escribo de lo que hablo

yo siempre me creí un poeta existencial
hasta que el médico me diagnosticó hipertensión esencial

por ancha que sea tu cama hijo mío
mejor que te acostumbres a dormir en el borde

por bien que se defienda una idea
no necesariamente es falsa

por la mañana bien temprano
la peluquería está llena de feas

por más ambages que escribas cada día
terminarás durmiéndote

por materialista que me duerma
las campanas me despiertan místico

por mí {
no hay problema
yo me acomodo en cualquier parte*

no te preocupes
te sobra tiempo para arder**

por miserable que sea
cada poeta encontrará su misérrimo crítico
y hasta su miseranda declamadora

por ti pondría las manos en el fuego le dije a LA
HOGUERA crea el frío en todo lo que no sea LA HOGUERA
es una biblioteca donde caben todos los libros

pregunta preliminar ante cada cosa
¿me sirve o la sirvo?

primero me jubilaré y luego seré un aventurero

---

* cortesías del espacio
** le susurra la hoguera al leño nuevo

PROFESIÓN

me ocupo de estar mal

puedo producir formas esbeltas
perfectas
puedo producir masas caóticas
infames*

---

* reflexiones del culo

qué fastidio no ser inmortal

qué gracia tener planchado el pantalón
en la pierna que a uno le falta

qué importa no tener agua
lo malo es no tener sed

¡que lo parió a Mozart!

qué quieren que lea un viejo en un café
sino una larga receta médica

¿qué quiero decir con este ambage?
lo que usted quiera señor

¿qué se merece una página que se cae sola en el canasto?

que sería {
de la luz si no fuera por los ojos

de los meñiques si no fuera por los pianistas

del aire si una paloma
no lo cruzara de tanto en tanto
}

quedarse sin patria es como perder el sentido

¿quién... {
es capaz de dormirse
cuando su arrorró lo canta un gallo?

le hubiera dicho a Vivaldi
que iba a ser plato fuerte en las pizzerías?
}

¡quién fuera hombre para poder vivir!*

Bueno nací y vivo en los Aires	nací en el siglo XIX
QUIERO DECIR	
nací en Buenos Aires	nací en el año 19

---

* decía una viuda

quisiera

morir como quise escribir
sin énfasis

reflexionar
y dejar de improvisar*

saber si estoy envejeciendo
o si meramente tengo fiaca

seguir durmiendo pero ya
se me cansaron todos los costados del cuerpo

---

* improvisaciones de un payador

realmente lector te quiero mucho
pensá que este librito lo escribí para vos

RELACIONES PÚBLICAS

¿cómo te llevás con el tanque de tu inodoro?

RELATIVISMO

nada más difícil que cagar*

nada más fácil que cagar**

rengo que salta no es de mierda

resucitar es despertar
una noche de lluvia bajo un techo de cinc

resucitó mi madre
y yo me desperté

---

* decía un estreñido
** decía un diarreico

REVÓLVER EN MANO

bueno señores críticos
se acabó ese jueguito de ponerme peros

roñosa yo te limpio a vos
si vos me limpiás a mí*

ruego entender ya mismo este ambage
no sería capaz de repetir semejante estupidez

---

* le dice una uña a otra

salgo bien temprano a trabajar y al mediodía
ya he logrado hacerme lustrar los zapatos

¡sálveme quien pueda!

se casaron en la mayor intimidad
sólo invitaron a sus homónimos y sosías

se nace en las periferias
se muere en los centros

se sucumbe al salame

se trataba a sí misma como a una enferma
de belleza

señor cura
sus campanas no me despiertan
enardecen mis sueños eróticos

señor juez {
  mi vida ha sido una serie de errores
  no se culpe a madie de mi nuerte

  no se culpe a nadie de mi longevidad
}

señores reyes de lo que sea
es admirable vuestra corte
pero qué lástima yo tengo la mía

señorita manicura
sólo deseo que mis garras parezcan uñas

ser {
  muy moderado
  ¿es ser moderado?

  viejo es como cuando uno era chico
  y estaba enfermo
}

Shostakovich no me tranquiliza

si a {
  mí me faltara un brazo
  no llevaría en el otro un portafolio

  usted le falta una pierna no se queje
  sólo pueden hacerle zancadillas en la otra
}

si aceptas {
  vivir la madurez como una infancia
  vivirás la vejez como una juventud

  la muerte como solución
  estás aceptando la vida como problema
  y si la aceptas se acabó el problema
}

¡si al *meno* supiera lo que me *pausia*!

si alguien me plagia invento otra cosa

si de sonar se trata
¿por qué no sonar con la realidad?

si el
> despertador no me despierta con su tic-tac
> no me despierta con nada
>
> gallo grita tanto
> es que no está tan seguro del día
>
> libro y la pipa se te caen a la vez
> no lo dudes hijo mío
> debes irte a dormir
>
> viento te vuela una carta
> es que no debe ser leída

si eres
> ciego te conviene ser rengo
> y te arreglarás con un solo bastón
>
> gordo y quieres ser payaso
> deberás aprender a rodar
>
> mujer pregúntate qué vas a parir
> si eres varón
> pregúntate qué va a parir tu mujer

si escuchas música tomando whisky nunca sabrás
si lo que te gusta es la música o el whisky

si fuera por la primavera todos seríamos vagabundos

si fumas {
tu pipa bajo la lluvia tu pipa se apagará
pero si abres el paraguas lloverá fuego

un cigarro y a la vez limpias una pipa
ni fumas ese cigarro ni fumarás esa pipa

si has de resbalar hijo mío
que sea por pisar fuerte

si hemos aceptado la muerte
¿por qué no aceptaríamos cualquier otra cosa?

si la {
estela es grande
no importa que el barco sea chico

vida fuera una novela podríamos volver atrás
y corregir ciertos capítulos

si las {
cosas se caen
que se jodan

las mujeres tuvieran senos en la espalda
uno nunca las dejaría irse

si los {
botones fueran manchas los trajes
estarían todo el tiempo en la tintorería

rengos quisieran marchar en fila
volverían por sí solos a la dispersión

si llevara un apellido con dos elles
lloraría*

---

* para el buen éxito de este ambage
debe leerse en voz alta y marcando las elles

si me sigue doliendo la cabeza
dejaré de escribir*

¡si me habrán hecho esperar las mujeres!
gracias a eso soy escritor

si no
{
es para anotar un ambage
¿para qué salir de la cama?

sabes qué hacer en el baldío de tu barrio
¿por qué habrías de saberlo
en el rond-point de los Champs Elysées?

soporto la estupidez de los hombres
¿cómo voy a soportar la de las cosas?
}

si otro sol saliera
otro gallo cantaría

**si por algo quisiera
ser inmortal es para**
{
fumar una pipa eterna

seguir escribiendo siempre este librito
}

si quiere
{
llegar al satori no se atore

llegar al satori no sea tory
}

_____

* advertencia de un decapitado

si quieres
{
asegurar la continuidad de tu vida
deja puesto el disco que oías al dormirte
y vuelve a escucharlo al despertarte

atenuar el impacto de un viaje
lee previamente el primer tomo de un libro
y empieza el segundo al decolar

ser mago hijo mío debes empezar
por hacerte inmune a la magia
}

si se lo considera
{
como un cacareo
todo ladrido resulta siniestro

como un hombre involucionado
un perrito es un animal terrorífico
}

si se te
{
ocurrió un ambage no lo anotaste se te olvidó
no te preocupes no era un ambage

rayó un disco de Corelli
darlo vuelta no es ninguna tragedia
cuando al otro lado te espera Boccherini
}

sí señor

busco fama y dinero
pero sólo por no buscar la muerte

duermo demasiado pero cuando no duermo
estoy demasiado despierto

estoy mucho más joven
que los que ya se murieron

existe la amistad entre hombre y mujer
es el amor

he echado barriga
pero mi tiempo me ha tomado

lo confieso
he tenido como tres amores platónicos

todo se va desenredando
pero a costa del ovillo

una pipa me tranquiliza*

---

* el tiempo suficiente para encender otra

sí señor soy {

monógamo
y me gusta usar mis corbatas una a una
hasta que se deshilachen

poeta en mis ratos de ocio*

perfeccionista pero no por vanidad
mis límites son los de mi perfección

rápido
pero puedo esperarlo

un gran lector de las líneas de la mano
pero me olvidé los anteojos

si su cola fuera su cabeza
la gallina sería un animal terrorífico

si te dan un lingote de oro
no lo uses como palillo de dientes

si todo puede ser referido a cualquier coordenada
¿por qué no llamarla dios de vez en cuando?

si tu {

oficio ha de ser podador hijo mío
lo más seguro será que lo ejerzas en el trópico

reloj pulsera es más exacto que el de la estación
no por eso serás nombrado ministro de transportes

---

* excusas de un desocupado

si un
{
cigarrillo se cae es que está terminado

hombre se ríe solo
hay que acompañarlo

rengo se ofrece para traerte agua
sí que debes agradecérselo
}

si una mujer te dice que es mala
hijo mío
me harás el gran favor de creerle

**si una persona corre con
una muleta en cada mano**
{
no es ella quien las usa

puede ser un torero
}

si uno
{
se deja afectar por la mufa banal
le viene la mufa esencial

toca con timidez
todo es duro
}

si usted
{
desea curar su impotencia no es aconsejable
que empiece su tratamiento a los 80 años

insulta a su mujer y ella no lo entiende
me temo que su matrimonio está algo incomunicado

quiere saber si ha triunfado en la vida
pregúntese si su presencia
era una fiesta para los otros
}

si Vivaldi escribió un concierto para tres violines
¿por qué yo no habría de casarme tres veces?

si yo {

ignoro algo
¿podría saberlo un personaje de mis sueños?

no tuviera manos
¿en qué cuencos bebería?

pudiera ordenar bien mis papeles
se formaría una obra maestra*

SI YO FUERA...

calvo
no besaría en el cuello a una adolescente

canoso
no andaría en bicicleta

chino
no tendría la coleta canosa

el tiempo dejaría que la fuerza de gravedad
lo arreglara todo

el viento
no le volaría 1 bufanda a una enana

enano
no fumaría cigarillos long size

---

* siempre que mis papeles fueran una obra maestra

fotógrafo
evitaría tener tos

gota
nunca caería

inmortal
tendría tiempo para llegar a ser famoso

jorobado
- andaría en bicicleta
  pero de carrera
- **no**
  - me encogería de hombros
  - sería abogado
  - usaría botas de pescador

manco
- no me arriesgaría a poner una carta en el buzón
- no me metería la otra mano en el bolsillo

muy petiso
me peinaría muy bien la coronilla

pirata no colgaría de mi garfio
un portafolio semiabierto

poeta
sería abogado*

psiquiatra
sería más Napoleón que nunca

---

* qué más extraña aventura para un poeta

SI YO FUERA... (conclusión)

realmente sabio
habría escrito este libro de un tirón

reloj
no aceptaría otra forma que la circular

vagabundo
no me dejaría enyesar un pie

si yo tuviera
{
barba no me dejaría sorprender
mordiéndome las garras

garras
usaría barba

un solo dedo en la mano derecha
no me rascaría con él la cabeza izquierda

siempre
{
admiré a los amigos que osaban criticarme
ahora me doy cuenta de que eran unos tontos*

consigo lo que quiero
de los demás pero no de mí

conviene tener
{
un médico ateo

un abogado católico

hay muchos taxis desocupados**

hay un pero
pero a veces no

---

* ¡mis defectos eran tan evidentes!
** en el lugar adonde uno quiere ir

SIGLO XVII

las capas más ampulosas
por los más imposibles pasadizos

SIGLO XIX

¿por qué todos los libertadores
comenzaron por esclavizar un caballo?

SIGLO XX

¿trabajar sobre lo que hay
trabajar contra lo que hay?

sin $\left\{\begin{array}{l} \text{anhelo no hay presente} \\ \\ \text{nostalgia no hay presente} \end{array}\right.$

sobre los jorobados llueve más

sobrevivo gracias a LOS LARGOS CORREDORES son para
SILBAR y pintar es lo mismo

el presente es inolvidable

hay dos géneros literarios { poesía

álgebra

me duelen la cabeza y los pies y las partes
del cuerpo que están entre aquélla y éstos

sólo

soy un servidor de mis biblioratos

un amigo
repugna repetir la misma confidencia

una mujer te ama en la cuna
hijo mío
las demás en la cama

sombra que veo
sombra que me parece mía

soñé que vencía al insomnio
quise ver si era cierto y me desperté

angustiado pero alegre

ateo { es decir no me hablo con dios

pero no ateo practicante

el hijo de mis propias sobras

esclavo de la tibieza de mis pasiones

juguete de las palabras

más bien honrado

soy {

partidario del verso libre
ni los coroneles nacen con uniforme

tan importante como Baudelaire*

tan lento para aprender
que ya no hay longevidad que me baste

valeroso con los hombres
ardiente con las mujeres
tierno con los niños
implacable con las cucarachas

vedette en un teatro de revistas**

---

* a juzgar por mis deudas
** literarias

soy un

ateo tibio

caño de espacio
por donde pasa un chorro de tiempo

cuerdo suelto

mal ateo

monógamo de mierda

híbrido de hijo de puta y gran poeta*

su cuerpo era un circuito de placeres
el mío de dolores

supuesto que

la música no me gustara
me gustaría cada una de sus notas

no me gustara escuchar música
me gustaría escuchar una guitarra

surjo del sueño como de una carrera desenfrenada**

---

  * declaraciones de un boy scout
 ** esto lo escribió mi viejo ya lo sé
      ¡pero yo lo he vivido tantas veces!

tachar es una letra

tacharé este ambage porque no lo entiendo

tanto {
    jode el gallo que al fin sale el sol

    joder con el tiempo
    uno se muere
}

TARDE PIASTE

    siempre le gano por varios cuerpos a mi despertador

te amaré hasta que se me gasten los puños de esta camisa

te dan una cama tendida
la puedes deshacer como te parezca
¿qué más quieres?

te dedico {
    este gemido

    todo lo que escriba
    en la nueva posición de mi escritorio
}

¿te despatarras en la soledad del taxi?

te han preguntado cómo te va
no por eso recites tu currículum

te juego { a quién muere primero

a quién resiste más viajes sin romperse*

te ofrecía todo de lo que era capaz
era profundo y pesado
tenía las tres virtudes de un buen cenicero

te prometí que nunca iba a morirme
hijo mío
para que aprendas a no creer en promesas

te prometo { toda mi adhesión
me dijo una estampilla

todo mi apoyo
me dijo mi cama

---

* apuesta con mi valija

cierta confianza en los violinistas italianos

el vicio de viajar en el 102

hambre
pero no ganas de comer

la gran tentación de dejar correr el tiempo

la impresión de que soy ateo

la nariz rara*

los nervios bien templados
y los templos bien enervados

tengo

para mí…
expresiones menos afectadas que "tengo para mí"

que hacer mucho equilibrio
para no caerme de bruces en el futuro

que poner más atención en mi biografía

tanta capacidad de trabajo
que nunca tengo nada que hacer

un par de anteojos para el sol
plegables instantáneos
y provistos de filtros hipersensibles**

urticaria y esquizofrenia

---

*   sensación de un payaso en vacaciones
** quiero decir los párpados

¡tengo una angustia y un dolor de muelas!

tenía

los dedos tan cortos
que no se le notaban los cortados

un estilo más enredado que un montón de perchas

teta vista ojo contento

THE MEDIUM IS THE MESSAGE

lo que el gallo quiere es cantar
el alba le importa un carajo

toda

conversación debería empezar
yo estoy desesperado ¿y usted?

luciérnaga quisiera ser relámpago

muerte es súbita

orden que consigas dar
puede que comience en un gran chambelán
pero termina siempre en un marmitón

vida es trunca
en tiempo o en dicha

todo

el tiempo que me hagas esperar
yo pensaré en otra mujer

es más o menos nada

este libro fue escrito en auto
en una esquina esperando la luz verde

gran amor
con el tiempo es chico

lo hago mal
pero lo archivo bien

lo que no se hace carne
se hace fantasma

lo que te sucede es sagrado
sale de tu libertad

llega
hasta el nacimiento

—te digo—
es un decir

viaje se hace en el punto de partida
después todo consiste en organizar el regreso

todo hombre

necesita en su vida una mujer para destruir
y otra para que lo destruya

siente alguna vez
el impulso de actuar como un dios
a Jesucristo le salió

tiene todas las calidades
lo que importa es en qué cantidades

todos {
    están callados
    yo digo cualquier cosa
    todos prorrumpen que está mal

    los que me llaman por teléfono
    están equivocados

total por morirse nadie se va a MORIR es que se te acaba
el tarro de tabaco y es domingo

¿TRASPOSICIÓN?

    dormía sobresaltado y me desperté profundamente

tres palomas caminando juntas
consideradas como un solo animal
son un animal terrorífico

tu lector más intenso es la hoguera
pero es el último

tu mayor triunfo hijo mío será
cuando se te desdibuje la cara de tu peor enemigo

tu peor derrota hijo mío será
cuando comprendas que siempre has de triunfar

tu vida es un museo escultórico de cuerpo entero
compuesto de cada una de tus situaciones

últimamente {
...desde que nací...

estoy mucho más serio*

ha pasado mucho tiempo

me levanto quince segundos antes
y hago pis mientras suena el despertador

ya no leo los clásicos
los improviso en sueños

un abuelo perjudica menos que un padre
pero a más gente

un ambage es un dibujo que se entiende

un bebé es un inválido rebosante de salud

un buen reflejo equivale a una buena transparencia

---

* decía un payaso moribundo

un décimo de segundo es un lapso tan pequeño
que pasa en un segundo

un día de estos les escribo un roman-fleuve

un enano
¿tarda menos en bajar del colectivo?

un escritor nunca sabe en qué momento
está escribiendo su propio epitafio*

un espejo ovalado es un reloj
cuya hora es la cara de quien lo mira

un filósofo cosmológico sostenía   ⎧ **aire**
que los elementos eran tres   ⎨ **agua**
                                     ⎩ **gaviota**

un gallo se coge una gallina
en menos de lo que canta un gallo

                   ⎧ es una malograda mano
un guante   ⎨
                   ⎩ frente a un espejo
                     ¿es un par de guantes?

_____

   * el mío
      ¿será en este momento?

un malo es un tonto eficaz

un manco { es uno que metió la mano en un bolsillo definitivo

no debería tener más que un hijo

un mate es una pipa que se enciende con agua

un momentito por favor { **en cuanto** { me vuelvan las ganas de vivir
me levanto

termine de rascarme
seguiré acariciándote

que mi simple vista
es bastante compleja

un paréntesis sin cerrar
acarrea interminables consecuencias

un poema { es bueno cuando cada una de sus líneas
puede servir de epígrafe a otro

es un lugar para vivir adentro

un teléfono es un despertador al que da cuerda
cada día una persona distinta pero siempre equivocada

un tipo lo suficientemente valeroso
sería inmortal

un ventilador es un reloj que adelanta bestialmente

un viejo compra un disco que perdió en su juventud
y cree que compró un disco nuevo

un zurdo al que le falta un dedo de la mano izquierda
¿es menos zurdo?

UNA COSA ES	Y OTRA COSA ES
admirar la catedral de Colonia	llevar con letra gótica la libreta del almacén
ayudar a una mujer a ponerse el abrigo	estrangularla
codiciar la mujer del prójimo	enamorarse de la que meramente está más cerca
derribar un hombre	derribar un tacho de basura
forzar una puerta herméticamente cerrada	forzar una puerta un poquito trancada
llevar en la mano un libro	llevar una caja de ravioles
llevarse por delante una piedra	llevarse por delante una sombra
no ser tibio	hacerse quemar
que te acompañe una mujer	que te acompañe un papel arrastrado por el viento
tener la mirada aguda	tener los ojos saltones
tener un estilo despojado	que la censura tache la mitad de tu libro que tu hijita te recorte los originales que una secretaria te salte la mitad del texto

una de mis   ⎰ ambiciones
                   poetizar en las fronteras medias de la boludez

                   especialidades
                   escupir en la arista del cordón de la vereda

una hoja de papel debe usarse de un lado
luego del otro como borrador
finalmente hecha un taco para equilibrar la mesa

una mujer te dio a luz
otra te cerrará los ojos

una paloma que camina detrás de un perro
no es forzosamente un perrito

una pipa es un mate que se enciende con fuego

una teoría es una facilidad del pensamiento que tiende
a ver en una idea la explicación de TODAS las ruedas
parecen iguales pero cada una rueda a su manera

una vez   ⎰ en la hoguera
                el peor libro arde con entusiasmo

                que comprendiste todo
                sólo te falta comprender tu muerte

uno
para empezar a contar no está mal

uno
{
nunca sabe si la gente es miope o adúltera

se emborracha por culpa de los abstemios

se tira un pedo
y el bosque responde con un trino

siempre se sacude bien
después de orinar con el pantalón nuevo

teme hacer las cosas pero muchas veces
es que las cosas temen ser hechas
}

usted
{
¿a qué hora prefiere que se le pare el reloj?

¿cómo consume su tiempo
por secciones* o en bloque**?

¿cómo usa su tiempo
al natural o forrado de música?

¿quiere saber si es un gran personaje?
piense qué clase de personajes
creen que usted es un gran personaje

¿se cambió de traje
o es otra persona?
}

---

* usted es un hombre práctico
   hará carrera
** usted es un romántico
   puede llegar a suicidarse

¿usted cree en

el horóscopo?
—no, porque soy de Sagitario

la imnaculada concepción?
—no la puedo concebir

la reencarnación?
—no, yo creo en las uñas encarnadas

—no, yo creo en mi tía Encarnación

la telepatía?
—no, yo no creo
—......
—¡no me grite!

los rastafaris?
—no, yo creo en los rastacueros

¿usted cree que usted mismo es un torpe*
o que la gente y el mundo son perversos?**

¿USTED QUÉ PREFIERE?

¿arder cruzado o paralelamente?***

¿asesinar un pucho por aplastamiento
por ahogo o por simple abandono?

¿atravesar un desierto infinito
o costear un muro infinito?

_____

*   usted es un hombre práctico
     hará carrera
**   usted es un romántico
     puede llegar a suicidarse
*** le preguntaba un leño a otro

¿comer sin ver lo que come
o ver sin comer lo que ve?

¿cortar la izquierda
o dejarse cortar por la izquierda?*

¿el confort o la gloria?

¿escribir la Divina Comedia
o echarse un buen polvo con Beatriz?

¿estar enfermo y por eso parecer viejo
o estar viejo y por eso parecer enfermo?

¿estar muerto entre los vivos
o vivo entre los muertos?

¿estirar las piernas o estirar la pata?

¿estornudar con la boca llena de cerveza
o llena de tallarines al pesto?

¿filmar una tortuga con ralentisseur
o su hermano siamés con teleobjetivo?

¿hurgarse los dientes con una uña
o saborear lo que esa uña extrajo?

¿la homeopatía o la homosexualidad?

¿los placeres de la mesa los de la cama
o los del sillón del dentista?

¿llegar a los setenta años sano y salvo o cano y calvo?

---

* conversación sobre uñas
  mantenida entre dos manos derechas

¿USTED QUÉ PREFIERE? (continuación)

¿no ponerse los anteojos y por eso
no poder ver a las jóvenes
o ponérselos y poder ver a las viejas?

¿pagar su prótesis peniana en mensualidades
o en sensualidades?

¿perder la vida o un botón?

¿publicar su obra maestra antes de morir o antes de nacer?

¿que le barran la basura encima
o ser barrido junto con la basura?

¿que lo afeiten después de muerto
o hacia el final de su agonía?

¿que lo atropelle una bicicleta
y lo lleven al hospital en ambulancia
o que lo atropelle una ambulancia
y lo lleven al hospital en bicicleta?

¿ser dios o ser un buen especialista en misticismo?

¿ser exprimido como un limón sobre un pejerrey
o ser devorado como ese pejerrey?

¿servir los manjares o recoger las sobras?

¿tener diarrea y no lavarse el culo
o estreñimiento y lavárselo bien?

¿tener la cabeza como una claraboya o como un sótano?

¿tener matriz infantil o testículos valetudinarios?

¿USTED QUÉ PREFIERE? (conclusión)

¿un auto demasiado chico
o una moto demasiado grande?

¿un calzoncillo limpio pero húmedo
o un calzoncillo sucio pero seco?

¿un cuadro de Fra Angélico
o un afiche de la Dirección Impositiva?

¿un mozo rengo o un barman manco?

¿un oculista ciego o un dentista desdentado?

¿un peluquero bicéfalo o un pedicuro monópodo?

¿un peine chico pero entero
o un pedacito de peine grande?

¿una ópera bufa o el ruido de la lluvia sobre las hojas?

¿una vieja riéndose o una muchacha bostezando?

VARIACIONES

el sexo de la mujer es una ventana
para mirar el universo
LÉON BLOG
    y hay que mirarlo con un periscopio
    que es el falo

los mismos átomos forman el cosmos y los seres humanos
DEMÓCRITO
    los que a mí me corresponden
    se aprietan entre sí muertos de miedo

l'on revient toujours à ses premiers amours
ÉTIENNE
    se copió de Edipo

es muy difícil guardar
prenda que otros codicean
JOSÉ HERNÁNDEZ
    más difícil es guardar
    prenda que otros codicean

vaca que cambia querencia
se atrasa en la parición
JOSÉ HERNÁNDEZ
    pero todas las vacas argentinas
    habían cambiado su querencia española

VARIACIONES (continuación)

el presente es la inserción de la eternidad en el tiempo
KIERKEGAARD
de manera que si lo que vos querés es tiempo
sólo te queda recordar o imaginar

los que hablan no saben y los que saben no hablan
LAO-TSÉ
yo me limito a ser breve

el amor es el deseo de engendrar en lo bello
PLATÓN
eso es la calentura che

no hay libro por malo que sea que no tenga algo bueno
PLINIO
y no hay algo bueno por bueno que sea
que no tenga algo malo
y esto malo a su vez algo bueno
¡al final todo es tan chiquito!

el hombre es la medida de todas las cosas
PROTÁGORAS
pero a las cosas el hombre les queda chico

las paredes oyen
RUIZ DE ALARCÓN
pero oyen como quien oye llover

pero les entra por una ventana
y les sale por la otra

VARIACIONES (conclusión)

life's but a walking shadow a poor player
that struts and frets his hour upon the stage
and then is heard no more
it is a tale told by an idiot
full of sound and fury signifying nothing
SHAKESPEARE
    hoy podríamos decir que la vida es un larguísimo film
    rodado por un aficionado y al mismo tiempo exhibido
    por una sola vez en una gran sala vacía
    pues todos los posibles espectadores
    están en otras tantas salas vacías
    rodando y exhibiendo otros films
    donde son extras las estrellas de los demás

vas viviendo y chocando contra tus propios límites
cuando eres viejo aprendes tu verdadera forma y además
que siempre quisiste vivir fuera de ella

ven conmigo acompáñame
le dice la hoguera al leño nuevo
y lo toma entre sus brazos

vendría bien una cama más horizontal

VERANO

    los interlocutores que hablan mucho y cerca
    son por lo menos refrescantes

VIDA MUNDANA

a partir de las cuatro de la mañana
se permite hurgarse la nariz

cuando la sección sociales anuncia que algo
sucedió a alguien de 90 años
generalmente no es el nacimiento

deberás elegir y aderezar los comensales
con el mismo cuidado que los manjares

en las medias lunas poner la manteca
del lado de abajo que es liso

la categoría de un hotel es directamente proporcional
al peso de sus bandejas para el desayuno

la robe de chambre puedes ponértela
mientras vas bajando la escalera*

prohibido dejar el peine en equilibrio inestable
sobre el borde del lavatorio

¿qué debe hacer un caballero cuando a una dama
se le pega un chicle en el codo?

si deseas conservar un moco entre los dedos
hazlo con la mano izquierda
por si debes tender la diestra a algún personaje

un marido no debe prorrumpir en ayes
que no pueda explicar con toda normalidad

viejo que silba no está desinflado

* este consejo sólo es aplicable
en el caso de que vivas en un dúplex

VIRTUOSISMO

pero tanto que no se note

Vivaldi transcribió en música las cuatro estaciones
Bach el curso del tiempo

¡vivan mis huesos!

vives adentro de una caja de tiempo
tú vas creciendo o ella se va achicando
hasta que se convierte en tu féretro

vivir es { elegir canteros y trabajar en ellos

temporalizar la culpa

vivo { acosado por una horda de hermanos menores

bajo el peligro inminente
de que me llamen por teléfono

        a acostarme
        para descansar de tanto dormir

        a las conferencias para escribir mis cosas
        mientras simulo tomar apuntes
voy
        graduando mis acciones según y conforme
        la proximidad de la muerte

        reduciéndome a dos o tres corbatas*

voy consiguiendo un buen pasar dijo EL TIEMPO está overo de
los moretones que le hacen LOS CAMPANARIOS hacen papilla
al TIEMPO de música oída tiempo ganado a los dioses

---

    *   en realidad
        con una basta para ahorcarse

y bueno pasaré el resto de mi vida
escribiendo lo que ya escribí*

y deberás ceñirte a la verdad lo más que puedas
hijo mío
sobre todo cuando tengas que mentir

y entonces {

        dios partió a España
        de un solo Tajo

        tomé la decisión fundamental
        meter los brazos bajo la sábana

y que Bach te guíe hijo mío a través
de la virginidad de cada mañana

¿y qué sé yo de la palma de mi mano?

y si aprendes a vivir en el vacío
hijo mío
después nada te costará morir

----

   * jódase
     por no ser un genio

¿y si el alba fuera ahora? piensa el gallo ciego y canta
todo EL TIEMPO sólo me alcanza para excusarme

¿y si la llaga está en el mismo dedo?

y sobre todo
hijo mío
has de ser moderado en el delito

y sólo
       desconfiarás de tu amigo
       hijo mío
       cuando veas que lo aplauden tus enemigos

       dirás que estás perdido
       hijo mío
       cuando debas elegir entre dos traiciones

       serás hombre
       hijo mío
       en la medida de tu objetividad

y una vez que hayas resuelto el problema de la mujer
hijo mío
sólo te quedará el de la muerte

escribiré otro poema
cuando tenga de qué quejarme

estoy aprendiendo a escribir
pero todavía no sé leer

lo he comprendido todo ahora necesito
volver a confundirme

me van quedando pocas situaciones a mi medida*

ya

ni me acuerdo quiénes son los que se murieron

pocas cosas me mueven
muchas me aquietan

que usted no sabe que soy poeta
le hago saber que soy abogado**

voy juntando demasiados dolores

doy abasto para atender a todos los que me aman***

me caben más neuróticos

ya no

me interesa ni el asiento de la ventanilla

sé cómo poner coto a mi sobriedad

tengo fuerzas más que para irme

---

* decía y se compraba un traje de confección
** ¿quiere que le tramite su testamentaría?
*** delirio de un abandonado

yo como puedo voy haciendo
lo que mis versos van diciendo

yo desciendo de mis hijas

yo duermo con un pie afuera de la cama
apoyado en el piso y con el zapato puesto

yo escribiría una obra maestra
si sólo tuviera que escribir el índice

**yo he pasado malos momentos
pero siempre he sabido**

$\left\{\begin{array}{l}\end{array}\right.$

circunstancias
estar a la altura de las

guardar la $lín_ea$

mantener mi niv_el

yo no
- he perdido nada salvo la vida

- me emborracho y menos con tontos

- necesito un despertador sino un levantador

- puedo dormir sin un peso en los pies*

- soporto las cosas que siempre
  están amenazando con acabarse**

- sabía qué era esa luz
  hasta que el trueno me lo dijo

  sé
  - cómo la tierra puede soportar
    el peso de una hoja seca que cae

  - si soy poeta
    pero de algunas cosas me doy cuenta

  soy
  - católico*** practicante****

  - sadomasoquista decía llorando
    mientras golpeaba con furia a su mujer

yo publico en seguida
el tiempo me transforma todo en una estupidez

yo quiero
- que me entierren en mi bóveda craneana

- ser un especialista en todo

---

    * decía un ahogado
   ** elipsis de un mortal
  *** eso no sería muy católico
 **** ni tampoco sería muy práctico

Yo Siempre Escribo dios Con Mayúscula

yo siempre he hecho un culo de la amistad

yo sólo
{
hablo de lo que entiendo
dijo un mudo

puedo cagar con los ojos cerrados*
}

yo soy mi agenda

**yo también
soy campanario**
{
pero el tiempo me golpea constantemente
no cada cuarto de hora

pero no de campanas sino de oídos
}

yo tengo una aguja
en un pajar

yo veo
{
bajo el agua
pero sólo veo agua

en la oscuridad
pero sólo veo oscuridad
}

yo y/o yo

* hay un espejo frente a mi inodoro

¡ZAS!

basta que a uno le sobre el tiempo y ¡zas!
todos los semáforos se ponen verdes

ya empezaban a conocerme en la tierra como escritor
y ¡zas! me colonizan la luna

ya estaba por ser inmortal
cuando ¡zas! me resfrié

sólo escribiré cuando sea
   realmente necesario
escribí
y eso fue lo último que escribí

[BIO-BIBLIOGRAFÍA]*

* La siguiente Cronología, toma como base la realizada en el *Diario de Poesía*, (Buenos Aires, año V, nº 20, 1991), pero ha sido considerablemente ampliada. Por el posible valor documental que registren para futuros estudiosos de la obra de Fernández Moreno y por la dificultad de ubicarlas, se ha decidido recoger en ella algunas de las muchas reseñas periodísticas, aparecidas en diarios y revistas con motivo de la publicación de los diferentes libros del autor.

1919

César Fernández Moreno, primer hijo de Dalmira López Osornio (la Negrita, perteneciente a una familia tradicional criolla) y de Baldomero Fernández Moreno (poeta laureado descendiente de españoles), nace el 26 de noviembre en Buenos Aires.

A estas alturas de mi crónica aparezco yo, en muy correcta transición desde las entraña de mi madre. Pido disculpas al lector por mi tal vez molesta intromisión, pero la verdad es que, al nacer, comienzo a ver con mis propios ojos. He nacido, aparentemente, en la ciudad de Buenos Aires, pero realmente en el mundo fantástico de mi padre.

Fernández Moreno, César, *La realidad y los papeles.*
Panorama y muestra de la poesía argentina,
Madrid, Aguilar, 1967.

[En una carta a Enrique Amorim, Baldomero le escribe diciéndole que] "César pasa su siesta en la casa vieja. Se ha acostumbrado al muro oscuro, a los naranjos de oro, al olor claustral del vetusto caserón. Está por cumplir los dos años". Heme ya en contacto, siquiera indirecto y epistolar, con quien alguna vez llamé mi segundo padre, el contrapunto del que Dios me había dado. Mi padre Baldomero era austero, español en sus hábitos, casi moruno. Le gustaba recogerse en su casa, se negaba a colocar teléfono en ella, me recluía en un círculo de amor que no por ello significaba menos reclusión. Mi otro padre, Enrique, era exactamente todo lo contrario, tal vez porque no era mi padre biológico, sino mi padre amistoso. Pero de hecho, para mí, Enrique era el padre estrictamente contrario a Baldomero. Enrique me impulsaba a adelantarme a mi edad; me ofrecía y me exigía la aventura en vez del hogar, el mundo entero en vez de la aldea española, la libertad en vez de la obediencia, la vida en vez de la letra, el valor en todos los terrenos donde la vida lo exige de los hombres.

Fernández Moreno, César, *La realidad y los papeles.*
Panorama y muestra de la poesía argentina, op. cit.

1924

Luego de una alternancia entre Chascomús, Huanguelén y Buenos Aires, los Fernández Moreno se instalan definitivamente en esta última ciudad.

[Cuando Baldomero Fernández Moreno abandona la medicina, decide radicarse en Buenos Aires.] Naturalmente, he sido trasladado a la ciudad junto con él y su poesía. Soy ya un hombre de seis o siete años: estoy viviendo mi infancia, no añorándola como él. Debería haber empezado a añorarla: también para mí se acabó la libertad de su época sencillista. Voy viendo a mi padre más claramente. Me toma mis primeras lecciones de historia argentina; finge que se pone de parte de los españoles. ¿Finge? Me indigno. [...] Dulce o iracundo, era más fuerte que yo, era más fuerte que todos. Yo estaba de parte de mi madre. Pero cuando las cosas pasaban exclusivamente entre él y yo, estaba de parte de él.

Fernández Moreno, César, *La realidad y los papeles.*
Panorama y muestra de la poesía argentina, op. cit.

El clima intelectual de mi casa y de mi infancia fue, desde luego, regulado por mi padre en su época que he llamado "formal" (1924-1937, de mis cinco a mis dieciocho de edad): las cátedras de literatura, los clásicos castellanos, la poesía medida. Mis primeras lecturas fueron: la colección Araluce (las grandes obras adaptadas para los niños), el Quijote y la picaresca originales y, ya más grande, las novelas de Julio Verne. Sí, en ese orden. Escuela primaria: hasta quinto grado, con "maestra en casa", ya que la escuela pública era considerada peligrosa por mi padre, por contagio posible de enfermedades infantiles y de compañías inconvenientes. Escuela secundaria: afortunadamente, uno de los colegios más reos, de Buenos Aires, el "Mariano Moreno", donde por cierto mi padre era profesor. Sintetizando, él fue el único "autor decisivo" en mi formación literaria: toda mi infancia y adolescencia es, en ese sentido, un continuo "episodio de formación literaria".

> Fernández Moreno, César, en el fascículo homónimo incluido en el volumen VI de la *Historia de la literatura argentina*, Buenos Aires, Centro Editor de América Latina, 1982.

1926

Nacimiento de su hermana Dalmira, que morirá un año más tarde.

Cuando [Baldomero] me hacía participar en sus caminatas, yo me agotaba. Andábamos y andábamos hasta que yo perdía la conciencia. Más de una vez la recuperé para encontrarme solo entre la multitud. Angustia, pánico. Pronto, él salía de un zaguán cualquiera donde se había ocultado de intento. Era una broma. Mucho después, he comprendido de qué manera irresistible los débiles exigen a los fuertes que abusen de su debilidad. Pero él reaparecía, la caminata terminaba, volvíamos a casa y ya llevaban la sopa a la mesa.

Frecuente punto de recalada en estas caminatas era el Richmond de Florida, en cuyos grandes sillones yo me despatarraba con total satisfacción, donde bebía enormes vasos de leche fría con crema, y donde, por entonces, ¡regalaban juguetes! (después me he enterado de que los regalaban pa-

ra crear un ambiente familiar y disipar versiones de... disipa-
ción, que hubieran hecho peligrar la prosperidad del profundo establecimiento). En el Richmond mi padre solía encontrarse con figuras que para mí formaban parte,
simplemente, del inexpresivo mundo de las personas mayores, pero que resultaban ser, a veces, figuras prominentes del
mundo litrario de Buenos Aires, por entonces mucho menos
extenso, más fácilmente definible que ahora. Fue así como
un atardecer me encontré sentado en la misma mesa que Alfonsina Storni. Alfonsina era pequeña, pero tensa; cara redondeada, no bonita, pero sí muy atractiva, pues en ella chis-
peaba la viveza de sus ojos y la frecuente franqueza de la risa.
Su cara era una incitación a no tener miedo, una evidencia
de libertad. ¿De qué hablaron? ¿Qué bebían? No lo sé. Yo
atacaba metódicamente un helado.

> Fernández Moreno, César, *La realidad y los papeles.*
> *Panorama y muestra de la poesía argentina, op. cit.*

1927

Nacimiento de su hermano Ariel.

1928

Nacimiento de su hermano Manrique.

La vida me iba dando recoletos inviernos en Buenos Aires,
sabrosos veranos en Chascomús. [Baldomero] viajaba a Buenos Aires para tomar exámenes. Era prometedor que se fuera, a la tardecita, en la vieja victoria de Signorini; había una
expectativa de irresponsabilidad en la férula tolerante de mi
madre: ella exigía menos en todo sentido, estaba asegurada
la libertad a la hora de la siesta. Pero pasaban los días, y era
prometedor que él volviera.

   Volvía después de la cena [...] Íbamos todos a buscarlo;
yo en mi bicicleta, observando cómo la cubierta de adelante,

nueva, rodaba dejando huellas más detalladas que la de atrás. El tren llegaba y era una lotería adivinar de qué vagón descendería. Se esperaba tácitamente que trajera algo. Por lo general, no traía nada. Pero su venida daba fuerza a las cosas.

Fernández Moreno, César, La realidad y los papeles.
Panorama y muestra de la poesía argentina, op. cit.

1930

Nacimiento de su hermana Clara.

1935

Con los dos textos que componen "Laguna de Chascomús", obtiene el segundo premio del concurso de sonetos organizado por la revista *Aconcagua*. "A una rama de plátano" recibe un accésit en el mismo concurso. Ambos poemas serán más tarde incluidos en *Gallo ciego*.

1937

Muerte de su hermano Ariel.

Comienza a estudiar Derecho.

De 1937 a 1947 yo fui un "adicto" a la seudogótica facultad de derecho de la calle Las Heras, donde por cierto me enseñaban el derecho romano, el código Napoleón y otros liberalismos, y del "socialismo" una legislación que ni siquiera era reconocida como "derecho del trabajo".

Fernández Moreno, César, carta dirigida a Eduardo
Romano, reproducida luego por este último en "Un
intercambio epistolar", Diario de Poesía, Buenos Aires,
año V, n°20, octubre de 1991.

Comienza a trabajar en la Municipalidad de la Ciudad de Buenos Aires donde a través de los años, con intermitencias, cumplirá con los distintos pasos hasta alcanzar los últimos peldaños del escalafón municipal.
Conoce a Leopoldo Lugones.

Horacio Quiroga bebe su cianuro en 1937. Allí estoy yo, en su entierro, junto con mi padre. Tengo diecisiete años y hago bromas sobre la ceremonia fúnebre: que las manijas del ataúd, que los sepultureros. Mi padre me dice o me hace comprender que no por hacer bromas dejaré de estar angustiado por esa muerte, por la muerte.

No hago más bromas y subo a un automóvil donde suben también varias otras personas. El automóvil se pone en marcha, detrás del carruaje fúnebre. Entre las personas que van conmigo, hay alguien muy especial. No es grande de tamaño. No es dominante en sus modales. Diría que está vestido de marrón claro, usa anteojos con montura metálica muy delgada. Pero sucede que dentro del automóvil habla él, sólo él. Es decir, no: los otros también hablan, pero parece que sólo importa lo que él dice. Es como si el automóvil fuera un organismo único, y su corazón esa persona. Es como si el automóvil fuera un profundo aljibe, y la resonante superficie del agua, en el fondo, fuera esa persona.

Era, claro, Leopoldo Lugones.

Fernández Moreno, César, *La realidad y los papeles.*
Panorama y muestra de la poesía argentina, op. cit.

1938

Se recibe de escribano, profesión que ejercerá hasta 1944.

1940

Publica *Gallo ciego*, primer volumen de poemas, que recibirá un Premio Municipal.

Esta colección debió aparecer hace tres o cuatro años, con el nombre de "Examen de ingreso", anunciado en el nº 1 de la 2ª época de la revista *Nosotros,* pero circunstancias ajenas a la voluntad del autor le han impedido salir a la luz hasta hoy, 30 de octubre de 1940, día en que se ha terminado de imprimir, con otro título, algún poema más y alguna puerilidad menos, en la imprenta Mercatali, avenida Acoyte 269, ciudad de Buenos Aires.

Fernández Moreno, César, en el Colofón
de *Gallo ciego,* Buenos Aires, 1940

En 1940 tenía yo veinte años, pero era todavía el habitante de la familiar torre de marfil que mi padre había erigido para poner su vida transmarina al imaginario nivel de su frustrada vida española. Desde ahí, él avizoraba y descubría los intensos desiertos de esta su patria natal: yo resultaba el primer guardián y también el primer prisionero de esa torre donde, hasta entonces, había aceptado de todo corazón vivir aislado de mis coetáneos. No recuerdo qué forma del azar me vinculó con ellos, ese mismo año 1940. Todos me impresionaron grandemente. ¿Había, pues, otro universo que no era mi casa? Yo había leído, sí, a Baudelaire, a García Lorca, pero un poco como quien lee a Julio Verne. La realidad real, a la hora de las palabras, no estaba para mí en libro alguno, sino en esa personalidad que convivía conmigo bajo la forma de padre, hermano, amigo, mundo. Necesitaba crecer, ponerme al día, y sentía que la entrada en el inquietante conciliábulo me permitía asimilar de un bocado todas las madureces. A falta de anteriores vivencias personales, debí incorporar las de mis coetáneos por otras vías; la primera fue forzar mi comprensión intelectual del nuevo grupo. Por entonces leí en *Literatura española siglo XX*, de Pedro Salinas, un estudio sobre la generación española de 1898, apoyado en las teorías del alemán Julius Petersen. Y resolví que nosotros éramos también una generación. Por supuesto, no fui el único ni el primero en resolverlo, pero lo hice, tal vez, con más fervor que cualquiera: la resolución tenía particular importancia para mí. Bajo el lema orteguiano que proclama "la delicia de intentar comprender", comencé a estudiar mi generación, a explicármela y explicarla, y también a promoverla a favor de la buena posición que en la política literaria me suministraba mi filiación; todo ello con una demasía de catecúmeno. [...]

Nos veíamos en los cafés del centro, y habitualmente en lo de Daniel Devoto, en la entonces calle Victoria, al 3700. Devoto, con su gran piano apoyado en su gran biblioteca, con su gran barba apoyada en su gran ingenio. Juan Rodolfo Wilcock paseaba su infantilismo sospechoso de genialidad. Basilio Uribe sonreía, meditativo y un sí es no es desdeñoso. Eduardo Jonquières ni siquiera sonreía. Y los que llegaban de provincias: Alfonso Sola González, envuelto en el halo brumoso de su Casa muerta; José María Fernández Unsain que, contrariamente, se acriollaba para pronunciarse contra todo fácil rilkeanismo: "Yo construyo sin ángeles afuera...".

Enrique Molina y Miguel Ángel Gómez, según decían, habían compartido la España de preguerra con sus grandes poetas. Eran algo mayores que yo en edad, y mucho en experiencia. Sabían de mujeres, de vino; parecían dar por supuesta, en sí mismos y a su alrededor, una general actitud de rebeldía. Enrique había renunciado a ser *Enriquito Molina Massey,* como todavía lo llamaban unas primas mías; le faltaba una materia para recibirse de abogado y nunca la daba; hablaba con voz densa, cantante; proliferaba fantásticos dibujitos [...].

Algunas veces arrastré el equipo hasta la casa que contra su voluntad habíamos comprado a mi padre, en el barrio de Flores. Recuerdo a Olga Orozco, sentada en el ángulo más oscuro del comedor, recitando *Residencia en la tierra.* Entonaba los versos con unción, apoyada en su cuerpo tenso y sus ojos claros en cara morena.

> Fernández Moreno, César, *La realidad y los papeles.*
> *Panorama y muestra de la poesía argentina, op. cit.*

Comienza a colaborar regularmente con la revista *Nosotros;* allí publica el ensayo "Enrique Méndez Calzada en el cinematógrafo" (nº 52-53).

1941

Editorial Fontefrida, dirigida por César Fernández Moreno, publica *El alegre ciprés* y *Romance de Valle Verde*. Publica *La mano y el seno*.

En el n.º 54-63 de la revista *Nosotros,* Oscar Bietti publica la reseña "Revelación de un poeta", a propósito de *Gallo ciego*.

Reseñas cinematográficas de Fernández Moreno en *Nosotros: El cura gaucho* y *Los martes orquídeas* (n.º 64); *Veinte años y una noche,* de Alberto de Zavalía, y *Yo quiero morir contigo,* de Mario Soficci (n.º 65); *El ciudadano,* de Orson Welles (n.º 66); *El diablo y miss Jones* y *Mi vida con Carolina* (n.º 68).

1942

Editorial Fontefrida publica *La palma de la mano*.

Reseñas cinematográficas en *Nosotros:* "Cine arte en su casa", "La guerra y el arte" y *Sus tres amores* (n.º 73); *Su primer amor,* de Ernesto Arancibia (n.º 76).

1943

Período en que C.F.M. realiza una activa promoción de la generación del 40. Discute, justifica y, sobre todo, publicita a sus contemporáneos en cuanto medio está a su alcance.

En su *Breve informe sobre la nueva poesía argentina,* aparecido en la revista *Cabildo,* había caracterizado las actividades poéticas de sus pares y las propias en los siguientes términos:

> Se exalta, estudia y desarrolla apasionadamente todo lo criollo y se incorpora equilibradamente a la obra de arte, tanto a su esencia como a su lenguaje. Sus consecuencias particulares son: amor a la tierra, desarrollo de nuestras tradiciones, exégesis de todo lo vernáculo con posibilidades de universalización.

> Fernández Moreno, César, "Breve informe sobre la nueva poesía argentina", en *Cabildo,* 22 de agosto de 1943.

A propósito de la existencia de una generación, Fernández
Moreno se atiene, en principio, a los criterios de Petersen, que luego él mismo se ocupa de discutir. Según Luis Soler Cañas,

César Fernández Moreno le da estado formal a la joven generación (del cuarenta) en su "Breve informe sobre la nueva poesía argentina" [...] Es verdad, dice que la promoción
a la que pertenece se encuentra en la primera etapa generacional, de lucha, de combate por sobrevivir, por llamar la
atención de la sociedad —brindada hasta entonces a la generación anterior—, pero también es cierto que a continuación
procura hallar dentro de la nueva poesía argentina los caracteres que según Petersen "debe reunir una generación literaria para ser verdaderamente tal". Luego de ese examen se
arriesga, según sus palabras, "a sacar de este montón de hechos y de nombres algunas características generales de la generación". Para él son tres: ausencia de prejuicios sobre el arte, argentinismo y el arte como expresión integral del
hombre. Ese mismo año C.F.M. vuelve sobre el tema, esta vez
con mayor extensión en la revista *Nosotros*. El apartado IV de
ese trabajo se titula, significativamente, "¿Existe una nueva
generación?". Allí, si bien expresa que "resulta aventurado
afirmar la existencia de una joven generación de poetas argentinos", recuerda que en otras oportunidades ha procurado referir a dicha presunta generación las siete condiciones
petersenianas y dice que "los resultados obtenidos, afirmati-
vos en general, sólo autorizan a creer en una nueva generación argentina en el primero de los sentidos caracterizados:
unión de un grupo de jóvenes para ganar el centro de la actividad literaria de su medio". Añade que el talento de los jóvenes poetas "se admite y se sigue con interés", pero que su
evolución no ha concluido, que "ninguno de los componen-
tes de la hipotética generación ha llegado aún a su definitiva
madurez" y que "todavía no podemos ver muy claramente si
las causas de nuestra unión eran algo más que esa lucha".

Soler Cañas, Luis, "Creencias y descreencias en la
generación del 40", en *La generación poética del 40*,
Tomo I, Buenos Aires, E.C.A., 1981.

Colaboraciones para *Nosotros:* reseña a *Éste es el campo* de José María Fernández Unsain (nº 82), homenaje a Alfredo A. Bianchi (nº 85-87); "Informe sobre la nueva poesía argentina" (nº 91, más tarde reproducido en *Correio Popular,* San Pablo, Brasil, 26 de noviembre de 1944), reseña a *Fábula encendida,* de Carlos Alberto Álvarez (nº 92); noticia de la muerte de su amigo Jorge Eduardo Bosco (nº 93).

Publica el breve ensayo "La poesía de Vicente Barbieri" en la revista *Sur* (nº 110), donde comienza a colaborar regularmente.

Su actividad es febril y, a lo largo de la década, lo llevará a colaborar con poemas y ensayos en muchas de las publicaciones emblemáticas de la promoción del cuarenta: *Ángel. Alas de poesía, Canto. Hojas de poesía, Contrapunto, Huella* y *Verde Memoria,* entre otras.

1944

En enero, visita a Pablo Neruda en Isla Negra.

En enero de 1944 pongo un paréntesis a mi "continuo vivir" argentino y voy a Santiago de Chile. [...] Y me resolví a visitar a Neruda en su casa de Isla Negra, la que él se había pagado con su poesía. Baje de la góndola (autobús o colectivo) bastante antes de llegar, como para demorar el encuentro. Caminé entre los árboles ascendentes, descendí los enormes barrancos hasta la playa, seguí caminando pesadamente sobre la arena calcinada, junto al mar. Distinguí la casa, subí hasta su emplazamiento, y espié por un ventanal: adentro estaba Neruda, almorzando con unos amigos. No me animé a llamar en ese momento, y volví a la playa. En una cabaña de pescadores comí unos mariscos monstruosos, intimidatorios para mis modales de joven ciudadano. Pero el café sí que lo tomé en la casa de Neruda, y pasé toda la tarde con él. [...] Le pregunté qué opinaba sobre el lúcido libro que Amado Alonso acababa de publicar sobre su *Poesía y estilo.* —Es como si lo miraran a uno hacer la digestión —dijo.

Fernández Moreno, César, *La realidad y los papeles.*
Panorama y muestra de la poesía argentina, op. cit.

Se casa con María Mercedes López de Gomara.

Desde entonces [1944] hasta 1950 viviré otro período adqui-
sitivo o "yang", cuya influencia preponderante es nuevamente la de mi verdadero padre: Baldomero vuelve a ser mi modelo, a pesar de que padece durante este lapso una recaída
—más tenue, pero más persistente— de la depresión nervio-
sa que su poesía denominó y superó en la imagen de "penumbra". Por lo pronto, procuro incorporar mi recién crea-
da familia a la casa paterna del barrio de Flores; cuando la
tentativa falla y debo retroceder a mi retiro platense, trato in-
conscientemente de reproducir allí el esquema hogareño-lí-
rico que vivió Baldomero en el Chascomús de los años 20.
Durante esta época de aislamiento adquiero mi experiencia
de hombre casado y de padre; incorporo una tercer capa de
cultura (la primera me la había transmitido mi padre en la
infancia; la segunda, mi forzada generación; en esta tercera,
la universidad me engaña y Aldous Huxley me dice la verdad).

> Fernández Moreno, César, "Correo entre
> mis dos padres", conferencia pronunciada
> en Amigos del Arte (Montevideo), a cinco años
> de la muerte de Enrique Amorim, más tarde
> contenida en ¿Poetizar o Politizar?,
> Buenos Aires, Losada, 1973.

Un nuevo golpe lo hunde [a Baldomero], desde 1944 y ya
para siempre en esa Penumbra que describió en el prólogo
de su libro decisivo: "Sombra parecida a la que hacen las ramas sobre los muros o las nubes sobre las aguas. Menos aún.
Verdadera penumbra, en que todo se anega y naufraga"
[...].

Comenzó a envejecer, la desdicha y el insomnio ayudando a los años. Dejó de ser mi hermano y se volvió mi hijo. Yo lo visitaba en el sanatorio donde lo había puesto, y me
alejaba presuroso al atardecer. Mis pasos hacían crujir la grava del sendero en cuyo fondo se achicaba su figura vacilante.
Lo vi volver a casa, recuperar a ratos su buen humor, su his-

pánica facundia, su carcajada feroz. Pero ya había renunciado, se había acogido para siempre a la penumbra.

Fernández Moreno, César, *La realidad y los papeles.*
Panorama y muestra de la poesía argentina, op. cit.

Con el sello del Instituto Municipal de Extensión Artística, la Municipalidad de la Ciudad de Buenos Aires publica *Vida de la mujer de Martín Fierro.*

La Editorial Emecé, en su colección "Buen Aire", publica *Julio Verne y América,* con selección, prólogo y glosas de C.F.M.

Reseñas en la revista *Sur* a *La aventura y el orden,* de Guillermo de Torre (nº 117), a ¿*Quién es Ulises?,* de Carl Gustav Jung (nº 120), a *Marcel Proust; juventud-obra-tiempo,* de León Pierre Quint (nº 122).

1945

Nacimiento de su hija Marcela. Los Fernández Moreno se instalan en La Plata, donde permanecerán hasta 1948.

Reseñas en *Sur* a *Antes que mueran,* de Norah Lange, y a *Journeaux intimes,* de Charles Baudelaire (nº 123), a *Las ilusiones, con los poemas de El Convaleciente,* de Juan Gil-Albert(nº 125), a *Églogas y fábulas,* de Rafael Alberti (nº 133), a *Les impostures de la poésie,* de Roger Caillois, (nº 135).

1946

La editorial del Centro Asturiano de Buenos Aires publica *Pelayo y los románticos.*

Publica en *Sur* reseñas a *Después del olvido,* de César Rosales, y a *Quatre poèmes,* de Saint-John Perse (nº 137), a *La cabellera oscura,* de Clara Silva (nº 141), a *Biografía de Gabriela Mistral,* de Norberto Pinilla (nº 144), a *El surrealismo entre Viejo y Nuevo Mundo,* de Juan Larrea (nº 145), a *Trabajos,* de Georges Navel (nºˢ 164-165).

Publica en el nº 5, año V de la revista *Cuadernos Hispanoamericanos,* de México, el artículo "Poesía argentina desde 1920".

1947

Nacimiento de su hija Inés.
Se recibe de abogado, profesión que ejercerá hasta 1966.

1950

Unos días después del 13 de junio de 1950, fecha en que recibe el Gran Premio de Honor de la Sociedad Argentina de Escritores —que, en rigor, le había sido concedido un año antes— muere Baldomero Fernández Moreno.

Veinticuatro días después, en la esquina de Callao y Córdoba, tomé el colectivo 232. Media hora de viaje hasta su casa en Flores. Iba a ser al revés, él iba a viajar media hora hasta el centro, para ir al teatro con Raquel Colombres y Mario Trejo, poetas y amigos de sus hijos menores. Pero no alcanzó a salir. Debo decir las cosas: lo vi por última vez. Ejercía frente a mí el definitivo acto de paternidad. Moría. "Viene la muerte y todo lo bazuca", como decía Quevedo y él solía repetir. Lo vi morir. ¿O me quedé dormido? ¿No ven? Ya ni me acuerdo. De esta manera quedé huérfano y pasé a ser el principal personaje de mi vida. Se me daba a la inversa la situación de él antes que yo naciera. Ahora ya no era mi padre, ni mi hermano, ni siquiera mi hijo. Así como antes de nacer yo estaba en él y era él, ahora él estaba en mí y era por fin yo mismo. Era una variante de mí mismo, aparentemente en un pasado irrevocable, pero tal vez en un futuro que de alguna manera yo podría realizar, así como él me había realizado a mí.

Fernández Moreno, César, *La realidad y los papeles.*
Panorama y muestra de la poesía argentina, op.cit.

Entre 1950 y 1955 vivo un período de desintegración familiar y política que, poco a poco, va cambiando su signo de sustracción por el de adición. Por lo pronto, me despierto unido vital y poéticamente a la nueva generación que ha empezado a actuar en mi país, que es la de mis hermanos diez años menores. Inicio, y ya era hora, una actitud rebelde hacia la literatura oficial que hasta entonces me había aplaudido como correcto hijo de mi padre. Tomo contacto con los elementos de la izquierda político-literaria, especialmente con el grupo de la revista *Contorno,* que Enrique [Amorim] me señala reiteradamente, y cuyo maestro Ezequiel Martínez Estrada es también el mío a partir de esta época. Exploro diversos caminos laterales para mi actividad literaria, procurando asumir los medios de comunicación de masas: periodismo, radio, televisión, cine.

> Fernández Moreno, César,
> "Correo entre mis dos padres", *op. cit.*

La zarandeada generación del cuarenta fue promovida por mí más allá de toda elegancia: es que, con todos sus defectos y todas sus impotencias, fue para mí el primer sas (no encuentro equivalente en español a esta palabra francesa de ciencia-ficción. Cámara o compartimiento, según define el Larousse, munido de dos puertas estancas "que permiten poner en comunicación dos medios en los cuales las presiones son diferentes") que me permitió dar un paso hacia afuera de mi padre. El otro sas fue mi primer matrimonio, en 1944. La salida al espacio exterior no me fue posible hasta la muerte de ese padre (1950) y la destrucción de ese matrimonio (1955).

> Fernández Moreno, César, en el fascículo homónimo
> incluido en el volumen VI de la
> *Historia de la literatura argentina, op. cit.*

1951

Dicta un curso sobre "La poesía argentina de vanguardia" en la Universidad de Chile. El mismo serviría como base para el trabajo posterior publicado por Rafael Alberto Arrieta (*cf.* **1959**).

Durante ese mismo año, junto con León Benarós y Alberto Ponce de León, Fernández Moreno comienza a publicar la revista *El 40,* dirigida por Dora S. de Boneo. Se trata de un *"órgano común y representativo de los poetas y escritores de nuestra promoción y no sólo de éstos, sino de todos los que, por razones de convivencia personal o por incentivos puramente éticos, se sientan obligados a nuestro movimiento".*

1952

Publica el ensayo "La cuestión de las generaciones", en la revista *El 40* (año I, nº 3).

Publica el artículo "Güiraldes y el ultraísmo" en el diario *Clarín* del 14 de diciembre de 1952.

1953

Publica el artículo "El sencillismo y el ultraísmo" en el diario *Clarín* del 15 de marzo de 1953.

La editorial Losada publica *Veinte años después.*

Después de un silencio prolongado por más de una década, César Fernández Moreno ha reunido en *Veinte años después* varios poemas escritos desde 1941. Tres partes o tres libros como los denomina su autor, componen este volumen incluido por la editorial Losada en su colección de "Poetas de España y América". El primero, con el título mismo de la compilación, parece reunir las últimas —cronológicamente— de estas composiciones. Las dos restantes, "Hacia" y "Hombre entre dos hijas", contienen versos escritos entre 1941 y 1948, durante un lapso donde el autor de *Gallo ciego* prosigue cultivando las tendencias y las formas que ya se encontraban en aquel libro inicial, aunque no parezca madurar en los restantes las proezas que era posible prenunciar en *Gallo ciego.* En sus últimas composiciones, que forman la primera parte de este nuevo libro, su autor se ha decidido por otras formas de expresión más libres y menos ceñidas también, donde no se pueden encontrar con tanta ni tan bienvenida frecuencia los "espejados tesoros de ternura" que tan profunda vibración prestaron a las página de aquel libro de iniciación.

> Sin firma. Reseña a *Veinte años después*, en el diario *Clarín*, a poco de la publicación del volumen.

Inicialmente Fernández Moreno escribe desde una actitud poética inmediata a la palabra: experiencia y lenguaje, en sus libros de la juventud, no se modifican mutuamente. Pero de una elaboración de poemas, Fernández Moreno se trasladará a la aventura de un proceso poético, descubriendo en este canje la pluralidad verbal en la ambigüedad de la experiencia. Lo que externamente parece ser el cambio de una opción neoclásica por otra más moderna o coloquial, es en el fondo, en la elaboración, el descubrimiento de las aperturas de la propia experiencia en el lenguaje antitradicional. *Veinte años después,* sobre todo en la tercera secuencia que da título al libro, empieza a mostrar esta vuelta de tuerca del manejo verbal: la actitud poética ya no asume la palabra con la inicial confianza, sino que busca el testimonio precisamente en el revés de esa confianza; son poemas que anuncian poesía que se encara en el otro lado del espejo, desde el azogue, donde se revelarán mayores posibilidades de mostrar la realidad, su testimonio en el solitario teatro de una voz que se libera.

> Ortega, Julio, "Nota sobre Fernández Moreno", en *Figuración de la persona*, Barcelona, Edhasa, 1971.

1954

Junto a su hermano Manrique, Ramiro de Casasbellas, Juan Diego Vila, Miguel Brascó, Jaime Alberto Barceló y Eduardo Dessein, César publica la revista *Correspondencia*. Su presentación tiene lugar, a través de un *happening*, en el ciclo *Las revistas literarias hoy*, organizado por Betina Edelberg en la Sociedad Argentina de Escritores.

He compartido en 1956 y 1957 la alegría de la revista *Correspondencia*, con un equipo donde se mezclan las dos últimas generaciones, y que seguirá actuando conmigo hasta 1959 en el periódico *Marcha*, de Montevideo.

Fernández Moreno, César, *La realidad y los papeles. Panorama y muestra de la poesía argentina, op. cit.*

A propósito de esta publicación, H. R. Lafleur, S. D. Provenzano y Fernando Alonso escriben:

De pronto, en julio de 1956 emerge un islote de fino humor y de inteligente irreverencia. La carátula de *Correspondencia* induce al placentero recuerdo de los días en que *Martín Fierro* escandalizaba a las pelucas bisoñé de Corrientes y Florida. "¡Argentino hasta la muerte!"; "Alberto Williams empató con Beethoven"; "Cómo ordeñar un sepulcro"... Por fin, el renacer de la chuscada, un poco de aire con olor a almizcle en medio de tanto "compromiso", interpretaciones, exégesis, ceños fruncidos y "golpismo". *Correspondencia* fue una corriente de aire fresco y retozón, inocua mientras no encuentra un rescoldo en su camino.

Lafleur, Provenzano y Alonso, Fernando, *Las revistas literarias argentinas 1893-1967*, Buenos Aires, Centro Editor de América Latina, 1968.

1955

Se separa de su mujer.
Primer viaje a Europa.

La verdad es que en mi primer y prospectivo viaje de 1955, no llegué a penetrar en Europa; fui un visitante, un turista que recorrió las hojas de ese magnífico catálogo.

Fernández Moreno, César, *La realidad y los papeles. Panorama y muestra de la poesía argentina, op. cit.*

Publica en la efímera revista *Ciudad* (nos 2-3) el artículo "Esquema de Borges", más tarde ampliado en libro.

1956

En enero viaja a Punta del Este a visitar a Enrique Amorim. En el mes de abril publica el artículo "Dos épocas en la poesía de Alfonsina Storni" en *Revista Hispánica Moderna* (Nueva York). Durante el mismo mes, la revista *Marcha* de Montevideo publica su artículo "Después del diluvio peronista" y, en junio, "Vanguardismo versus público".

En octubre la revista *Correspondencia* publica su artículo "Dale con la generación del cuarenta".

La editorial Emecé publica *Introducción a Fernández Moreno,* volumen dedicado a su padre.

La muerte de mi padre, en 1950, me puso ante la obligación ineludible de asumir mi propia vida. Para eso, necesitaba previamente verificar y comprender desde todos sus ángulos, con todas sus inserciones, esa otra vida, profundísima y siempre giratoria, que vi desarrollarse a mi lado durante quince años de inocencia y otros tantos de creciente conciencia, y que se me presentó entonces cristalizada de golpe en el ademán definitivo de la muerte, esa caótica arrasadora. Sabía que sólo así podría comprenderme a mí mismo, que, como hijo total, mi propia explicación debía surgir como un corolario natural de la de mi causa vital y poética. Fue así que me vi compelido irresistiblemente a escribir mi *Introducción a Fernández Moreno,* tarea que, lo veo ahora en mis libros y papeles, había comenzado junto con la escuela primaria. […] Pero al escribir mi libro olvidé esta buena intuición crítica de mi infancia. Se me ha elogiado su objetividad, pero yo tengo bien fundadas dudas sobre ella; creo que a través de sus páginas le doy siempre la razón a mi padre, lo encuentro siempre demasiado cuerdo.

Fernández Moreno, César, *La realidad y los papeles.*
Panorama y muestra de la poesía argentina, op. cit.

Comienza a publicar esporádicamente en el suplemento de cultura del diario *La Gaceta,* de Tucumán, donde suma colaboraciones en la forma de poemas, ambages y cuentos, artículos y reseñas.

1957

El 17 de marzo *La Gaceta* publica el artículo "Vivir, verse vivir, escribir verse vivir".

La editorial Perrot publica dentro de su colección Nuevo Mundo *Esquema de Borges.*

El Fondo de Cultura Económica, dentro de su colección Tierra Firme, publica *Poesía argentina del siglo XX,* de Juan Carlos Ghiano, donde en el capítulo "Neorromanticismo, renovaciones superrealistas" dedica una página (228) al examen de la obra de Fernández Moreno.

1958

El 30 de marzo *La Gaceta* publica la reseña "Secuencias de Dios", sobre *Un Dios cotidiano,* de David Viñas. Asimismo, el 27 de abril se publica en el mismo medio el artículo "La potenciación de los mediocres"; ambos textos fueron más tarde incluidos en *¿Poetizar o Politizar?*

Por LRA, Radio del Estado, durante los meses de junio y julio presenta el ciclo *La poesía es para todos.*

En el tomo XXIII del Boletín de la Academia Argentina de Letras, correspondiente a julio-septiembre, publica "Poesía tradicional y poesía de vanguardia; esquema histórico".

1959

El 29 de marzo *La Gaceta* publica el artículo "En la periferia de la cultura".

El 12 de julio, como introducción a la obra *Doña Rosita la soltera,* de Federico García Lorca, lee su texto "Doña Rosita de visita", dentro del ciclo *Las dos carátulas,* que se transmite por LRA, Radio del Estado.

Dentro de la monumental *Historia de la literatura argentina* (Peuser), dirigida por Rafael A. Arrieta, Fernández Moreno redacta el capítulo "La poesía argentina de vanguardia", incluido en el tomo IV. En ese texto, César Fernández Moreno vuelve a emprenderla con el problema de las generaciones literarias argentinas:

> En el caso de la poesía argentina del siglo XX [...] los relevos generacionales coinciden generalmente con los escolares, de tal manera que a generación nueva corresponde escuela nueva. Tenemos así: una generación modernista, cuyos protagonistas nacen en 1875; otra inmediata, nacida hacia 1885; otra ultraísta, que nace hacia 1900; otra neorromántica, nacida alrededor de 1920; y una generación actual que nace en 1930 [...] El primer hecho particular que revela la naturaleza transitiva del lustro 1930-1935, es un conato de reemplazo total de la generación ultraísta, por un grupo que se presentó en *La novísima poesía argentina* (1931), más bien compilación que antología publicada por Arturo Cambours Ocampo. Afirma éste, al frente del libro, que con él "se inicia un nuevo período literario", afirmación que se encarga *in situ* de desvirtuar cuando aclara que "no clausura una época, no determina una escuela". Sólo puede concebirse un período literario, precisamente, merced a una nueva época o merced a una nueva escuela; o nueva generación o nuevos principios o ambas cosas a la vez. En realidad, no hubo ni una ni otros en esta tentativa, ni tampoco una figura de excepción que le diera entidad. Los hechos demostraron que faltaban aún diez años para el advenimiento de una nueva promoción coherente de poetas argentinos.

> Fernández Moreno, César, *op. cit.*

Las afirmaciones citadas provocaron, como es de esperar, la ira de Arturo Cambours Ocampo quien, en 1963, se refirió a las mismas y a C.F.M. —a quien llama *"el menos importante de los poetas del 40"*— en los siguientes términos:

C.F.M. es un resentido generacional. No podemos calificarlo de ignorante. Sabe, perfectamente que el neorromaticismo del 40 nace en la obra poética de los escritores del 30; sabe perfectamente, que el ciclo de su generación es 40-50; sabe, perfectamente, que el grupo de escritores que surge con una distinta visión estética en 1944, pertenece a la generación del 40; sabe, perfectamente, porque cita a Petersen (y suponemos que lo habrá leído), que dentro de la comunidad personal de las generaciones aparecen tres etapas [...].

Cambours Ocampo, Arturo. *El problema de las
generaciones literarias*, Buenos Aires,
A. Peña Lillo Editor, 1963.

Algo después, César Fernández Moreno escribe:

Con motivo de esta opinión, Cambours Ocampo se enoja mucho conmigo en su útil pero indiscriminado libro *El problema de las generaciones literarias* (1963). Me atribuye inexplicables propósitos persecutorios, esgrime contra mí la figura de mi padre, él mismo se me pone magisterial y me llama muchas veces "el chico que volcó la tinta" (prueba de que movía la lapicera). Pero, ¿qué más puedo querer yo que una plétora de grandes generaciones y grandes poetas argentinos? Aumentaría mi campo de acción, se enriquecerían mis posibilidades literarias. Afortunadamente, no soy el único imputado: comparto la fobia, en excelente sociedad, con Enrique Anderson Imbert, a pesar de la buena voluntad que éste despliega para reconocer la obra de los hombres del 30. Finalmente, la persecución se generaliza: según Cambours, la supresión de su generación respondería a "maniobras combinadas... de diversos sectores del 22 y el 40".

Fernández Moreno, César, *La realidad y los papeles.
Panorama y muestra de la poesía argentina*, op. cit.

La editorial Castellví, de Santa Fe, publica *Situación de Alfonsina Storni*.

El 5 de junio publica en *Marcha,* de Montevideo, el artículo "Juan Larrea viene con César Vallejo".

Obtiene una beca del Fondo Nacional de las Artes para estudiar en Madrid, París y Londres "las inserciones europeas de la poesía argentina contemporánea".

En 1959 soy yo el que vuelve a viajar: desembarco en Vigo, iniciando con gran estrépito de angustia siete meses de memorable vivir en Madrid, París y Londres. Esta vez me entregué al viejo mundo en una forma enfática, romántica; volví a ser mi abuelo, volví a ser español. [...] Fue en este viaje que conocí a Rafael Cansinos-Asséns. Madrid se mostraba benévola hacia mis intentos de penetrarla: parecía reconocer en mí al hijo del hijo del inmigrante. Pero, por eso mismo, yo la encontraba tal vez demasiado homogénea conmigo: era como no estar de viaje. Había estado ya en la tertulia de la revista *Ínsula,* había comido en casa de Gerardo Diego, había tomado un café en el de Gijón, rodeado de tres o cuatro jóvenes a quienes me presentaron como poetas. Y ninguno de ellos había dicho una palabra con entonación distinta a medida que yo arrojaba sobre la mesa, con sudamericano desorden y creciente impaciencia, los más variados y conmovedores temas: la poesía, los viajes, la mujer... ¿Dónde encontrar realmente un joven escritor español? Lo encontré en la casa de don Rafael Cansinos-Asséns. [...] Uno de los principales mandatos recibidos de Enrique [Amorim] era visitar a Tristan Tzara y pedirle, nada menos, alojamiento en su casa: "ya debe haberse peleado con la última nínfula y admitirá ese injerto que sos vos... Tristan tiene una casa grande y puede alojarte, 5, rue de Lille. A dos pasos de la Seine" [...] Tristan Tzara me recibió realmente muy bien. El departamento era amplísimo, excesivo sin duda para un hombre solo. [...] Hablamos mucho: recordaba muy bien a Enrique; se interesó correctamente por todo lo que debía interesarse. Me mostró los papeles de su mesa especial: eran los originales de un monumental trabajo que estaba haciendo, en busca de los anagramas ocultos en la obra de François Villon.

Fernández Moreno, César, *La realidad y los papeles.*
Panorama y muestra de la poesía argentina, op. cit.

1960

Emecé publica *Sentimientos.*

1961

En abril la *Revista de Humanidades,* de Córdoba (año IV, nº 4) le publica el artículo "Lugones: el hombre y su expresión".

La editorial Eudeba publica *Las cien mejores poesías de Fernández Moreno,* con selección y prólogo de C.F.M.:

El número de cien poemas es tradicional para este tipo de florilegios, a partir del que Menéndez Pelayo hiciera de la poesía española. Por nuestra parte, dedicamos treinta y tres poemas a cada una de las tres épocas en que hemos dividido la vida y poesía de Fernández Moreno. Con ello, arribamos al poema 99, donde reaparece, transpuesto a un plano casi místico, el recuerdo infantil del poema 1. En cuanto al número 100, renunciamos a determinarlo, como un expreso reconocimiento a la imperfección inherente a toda tarea humana: ¡una antología que pretende resumir toda una existencia en cien composiciones! En cambio, invitamos al lector: elija ese poema final y péguelo en la página que para ello le dejamos en blanco.

Fernández Moreno, César, Prólogo a *Las cien mejores poesías de Fernández Moreno,* Buenos Aires, Eudeba, 1961.

César y su hermano Manrique ordenan el fascículo sobre su padre *Bibliografía de Fernández Moreno,* que publica el Instituto de Literatura Argentina "Ricardo Rojas" de la Facultad de Filosofía y Letras de Buenos Aires, con un apéndice de Horacio Jorge Becco.

1962

El Fondo de Cultura Económica publica en México *Introducción a la poesía.*

El 9 de septiembre *La Gaceta* publica el artículo "Sobre encuentros y búsquedas".

El 7 de noviembre la revista *Leoplán* publica en su sección Correo del Lector la siguiente carta de César Fernández Moreno:

Señor Director:

Sirvan estas líneas a manera de "carta de lector" para felicitarle por la inserción en la revista que usted dirige del reportaje hecho por Francisco Urondo a nuestro gran Oliverio Girondo.

Obvio es destacar la importancia de Girondo en las letras argentinas contemporáneas. Después de la actualización de nuestra literatura practicada a principios de siglo por Leopoldo Lugones, es evidente que al llegar a las horas de la primera posguerra, nuestras letras caen en una postración y amaneramiento que, salvo contadas excepciones (la de Ricardo Güiraldes y la de mi propio padre, por ejemplo), la colocan en una posición rezagada con respecto a la evolución europea. De esta situación las sacan brillantemente la generación de Girondo y Borges, con la característica adicional de que la acción de nuestros escritores en España (entre ellos, Borges y Girondo, precisamente) significa que, por primera vez en la historia de nuestra literatura, los argentinos tomamos la delantera con respecto a los españoles, marcando el rumbo futuro de toda la de habla hispana.

La acción de Girondo en esos momentos, su gravitación en *Martín Fierro*, nuestro periódico literario más importante, y la posterior actuación de don Oliverio en las sucesivas generaciones juveniles hacen de él una figura cuyos valores ya reconocidos en el exterior, deben difundirse, tal como lo hace ese reportaje, entre nuestro público en general.

Fernández Moreno, César, "Por la cultura argentina", en la revista *Leoplán* del 7 de noviembre de 1962.

1963

En enero, la *Revista Hispánica Moderna* (año XXIX, n.º 1, Nueva York) publica su ensayo "Las revistas literarias en la Argentina". Entre mayo y julio dirige el ciclo *La poesía es para todos,* que se transmite por LS1, Radio Municipal. Ese mismo año C.F.M. responde a un cuestionario, elaborado por los integrantes de un seminario sobre la crítica literaria en Argentina, dirigido por Adolfo Prieto, de la siguiente manera:

> 1. Yo no soy un crítico literario; por lo menos, no trato de ser un crítico literario. Trato de ser un poeta lírico; lateralmente, utilizo las precisiones que esa tentativa me suministra y las aplico a medir otras poesías líricas.
>
> 2. Mi respuesta a la pregunta anterior implica que mis juicios críticos sobre poesía son más bien subjetivos, la mera comparación de otras poesías con la que yo trato de hacer (o tal vez, sin quererlo, con la que yo logro hacer). Podría decir, en mi defensa, que todo crítico utiliza un equivalente aparato subjetivo: en mi caso lo he inducido del hacer poético así como otros de su formación estética o filosófica. Es decir que, de todas maneras, toda apreciación crítica consistiría en comparar productos literarios dados con una tabla subjetiva, sea cualquiera el medio empleado para establecerla.

> Fernández Moreno, César, en *Encuesta: La crítica
> literaria en la Argentina,* Santa Fe, Universidad
> Nacional del Litoral, 1963.

La editorial Sudamericana publica la primera versión de *Argentino hasta la muerte.* Tres años más tarde Daniel Barros escribe:

> Con *Argentino hasta la muerte,* César Fernández Moreno deja abierta una veta de enjuiciamiento de nuestra sociedad, por todos sabida en crisis y que se extingue por otra forma de vida-pensamiento. Pero con estos elementos no es suficiente ni fácil como para dar una dimensión de tal estatus en poesía, donde hacen falta calidades y originalidad. Por eso, en-

tendemos que con este libro C.F.M. apunta a una crítica de
nuestro medio, con rigor, irónicamente, hiriéndolo todo o
casi todo, y especialmente en profundidad.

Barros, Daniel, "Claves del realismo crítico en la
actual poesía argentina", Buenos Aires, *Cuadernos de
Poesía*, nº 1, 1966.

Editada por Edgar Bayley, Miguel Brascó, Ramiro de Casasbellas, César Fernández Moreno, Julio E. Lareu, Noé Jitrik, Jorge Sou-
za, Francisco Urondo y Alberto Vanasco aparece el primer número
de la revista *ZONA de la poesía americana* en el mes de julio. En ella,
bajo el seudónimo "César Franz Moreno", C.F.M publica algunos
Ambages y la bibliográfica "Sobre un nuevo poeta", que reseña *Conversaciones,* de Gianni Siccardi. En el Nº 2, de diciembre del mismo
año, se publican los relatos "Aventuras de F." y un comentario al es-
pectáculo "Festival de Buenos Aires", dirigido por Alejandra Boero
y Pedro Asquini. Según anota Daniel Barros diez años después:

En 1963 y en torno a la revista *ZONA de la poesía americana,* se
busca reunir a los mejores poetas vanguardistas existentes
hasta entonces, partiendo especialmente de los que pertene-
cieron al grupo de *Poesía Buenos Aires.* Se hace una revalori-
zación que empieza por las tapas de aquella publicación (de
corta vida y salidas espaciadas), entonces ocupa un sitial de
honor Oliverio Girondo, cuya foto aparece en el primer número. Luego aparecerán, siempre en tamaño grande: Macedonio Fernández, Juan L. Ortiz y Enrique Santos Discépolo.
Esta última incorporación podría significar el acceso de una
variante populista, teniendo presente que hasta entonces
Discépolo prácticamente no había entrado en los fundos de
la poesía culta, por darle una denominación apriorística.

Barros, Daniel. Presentación, en *Antología Básica
Contemporánea de la Poesía Latinoamericana,* Buenos
Aires, Ediciones de la Flor, 1973.

1964

Tercer viaje a Europa.

Volví en 1964 por tercera vez, como un delincuente que vuelve al lugar del crimen. Pero ya no era más el lugar de ningún crimen, sino un lugar para vivir, como los otros. ¿Qué me pasaba? Se diluía entre las olas mi voceado dilema de "irse o quedarse aquí". Agotaba, exhaustaba mi propia nostalgia inmigratoria, aceptaba definitivamente mi ser argentino.

De ese modo terminó en mí esa nostalgia que ahoga a mi padre, y que es tan antigua como el espíritu humano, desde la *Odisea* de Homero hasta el "Volver" de Gardel. Para nuestros hijos, este problema ya no existirá; ese ir y venir cambiando destino sobre el océano pertenecerá irrevocablemente al pasado. Nuestros hijos forman parte de un mundo donde, cada vez más, vamos viviendo a la vez en muchas partes muy distantes entre sí.

Fernández Moreno, César, *La realidad y los papeles.*
Panorama y muestra de la poesía argentina, op. cit.

Ediciones del Pie publica la antología *35 Poemas*, que incluye composiciones de Alberto Vanasco, Carlos Marcucci, Noé Jitrik, C.F.M. (seis poemas) y Miguel Brascó.

En mayo, *ZONA* (nº 3) publica un ensayo sobre Macedonio Fernández, a modo de introducción de una breve antología de poemas del mismo. En noviembre, la misma revista (nº 4) incluye la transcripción del discurso de Emir Rodríguez Monegal en la presentación de *Argentino hasta la muerte*, ocurrida el viernes 22 de noviembre de 1963:

Leyendo este libro me he encontrado con muchos poemas, sobre todo con los primeros netamente argentinos, y también con algunos poemas de amor (esos dedicados así en forma tan genérica a "las Beatrices"), y también en algunos de los poemas finales en que hay un fino temblor de muerte, me he encontrado con que ahora, César Fernández Moreno, no ya César ni el Rich Peruvian, no el amigo de tantas conversaciones sino el poeta César Fernández Moreno, había atravesado por fin sus propias barreras poéticas para descubrir su poesía, de él. Ese tono y esa voz de su poesía es, como él, un tono humorístico, un tono de ligera burla, burla que empieza por sí mismo y se convierte por eso mismo en sabiduría, y además es un tono que a través de lo humorístico llega indudablemente a liberar en cifra poética esa vitalidad, esa apetencia del mundo, esa curiosidad, esa necesidad de estar clasificando y reclasificando siempre el mundo, que es su experiencia cotidiana.

Rodríguez Monegal, Emir, *op. cit.*

1965

Publica el artículo "Sobre una poesía existencial" en la edición de *La Gaceta* del 14 de febrero.

Dicta un cursillo sobre la obra de Borges en la Fundación Pedro de Mendoza, que concluye con un reportaje al escritor objeto del curso (la transcripción del mismo puede consultarse en *La realidad y los papeles, op. cit.*).

Participa en el ciclo "Buenos Aires en las letras y en las artes", organizado por la Secretaría de Cultura y Acción Social de la Municipalidad de Buenos Aires, en el Teatro Municipal "General San Martín". Allí —según la noticia del diario *Clarín* del 7 de septiembre de ese año— "*el disertante, en vez de decir un conferencia, leyó un poema*": El mismo fue "Destino Buenos Aires", ilustrado por dibujos proyectados de Nicolás Rubió.

Ediciones Zona publica una *Antología interna 1950-1965*, que incluye poemas de Edgar Bayley, Miguel Brascó, César Fernández Moreno (11 poemas), Noé Jitrik, Ramiro de Casasbellas, Francisco Urondo y Alberto Vanasco.

Esta antología representa la tarea desarrollada, entre 1950 y 1965 (libros publicados e inéditos), por los siete poetas que han integrado la dirección de la revista *ZONA* [...] Hemos elegido el año 1950 como punto de arranque porque creemos que a partir de ese año empieza a manifestarse cierta coincidencia poética que abarca autores provenientes de di-

versas experiencias y generaciones. Como mejor demostra-
ción de esa coincidencia, y dejando al lector el trabajo de
designarla, detallarla y calificarla (o negarla), hemos agru-
pado los poemas seleccionados según un criterio temático;
como si esta antología no lo fuera, como si, por el contrario,
fuera el libro de un solo poeta, hasta como si fuera un poema solo. Todo esto no significa que desconozcamos la previsible gama de diferencias, desde lo estético a lo ideológico.
Sólo en el índice declaramos el autor de cada poema en particular.

> Fernández Moreno, César, Jitrik, Noé y Urondo,
> Francisco. Prólogo a *Antología interna 1950-1965*,
> Buenos Aires, Ediciones Zona, 1965.

Los poetas que manejaron *ZONA* se juntan una vez más y en
1965 publican su *Antología interna,* obra con la que parece haberse agotado esta nueva instancia vanguardista, inspirada
en ciertos revisionismos vitalistas, que, sin lugar a dudas, mucho tuvieron que ver con la mejor poesía argentina de los últimos veinticinco años.

> Barros, Daniel, *op. cit.*

Se publica *Beatrixes,* versión en inglés del poema "Beatrices",
traducido por Dénise Benzaken y Mario Trajtenberg.

1966

Se casa con Martha McGough.
Entre el 22 y el 24 de abril representa a la Municipalidad de
Buenos Aires en el "Segundo Encuentro de Poetas" de la ciudad de
Córdoba.
Luego del golpe de estado que da lugar a la dictadura de On-
ganía, Fernández Moreno, como tantos otros argentinos, deja el
país con su esposa. Reside primero en París, donde trabaja dentro
del equipo que publica la revista *Mundo Nuevo*. Posteriormente comienza a trabajar en la sede de la UNESCO.

Publicación de *El joven Franz Moreno* (Buenos Aires, Jorge Álvarez), suerte de *alter ego* de César.

A través de los siete relatos de este libro de César Fernández Moreno, el protagonista es el mismo; mejor dicho, tiene el mismo nombre. Pero si bien los primeros relatos presentan una progresión cronológica que hace pensar en que el autor va a estructurar sus narraciones con una lógica basada en las diferentes acciones y reacciones del protagonista a través de sus diversas edades, el lector se encuentra con que a partir del cuarto cuento se quiebra la línea inicial y se juega con el tiempo, se avanza hasta la muerte —una de las muertes— se retrocede, se recomienza. No es objetable, naturalmente, esta libertad, sobre todo en el momento actual, en que la narrativa está muy lejos de respetar la sucesión tradicional del tiempo; pero la diferencia de criterios entre las partes señaladas resta unidad a la obra.

> A. B. A. de P. reseña a *El joven Franz Moreno*
> en el diario *La Prensa*
> del 7 de julio de 1967.

Con *El joven Franz Moreno* [César Fernández Moreno] hace su entrada en la narrativa, recogiendo trabajos que parecen de distintas épocas, pero que mantienen, además, de un mismo personaje central, que llega a morir dos veces, una unidad interna que obliga al lector a no saltear ningún capítulo. El primero de los relatos, "El cielo de los elefantes" evoca un suceso que algunos porteños aún recuerdan: la muerte a tiro de carabina de la elefanta Dalia, quien a partir de ese momento cambió su domicilio en Palermo por uno nuevo en el museo del Parque Centenario. El hecho, apenas deformado, sirve a Fernández Moreno para elaborar un relato desbordante de poesía y ternura.

"Mamá, y cuando yo sea grande, ¿quién va a ser el chiquitito de la casa?", se pregunta el pequeño protagonista. La magia de la infancia está descripta con una prosa ágil y fluida pero con el matiz que sólo puede otorgarle un auténtico poeta. [...] El autor de *Veinte años después* se encarga de demostrar, con este libro, que es un escritor integral.

Sin firma. Reseña a El joven Franz Moreno en la revista
Análisis del 27 de febrero de 1967.

Alfredo Andrés, a propósito de la poesía de Fernández Moreno, publica el siguiente comentario:

> Un hombre que salió a la luz con la conocida como "generación del 40", César Fernández Moreno, aportó con sus dos últimos libros: *Sentimientos* y *Argentino hasta la muerte*, hitos básicos para la poesía del "60". En ellos se dan, en dimensiones ya sintéticas y perimidas o asumiendo el aliento de un extenso canto, barroco y dilatado, tales caracteres: una voluntad de conocimiento del ser argentino —en lo conceptual—, una consciente búsqueda de un lenguaje afín a lo que esa poesía quiere expresar.

Andrés, Alfredo, "Crónica de la poesía argentina,
1960-1965", Primera Parte,
en Buenos Aires, Cuadernos de Poesía,
nº1, 1966.

Publicación en la revista *Testigo* (nº 3, de julio-septiembre) del ensayo "Dos destinos: El ultraísmo. Borges."

1967

La compañía discográfica AMB edita "César Fernández Moreno por él mismo", con una presentación de Horacio Salas:

> *Sentimientos* y *Veinte años después* fueron las primeras muestras de su obstinada indagación en procura de una poesía nueva y vital realizada a través del lenguaje cotidiano, de los hechos más sencillos, de los simples sucesos de cada día. *Argentino hasta la muerte* constituyó, además de su afirmación

definitiva, su mejor libro. Allí se despojó para siempre de influencias y abandonó los tanteos, lanzados ya decididamente en procura de una poesía nacional que nos reflejara sin deformaciones. Lúcido, humorístico, caótico y a veces casi prosaico, *Argentino hasta la muerte* revolucionó a nuestro tranquilo ambiente poético. César Fernández Moreno se atrevía de pronto a meter el dedo en la llaga de nuestras inhibiciones y su libro restallaba como una cachetada en la casi endémica timidez de la poesía de su generación.

El 3 de agosto participa en el XIII Congreso Internacional de Literatura Iberoamericana (Caracas) con la ponencia "Borges entre el cuento y la poesía" (la misma fue publicada ese mismo año en el periódico *El Universal* de Caracas, reproducida un año después en el volumen *La novela iberoamericana contemporánea*, publicación de la Universidad Central de Caracas y, posteriormente, en *¿Poetizar o Politizar?, op. cit.*).

Publica la revista cubana *Casa de las Américas* (nº 42) el ensayo "Girondo entre dos calles de Buenos Aires" (más tarde incluido en *¿Poetizar o Politizar?, op. cit.*)

Como redactor de la revista *Primera Plana* publica una dura y justiciera reseña (nº 221) sobre el volumen *Obras de ficción,* del ya por entonces sufriente Sábato, que concluye con las siguientes palabras:

Si en estos trece años Sábato ha pasado de una obra a otra con este resultado, ¿qué podemos esperar de él en el futuro? Está encerrado, al parecer, en esta temática, en este personaje perseguido, que en algún sentido es su portavoz, así como el soñante se expresa a través de los protagonistas de sus sueños. No en vano promete Sábato otra tentativa "para expresar la obsesión central de su existencia". Ojalá los días por venir permitan escribir al autor un tercer túnel, ensanchado hasta que se convierta en aire libre, en ese "ancho mundo", en ese "mundo sin límites de los que no viven en túneles".

Por supuesto, inmediatamente se organiza el consiguiente escándalo y llueven cartas a *Primera Plana* defendiendo a Sábato y de-

nostando a Fernández Moreno. En un artículo posterior, César se
refirió al episodio de esta manera:

> Mi modesta toma de conciencia había desencadenado la
> reacción primitiva que podría exhibir una tribu si alguno de
> sus miembros hubiera pretendido despojar al brujo de su
> máscara, durante una ceremonia.
>
> Fernández Moreno, César, "El caso Sábato", en
> *Nueva Novela Latinoamericana 2*, varios autores,
> complilación de Jorge Lafforgue, Paidós, Buenos
> Aires, 1974.

Sudamericana publica *Los aeropuertos*. El mismo recibe sendas
reseñas negativas por parte de los diarios *La Nación* y *La Razón*. La
primera de ellas es anónima:

> El afán de lograr una personalidad auténtica —que lo ha he-
> cho revolotear por todas las formas poéticas— ha conducido
> a César Fernández Moreno a una versatilidad que puede re-
> sumirse en una palabra: intentos. Pero la poesía no puede
> ser un resumen de intenciones; debe "ser" simplemente. El
> autor ha caído en un error ya común en muchos intelectua-
> les: creer que con juegos de inteligencia pueden construirse
> poemas. Y el resultado es este libro plagado de guiños, mo-
> roso en las incongruencias y expositor de recursos fáciles,
> que ya se manifestaban con abundancia en su anterior "Ar-
> gentino hasta la muerte", al transitar un camino abierto ya
> por Fernando Guibert. A veces, sus versos tienen ese aire de
> cosa en solfa que se estiló hacia 1925 y que alguna vez prac-
> ticó también con jerarquía Rafael Alberti. El autor se sitúa en
> el centro del espectáculo y ejercita sus malabarismos, pero la
> poesía no es un circo. Y esa falta de seriedad se advierte a ca-
> da paso; por ejemplo, en el poema "La sirvienta por horas":
> "estimada señora/ la ropa está limpia/ no la tendía porque
> yovía/ y no sé si vengo mañana/ me siento enferma". Y en la
> página 199 expresa: "patria mía tenés que dejarme vivir/ ya
> te hemos dado demasiada changüí". No se entiende bien
> qué es eso de darle "changüí" (palabra castiza y de género

masculino) a la patria, sobre todo cuando se escribe desde París. Para César Fernández Moreno los argentinos "somos unos crudos/ sólo el tiempo puede cocinarnos". Quizá por eso repite, a manera de latiguillo, "y bueno soy argentino" como si se tratara de disculpar una humillación o una vergüenza. Algunos espaciados versos parecen estar en una línea más seria. Es lástima que el autor no intente seguirla.

> Sin firma. Reseña a *Los Aeropuertos*, en *La Nación*,
> 8 de octubre de 1967.

La respuesta de Fernández Moreno llegó tiempo después:

Mi último libro de versos, *Los aeropuertos*, disgustó breve pero unánimente, tanto al ignorado crítico de la página literaria de *La Nación*, como al más conocido S. F. de la sección bibliográfica de *La Razón*. Ambos diarios se indignaron el 27-11, simultáneamente: el mayor matutino y el mayor vespertino de la mayor ciudad del mayor país del mayor cono sur de América latina. Mala suerte, me dirá el lector; ¿por qué no escribe mejor? De acuerdo, pero para eso necesito que me enseñen, y no son al parecer, estos críticos quienes podrán hacerlo. Para enseñar, hay que atender y entender debidamente las deficiencias del discípulo, cosa que no sucede en ninguna de estas dos notas.

> Fernández Moreno, César,
> "Los críticos por horas",
> en *¿Poetizar o Politizar?, op. cit.*

Sudamericana publica una nueva edición de *Argentino hasta la muerte,* con numerosas variantes respecto de la primera.

Tuve que buscar estos caminos irregulares: hay tantas cosas que existen —y por lo tanto existen para la poesía— , pero no tienen palabras para ser designadas en el contexto lírico tradicional, o sólo tienen palabras de circulación demasiado reducida (científica o familiar; como los órganos sexuales, por ejemplo). Sin embargo, tras una inicial vacilación, me detuve ante las llamadas malas palabras, tan recurridas en la ficción y el teatro actuales: una mala palabra es como una explosión en el poema, y sólo ella es percibida entonces por el lector. Habrá que esperar generaciones más liberadas.

> Fernández Moreno, César, Prólogo a la segunda edición de *Argentino hasta la muerte*, Buenos Aires, Sudamericana, 1967.

La revista parisina *Mundo Nuevo* (nº 18) publica "Harto de laberintos", extenso reportaje a Jorge Luis Borges, realizado por C.F.M. (más tarde recogido en la revista londinense *Encounter,* Vol. XXXIII, nº 4, abril de 1969, y por Emir Rodríguez Monegal en *Borges par lui-même*, París, Éditions du Seuil, 1970, luego traducid como *Borges por él mismo*, Caracas, Monte Ávila Editores, 1981). I el mismo número, también publica "Distinguir para entende una larga entrevista con Leopoldo Marechal (más tarde parci mente reproducida por Oscar Collazos en el volumen *Los va guardismos en la América Latina*, Barcelona, Ediciones Península 1977).

El 26 de noviembre publica el artículo "¿Nueva generación o nueva visión?" en el diario *La Gaceta*.

La Editorial Aguilar publica en Madrid el más importante ensayo de Fernández Moreno: *La realidad y los papeles. Panorama y muestra de la poesía argentina contemporánea*. En la "Duda preliminar" se lee:

> Hace ya veinticinco años que vivo como un poeta lírico. Con esto sólo quiero decir que mi manera de restablecer el equilibrio con el mundo es devolverle en palabras los estímulos emocionales que recibo de él. Seis libros en ese cuarto de siglo atestiguan esa respiración, bien o mal pero verazmente [...]. Pero también hace veinticinco años que, lateralmente, resulto también ser o aparecer como un crítico literario. ¿Por qué? Tal vez en razón de esa denunciada necesidad de reemplazar conmigo mismo la falta ambiental de crítica. Tal vez, en mi caso, se añada la necesidad de competir con un

padre consagrado como gran poeta. ¿Quién soy yo, dado que él es él? ¿Es una circunstancia favorable tener un padre famoso (de buena fama)? ¿Lo es, en particular, cuando el hijo se entrega a la misma actividad que ese padre famoso? La fama se funda habitualmente en una superdotación del famoso, lo que es en sí una situación vital obviamente desfavorable para sus vecinos: ¿qué hombre de estatura normal puede desarrollarse con serenidad al lado de un gigante? En mi caso concreto, ¿es mi actividad poética una cosa real, íntima y profunda, inexcusable para mí, o es sólo el resultado de la inducción paterna? A todas estas compulsiones responden, creo, mis anteriores trabajos críticos sobre poesía argentina *contemporánea, largo proceso literario que coincide con la búsqueda de mí mismo.*

Fernández Moreno, César, *La realidad y los papeles.*
Panorama y muestra de la poesía argentina, op. cit.

Dice bien César Fernández Moreno que su libro transita por carriles afectivos, ya que hay en él una permanente calidez de diálogo que permite al ensayista interactuar con su potencial lector. Fue publicado en España y explica nuestra realidad para todos los públicos. Se ordena alrededor de siete figuras: Lugones, Macedonio Fernández, Banchs, B. Fernández Moreno, A. Storni, Borges y Martínez Estrada. Así estudia generaciones y períodos, coordenadas históricas y literarias a nivel internacional y nacional. Se muestra sincero y objetivo en el análisis político-social; informativo, clarificador, inteligente en el literario. La obra es amplia; comienza con una breve reseña de la formación literaria argentina y concluye con una muestra evolutiva de nuestra poesía contemporánea. Por momentos adquiere carácter de diario que enlaza al autor con su contorno. Hay fervor por nuestro patrimonio espiritual y humor, se expone la lucha entre lo americano y lo europeo, entre vanguardia y cultura de masas, y una necesidad de afirmación y síntesis muchas veces lograda. No es un manual escolástico que obliga a asentir, sino un libro vivo que acompaña a pensar. Como obra pujante que es, hay en ella errores, omisiones. Se equivoca al afir-

mar que quien penetra la esencia se aleja de la existencia o,
refiriéndose a A. Storni equivoca, por generalización, su juicio sobre la mujer poeta. Al explicitar las formulaciones sobre poesía existencial o al fijar la postura que debe asumir el
poeta, patentiza el mismo énfasis contradictor que guiara a
escuelas anteriores: no hay recetas para el quehacer espiritual; y sigue equivocándose cuando define a la publicidad:
"especie de escuela de poesía existencial". Estos desbordes
de marea alta son perdonables porque en medio de una
producción tan abundante en papeles, el libro es una alen-
tadora realidad.

N. P. reseña a *La realidad y los papeles. Panorama y*
muestra de la poesía argentina, en el diario *La Razón,*
22 de julio de 1967.

Enviado por la UNESCO —institución con sede en París para la
que trabajará en diversas misiones durante los próximos años—,
participa en Lima en las reuniones preliminares para consensuar
la realización de un gran estudio sobre las artes en Latinoamé-
rica.

La investigación comenzó con una reunión de expertos que
tuvo lugar en 1967, en la ciudad de Lima. El primer problema de esa reunión era precisar los límites de la región en estudio, y lo resolvió tomando como base las deliberación de la
13ª Conferencia General de la UNESCO, celebradas en París
(1964). [...] Los expertos de Lima delimitaron así, de norte
a sur, las siguientes subregiones: 1) México, América Central
y Panamá; 2) Cuba, República Dominicana, Haití y demás
Antillas; 3) Colombia y Venezuela; 4) Bolivia, Ecuador y Pe-
rú; 5) Brasil; 6) Argentina, Chile, Paraguay y Uruguay. [...]
Después de esta reunión de Lima, donde se sentaron los li-
neamientos generales del proyecto en su conjunto, se desig-
nó una vasta comisión interdisciplinaria de personalidades
latinoamericanas, que se va enriqueciendo a medida que el
estudio va cumpliendo sus distintas etapas. [...] Como resultado de la básica reunión de Lima, la UNESCO estableció también que el estudio debería iniciarse por la literatura, seguir

por la arquitectura y el urbanismo y continuar por las artes plásticas y la música.

Sin firma. Prefacio, en *América Latina en su literatura*,
México, UNESCO y Siglo XXI, 1972.

1968

Junto a Horacio Jorge Becco, realiza una *Antología lineal* de poesía argentina que publica la editorial Gredos, de Madrid.

Publica la traducción de Fernández Moreno de *Últimos poemas de amor*, de Paul Eluard.

Debo señalar un hecho que me ha parecido emocionante: cuando Eluard alcanza su mayor fuerza expresiva, la cumbre de su poder líbrito, la traducción se me hizo como por sí sola, con significación y ritmo y todo, como si el poeta hubiera hablado dentro de las líneas esenciales de un super-lenguaje del cual tanto el francés como el español serían meras tentativas o deformaciones.

Fernández Moreno, César,
Nota del traductor, en Eluard, Paul,
Últimos poemas de amor, Buenos Aires,
Ediciones de la Flor, 1968.

En colaboración con Rodolfo Kuhn y Francisco Urondo escribe el guión del film *Noche terrible*.

En agosto, representa a la UNESCO en San José de Costa Rica, para la constitución de la comisión literaria que se ocupará de la redacción de *América Latina en su literatura*.

Con el original de *Ambages* gana, en Caracas, el Premio de Poesía "León de Greiff".

1969

Publica en la *Revista Nacional de Cultura* el trabajo "Borges contradiciéndose".

> He tenido la suerte de realizar dos amplias entrevistas grabadas con Jorge Luis Borges, una en público a fines de 1965 y otra en privado a fines de 1967. Me tienta hacer lo que hago: ensamblar ambas entrevistas como si fueran una sola...
>
> Fernández Moreno, César, en "Borges contradiciéndose", *Revista Nacional de Cultura,* Caracas, año 29, nº 187, enero-marzo.

Pierre-Jean Oswald Éditeur publica en Honfleur (Normandía, Francia), en el seno de la colección "La poésie des pays ibéro-américains", *Argentin jusqu'à la mort,* edición bilingüe que reúne traducciones de *Argentino hasta la muerte,* de poemas de *Sentimientos* y de *Los aeropuertos,* realizadas por Claude Clouffon. El volumen fue prologado por Pierre Kalfon e incluye, a modo de epílogo, un comentario del crítico Claude Fell, aparecido en el diario *Le Monde,* el 1 de noviembre de ese año.

La editorial Talía publica en Buenos Aires *Introducción a Macedonio Fernández.*

En su edición del 8 al 14 de julio de la revista *Primera Plana* publica una entrevista de C.F.M. al antropólogo Claude Lévi-Strauss.

1970

Nace su hija Muriel.

Guillermo Ara publica su *Suma de Poesía Argentina 1538-1968.* En el primer tomo, dedicado a la crítica, hay dos menciones a César Fernández Moreno. La primera:

> La de F. Moreno es poesía de mucho ingenio, de imaginación y desbordante gracia. En "tiempo escrito" hay una "poética" que se solapa en lo superficial pero que en el fondo es seria, como la perspectiva de la muerte y el planteo de la exis-

tencia de Dios. El balance es sin embargo relativamente pobre como saldo lírico pero importa el libro como testimonio y prueba de lo porteño y lo argentino en general. Es un buen auxilio sociológico.

> Ara, Guillermo, *Suma de Poesía Argentina 1538-1968.*
> *Crítica y antología.* Primera Parte: CRÍTICA, Buenos Aires, Guadalupe, 1970, pág. 122.

La segunda:

Fernández Moreno provoca al lector con su desbarajuste verbal, su funambulismo y su desparpajo. A veces sondea aguas profundas pero él prefiere dibujar mapas de topografía superficial, barajar lo inédito o el lugar común, tutearse con el lector, manejar como un Oski los datos de la historia y los nombres supuestamente venerables, lo que puede dar resultados cercanos a esa inefable obra de arte que es el cortometraje "La primera fundación de Buenos Aires".

> Ara, Guillermo, *Suma de Poesía Argentina 1538-1968.*
> *Crítica y antología, op. cit.,* pág. 208.

Contrastando con los puntos de vista de Ara, Horacio Jorge Becco, en la noticia correspondiente de la *Enciclopedia de la literatura argentina,* dirigida por Pedro Orgambide y Roberto Yahni, anota:

C.F.M. se ha realizado en una búsqueda tenaz por renovar su decir, tanto por los elementos formales que construye —tomados elegantemente al azar, como una aventura mayor de inventiva racional—, como por el humor que vuelca en la metáfora. Aun en ese juego poético se demora su experiencia existencial, entroncándose con el decir definitorio de nuestras últimas promociones líricas.

> Becco, Horacio Jorge, en *Enciclopedia de la literatura argentina,* Buenos Aires, Sudamericana, 1970.

La Secretaría de la UNESCO asigna el proyecto del volumen *América Latina en su literatura* al Departamento de Estudios, Desarrollo y Difusión de las Culturas, pertenencientes al Sector de Ciencias Sociales, Ciencias Humanas y Cultura a cargo de César Fernández Moreno.

1971

Cumpliendo con sus obligaciones de funcionario de la UNESCO, se instala en La Habana, donde, como jefe de la misión en Cuba, dirige la Oficina Regional de Cultura para America Latina y el Caribe.

Durante un reciente y breve paso por Buenos Aires, el poeta y crítico argentino César Fernández Moreno informó a *La Opinión* sobre sus actividades como funcionario de la UNESCO, a la luz de una variante introducida por el organismo internacional en relación con América latina. Fernández Moreno reside desde 1967 en París y, a partir de 1968, asumió la dirección de los estudios sobre la cultura latinoamericana que realiza la UNESCO. Estos trabajos continuarán desarrollándose centralizados en un país del continente americano, Cuba: la tarea de París se traslada a La Habana y Fernández Moreno continuará allí su trabajo.

"Este traslado —señala— integra una política general de descentralización encarada por la UNESCO. También se creó una oficina de enlace cultural para Asia (con asiento en Jakarta, Indonesia) y otra para África (con sede en Dakar)". La oficina de La Habana funcionará como centro cultural y coordinará las actividades de la UNESCO en América latina y la zona del Caribe. Complementará su actividad con la oficina de Educación —que se encuentra en Chile— y la de Ciencia, situada en Uruguay. Su tarea será la ejecución de esos planes, ampliando el área de trabajo que, hasta ahora, se limitaba a representar al organismo ante las comisiones que en cada país mantenían relaciones con él.

Según puntualiza Fernández Moreno, los planes de la UNESCO en este campo abarcan el estudio de *América latina en su cultura* —iniciado hace ya cuatro años—, centralizados en diversos volúmenes de 500 páginas cada uno dedicados respectivamente a la literatura, las artes plásticas, la música, los espectáculos, y la historia de las ideas. Alrededor de 150 colaboradores de los diferentes países del continente están elaborando esos materiales. Está prácticamente finalizado el tomo sobre literatura, que —como los restantes en preparación— "fueron encarados desde un punto de vista contemporáneo y concibiendo a América latina como una unidad histórico-cultural", señala Fernández Moreno. [...]

En estos últimos años —según Fernández Moreno— ha variado también su visión respecto de la cultura y de los destinatarios de su obra intelectual: "Mi comprensión de la cultura ha virado desde un campo predominantemente estético (la expresión de lo que el hombre produce en la literatura, las artes, la filosofía) para ubicarse en un plano más antropológico, donde la cultura es *todo* lo que el hombre hace. En cuanto a mi obra literaria, antes yo me dirigía a un pequeño grupo culto, principalmente de la ciudad de Buenos Aires. Ahora pienso que si lo que uno hace no tiene un eco más amplio, no resulta válido". Esto produciría, finalmente, ampliaciones en el medio expresivo: "La necesidad de que la literatura y la poesía puedan ser recibidas por sectores más abiertos lleva a la necesaria utilización de medios masivos de comunicación: el cine, radio, televisión, prensa. Esto implica, además —sostiene Fernández Moreno—, abandonar ese eje tan estricto de la poesía para ir —dentro del dominio del lenguaje— hacia campos más amplios de comunicación".

Sin firma. "La tarea de César Fernández Moreno en la UNESCO inicia una nueva etapa", nota y entrevista publicada en el diario *La Opinión* el 12 de julio de 1972.

1972

Monte Ávila Editores, de Venezuela, publica *Ambages,* primera serie de aforismos poéticos, ilustrado por Miguel Brascó.
Con el auspicio de la UNESCO, Siglo XXI —de México—, pu-

blica el volumen *América Latina en su literatura* que, con la coordinación y una nota introductoria de Fernández Moreno, reúne una serie de ensayos debida a muchos de los más prestigiosos escritores y críticos de América latina: Rubén Bareiro Saguier, Antonio Houaiss, George Robert Coulthard, José Luis Martínez, Estuardo Núñez, Hernando Valencia Goelkel, Emir Rodríguez Monegal, Severo Sarduy, Ramón Xirau, Jorge Enrique Adoum, Noé Jitrik, Fernando Alegría, Guillermo Sucre, Haroldo de Campos, Juan José Saer, António Cândido, Mario Benedetti, José Guilherme Merquior, José Antonio Portuondo, Adolfo Prieto, José Miguel Oviedo, Augusto Tamayo Vargas y José Lezama Lima. Hasta la fecha, este libro constituye uno de los mejores acercamientos a la literatura continental. El volumen, posteriormente, agotará varias ediciones en castellano y se publicará en distintos idiomas (*cf.* **1979**).

La editorial Destino publica en Barcelona *Argentina,* un ensayo a mitad de camino entre la guía de turismo y la interpretación sociológica.

1973

De paso por Argentina, el diario *La Opinión* entrevista a César Fernández Moreno, cuya visita coincide con la llegada de Perón. Cuando se le pregunta por sus impresiones sobre el país, contesta: *"Es un azar, pero es también significativo. Para los hombres de mi generación* […]*, los tres sucesos más importantes de nuestra vida son, quizá, el ascenso de Perón al poder (al nivel de nuestros 25 años de edad), su caída (cuando ya teníamos 35), y ahora, su regreso (tenemos algo más de 50).* […] *Ahora parece que por fin el país se ha animado a verse, sentirse en su integridad."* En la misma entrevista se le pregunta qué opina sobre las secuencias musicales (Rimoldi Fraga) y cinematográficas (Fernando Ayala) que tuvo su título *Argentino hasta la muerte.* Fernández Moreno contesta: *"Que el que roba a un ladrón… Yo extrapolé mi afortunado título de un clásico poema de Guido y Spano. Quienes lo hayan repetido luego sólo tomaron de mi libro el hecho de haber hecho un título de ese verso. Por lo demás… perdóneme que insista con otro 'ambage': 'si alguien me plagia, invento otra cosa'."*

Losada publica ¿*Poetizar o politizar?,* una miscelánea de ensa-

yos que, como César Fernández Moreno, señala en "Para empezar"
—suerte de prólogo—, corresponden a veinte años de labor:

Poco resta en este libro de lo que había hace más de veinte
años: tres textos, exactamente. El tiempo ha sepultado y, al
mismo tiempo, revitalizado aquel viejo proyecto. Reemplazo
ahora su título por otros dos infinitivos: ¿*Poetizar o Politizar?*
generalizando el rótulo de su último y tentativo ensayo. Esa
disyunción, tan actual para mí, aparece, más clara o más sor-
da, a lo largo de todo el libro: quizá algún día, pronto, pueda vivirla no como disyunción sino como conjunción.

Fernández Moreno, César, ¿Poetizar o Politizar?, op. cit.

Desde la publicación de *Argentino hasta la muerte* y *Los aeropuertos* (dos de los ensayos poéticos más coherentes y califica-
dos que han aparecido en la Argentina en los últimos quince años), César Fernández Moreno ha adquirido el derecho
a hablar de sí mismo a través de la literatura o, lo que es lo
mismo, de la literatura a través de su experiencia personal.

Se ha convertido —para usar una expresión de César
Tiempo— en uno de los "protagonistas" de la literatura nacional, un quehacer cuyo estatuto no ha sido todavía estable-
cido con toda claridad en el seno de la sociedad argentina.
Sus opiniones, sus rememoraciones, sus juicios y, sin duda,
sus poemas, interesan en consecuencia; y no podría dejárse-
los de lado sin amputar una poderosa voz, sin silenciar un estilo de abordaje de la literatura.

Sin embargo, probablemente no se pueda aceptar sin
reservas un libro como éste, así como sus libros de poemas
pueden ser aceptados incondicionalmente, en cualquiera de
los polos en que se sitúe su manera de poetizar.

Si antes se podía celebrar (y los comentaristas lo hicieron) una ejemplar actitud discipular, ahora es legítimo esperar en cada una de sus manifestaciones poéticas la personalidad del poeta, cuyas experiencias verbales importan porque
son precisamente las suyas, porque, justamente, se espera de
él que no se ajusten a ningún esquema previo y condicionan-
te. En esta liberación se produce para César Fernández Mo-

reno una liberación definitiva en cuanto no sólo es conscien-
te de ella sino que se expresa concretamente: la liberación
de la presencia paternal sobre la cual constituyó todas sus
motivaciones y disculpas durante muchos años.

Precisamente, en este volumen hay un interesantísi-
mo testimonio ("Correo entre mis dos padres") en el cual
se ve no sólo un estilo de relación entre dos escritores (Baldomero Fernández Moreno y Enrique Amorim) sino la su-
misión ambigua aunque voluntaria de César Fernández
Moreno al primero y, por consecuencia, se puede adivinar
la lucha por la liberación. Si se recorren otros trabajos suyos, esta lucha está siempre presente en forma de una justi-
ficación casi edípica por pretender ocupar un lugar (en la
poesía) sentido como propiedad fundamental del padre y
un pedido de disculpas por haberla logrado, como si haberla logrado implicara un desplazamiento culposo, un daño
irreparable.

En su poesía, Fernández Moreno ya nada tiene que ver
con antecedentes, sus versos corren por su propia cuenta, suya es su responsabilidad y los dilemas que su poesía ofrece en
un panorama poético nacional que no por poco exaltado es
alicaído o mediocre sino todo lo contrario.

Sus ensayos, en cambio, ofrecen alguna reserva aunque sea imposible detectar mala fe de ninguna clase en sus
planteos […].

> Jitrik, Noé, "César Fernández Moreno reflexiona con
> gracia y vaguedades sobre literatura", reseña en el
> diario *La Opinión,* del 19 de julio de 1973.

1974

La UNESCO y Siglo XXI —de México—, publican el volumen
América Latina en sus artes, coordinado por Fernández Moreno.

1975

Publicación de *La vuelta de Franz Moreno* (México, Joaquín Mortiz).

La UNESCO y Siglo XXI —de México—, publican el volumen *América Latina en sus arquitectura,* coordinado por Fernández Moreno.

1976

Editorial Sudamericana publica *Con ambages,* segunda serie de aforismos, firmados esta vez por Franz Moreno —muertos *"en las barrosas aguas del Paraná Guazú"*—, con una introducción de César Fernández Moreno, donde este último polemiza con el primero.

Es casi seguro que estos "ambages" despertarán distintos tipos de irritación en no pocos lectores: habrá quienes los consideren un delicado cultivo de tonterías; otros, a su vez, preferirán ver en ellas el afilado juego de alguien interesado en llevar las posibilidades del lenguaje hasta cualquiera de sus extremos.

> Andrés, Alfredo, reseña a *Con ambages,* en el diario *Clarín* del 21 de octubre de 1976.

El Estudio Entelman publica en Buenos Aires, fuera del circuito comercial, una serie de volúmenes que, bajo la denominación general de *Un lenguaje nacional,* recogen diversos estudios. El tomo III lleva por subtítulo *La «escritura» de Macedonio Fernández,* y se compone de dos trabajos: uno de Noé Jitrik y "El existidor", de C.F.M.

1977

La editorial Siglo XXI, de México, publica *Buenos Aires, me vas a matar. 15 poemas largos a modo de autobiografía.* La contratapa del volumen incluye dos breves comentarios de Mario Benedetti y de Noé Jitrik.

La UNESCO y Siglo XXI —de México—, publican el volumen *América Latina en su música*, coordinado por Fernández Moreno.

En el mismo año, y con el mismo sello editorial se publica *África en América Latina*, con coordinación de Fernández Moreno.

Publica en la revista *El Correo de la UNESCO* el artículo "Le premier tango à Buenos Aires".

1978

Retorna a París. Allí se convierte en redactor en jefe de la revista *Culturas* (de la UNESCO), cargo que mantendrá hasta 1982.

1979

La *Revista de la Unión de Escritores y Artistas de Cuba* publica en su nº 1, la charla —realizada el 20 de septiembre de 1977— "Sobre la poesía conversacional en América Latina", que tiene como interlocutores a C.F.M. y Roberto Fernández Retamar (más tarde incluida en Retamar, R. F. (comp.),.*Para una teoría de la literatura hispanoamericana*, La Habana, Editorial Pueblo y Educación, 1984).

La editorial Holmes & Meier —de Nueva York— publica *Latin America in its Literature*.

La UNESCO —en París— publica *L'Amérique Latine dans sa littérature*, con traducción de Claude Fell.

La editorial Perspectiva —de San Pablo— publica *América Latina em sua literatura*.

La editorial Literackie Krakow —de Cracovia—, publica en dos volúmenes *Amerika Lacinska W Swojej Literaturze*.

1980

Las Imprimeries Reunis de Chambéry y la UNESCO publican en París *L'Amérique Latine dans son art*.

1981

En febrero, la revista mexicana *Plural* publica en su n.º 125 el poema "Escrito con un lápiz que encontré en La Habana", ganador del "Premio Plural de Poesía 81".

Por su parte, la prestigiosa revista francesa *Les temps modernes,* dirigida por Jean-Paul Sartre, publica "Argentine entre populisme et militarisme" (n.ᵒˢ 420-421 de julio-agosto), un voluminoso *dossier* preparado por César Fernández Moreno y David Viñas. En él es neta la oposición a los regímenes militares y al totalitarismo de los mismos y se ilustran diversos aspectos políticos y culturales de la vida argentina.

1982

Se desempeña como profesor de literatura latinoamericana en la Universidad de Caen (Normandía), cargo que mantendrá hasta 1983.

El Centro Editor de América Latina publica en marzo una nueva edición de *Argentino hasta la muerte,* precedida por un prólogo del poeta y crítico Eduardo Romano.

Las ediciones de Casa de las Américas publican en Cuba *Buenos Aires, me vas a matar. 15 poemas largos a modo de autobiografía.*

Ediciones de la Flor publica *Sentimientos completos,* algo así como los poemas que C.F.M. deseaba conservar a la fecha de aparición de ese libro. El conjunto presenta numerosas modificaciones respecto de ediciones anteriores. El volumen se abre con un extenso prólogo en el cual F.M. se refiere a su obra y a su metodología de trabajo, entre otras cuestiones.

Lo singular de César Fernández Moreno es lo aluvional de su escritura, su tono narrativo, al borde mismo de la prosa, su multitud de referencias al lenguaje publicitario y periodístico, la presencia constante del humor. Su poesía aparece ubicada en las antípodas del precepto de Valéry reivindicado por mucho de sus contemporáneos: reservar para la poesía lo que no puede ser expresado por ningún otro medio. Transacción entre lenguajes diversos, esta poesía de tono medio

—o este tono medio de su poesía— es su respuesta a la pregunta genealógica: quiénes somos, de dónde venimos.

Samoilovich, Daniel. "La aventura y la herencia", reseña a *Sentimientos completos,* en la revista *Punto de Vista,* Buenos Aires, año IV, nº 14, marzo-julio de 1982.

1983

Eduardo Romano, dentro de su volumen de ensayos *Sobre poesía popular argentina* (Buenos Aires, Centro Editor de América Latina), incluye "Teoría y práctica poéticas en César Fernández Moreno".

1984

Con dirección de Claude Fell, concluye su tesis de doctorado en literatura por la Universidad de la Sorbonne Nouvelle, París III; su tema y título es "Poesía existencial en América Latina".

La revista *Casa de las Américas* (nº 145-146), en el marco de la edición dedicada al recientemente desaparecido Julio Cortázar, publica un artículo de César, escrito en París, durante marzo de ese año.

Los que hemos vivido fuera de la Argentina lo hemos sabido en cuerpo y alma. Necesitamos una patria, no podemos vivir sin ella. Y cuando no podemos vivir con ella, volcamos ese amor vacante en otros proyectos de patria. Pero sólo uno de esos proyectos es verdadero: el de la patria grande, el de la América Latina, que no quita sino que agrega al proyecto originario, que no llamaré el de la patria chica, sino el de otra patria también grande, la Argentina.

Fernández Moreno, César, "Un argentino irreductible" en *Casa de las Américas,* La Habana, año XXV, nº 145-146

Lleva a cabo una última visita a Argentina, luego de casi una década de ausencia.

El gobierno radical lo designa Agregado Cultural de la embajada argentina en Francia.

El 13 de noviembre realiza el discurso de apertura del coloquio internacional convocado por la Universidad de Toulouse-Le Mirail (Francia) a propósito del tango y de Carlos Gardel. Su participación, "Quelques approches du tango", está contenida en las actas del coloquio, publicadas en 1985.

1985

Muere en mayo en París.

"Mientras siga argentino pero no muerto/ mientras no llegue ese momento letal, perdonador/ patria mía, tenés que dejarnos vivir…"

César Fernández Moreno —quien fue un muy destacado poeta y crítico y, desde el año pasado, agregado cultural de la Argentina en Francia, con rango de ministro— libró esa apuesta vital hasta el último aliento: el que lo sorprendió en la mañana de ayer, mientras cumplía una revisión médica en el parisino hospital Lariboiserie. Un colapso cardíaco lo tomó desprevenido.

La noche anterior había regresado de Cannes, al sur del país, donde asistió a la proyección de *La historia oficial* en el marco del Festival Cinematográfico que allí se celebra. Y en París había participado de una cena junto a Ernesto Sábato. Entretanto, preparaba un nuevo poemario: *Contrapunto*.

Madrazo, Jorge Ariel, Noticia necrológica publicada en el diario Clarín el 18 de mayo de 1985.

A modo de homenaje, la revista *ESPACIOS de crítica y producción*, de la Facultad de Filosofía y Letras de la U.B.A. (nº 2), publica un fragmento de la tesis de doctorado de César Fernández Moreno.

Este mismo año, las Ediciones del Centro Cultural Argentino,

de París, publican una *Anthologie*, de Edgar Bayley, prologada por
César.

1989

El Centro Editor de América Latina publica, con el número
47, dentro de la serie "Los Grandes Poetas", el fascículo *Buenos Aires me vas a matar y otros poemas*, seleccionado y prologado por
Eduardo Romano, con ilustraciones de Juan José Cambre.

1990

En su número de agosto, la revista *Diario de Poesía* publica el ensayo "La Argentina de *Argentino hasta la muerte* ", de Adolfo Prieto.

> *Argentino hasta la muerte* arranca de la fundación de un mito
> y concluye en la descripción de un presente conflictivo. En
> Guido y Spano, el mítico Buenos Aires criollo se retiraba pa-
> ra ocultarse de la tumultuosa masa de inmigrantes que venía
> a disputarle su espacio y sus estatutos mismos de legitima-
> ción. En Fernández Moreno, la Argentina mítica del crisol
> de razas y del sueño recitado en el Preámbulo de la Consti-
> tución nacional, se contrae en un gesto que denuncia el
> avance de incómodos signos de contradicción, de signos que
> amenazan subvertir, desde dentro, la tersa superficie de una
> realidad verbalmente apropiada.

> Prieto, Adolfo, "La Argentina de
> *Argentino hasta la muerte*", en *Diario de Poesía*,
> Buenos Aires, año 4, nº 16, agosto de 1990.

1991

En octubre, la revista *Diario de Poesía* (año 5, nº 20) dedica su
tradicional *dossier* a César Fernánez Moreno. El mismo incluye una
presentación y entrevista (ambas de Jorge Fondebrider), un artícu-

lo sobre los primeros poemas de César (de Rodolfo Edwards), otro
sobre las diferencias entre la teoría y la práctica poética en César
(de D. G. Helder), otro sobre el fragmentarismo de los "ambages"
como desprendimiento del sencillismo paterno (de Jorge Ricardo
Aulicino), un análisis sobre el poema "Beatrices" (de Susana Ce-
lla), una síntesis de la correspondencia entre Fernández Moreno y
Eduardo Romano (firmada por este último) y un análisis sobre *La
realidad y los papeles* (de Martín Prieto). El *dossier* se completa con
una cronología y con la presentación de algunos de los poemas
que integran *Conversaciones con el viejo*.

1992

Ediciones de la Flor publica en forma póstuma *Ambages completos,* que reúne las ediciones de 1972 y 1976, y suma otros nuevos.

Dividido por su autor en nueve categorías, *Ambages* es sin embargo más que la suma de sus partes. Encierra toda una actitud ante la vida o, más bien, un conjunto de actitudes en las
que desempeñan equivalente papel la cabriola ocurrente y la
gravedad filosófica. Todos sus ambages son el resultado de su
experiencia individual pero, al mismo tiempo, todos ellos
deslavan los lindes entre autor y lector planteando cada ambage —como había sugerido Bacon— como una labor en colaboración.

Marval-McNair, Nora de. "Aforismos de eco múltiple
en *Ambages* de César Fernández Moreno", en *INTI
Revista de Literatura Hispánica,*
Providence, Rhode Island, nº 21, 1985.

Surge de este conjunto de definiciones una imagen contradic-
toria, brevedad, concentración, pero a la vez, rodeo, elusión.
No creo que César Fernández Moreno no haya advertido la
paradoja. De todas maneras, y para señalar el mecanismo de
construcción, basado en formas populares de sintaxis (esto es,
un mecanismo rutinario, desde el cual se disparan los ambages como esas cápsulas que los gremlins expulsan al ser moja-

do su pelaje, y de las que nacerán pequeños demonios), el autor crea cuadros sinópticos, planillas de ambages; ambages que nacen de la misma palabra y por lo tanto se vinculan gráficamente a ella con una llave. Esto es, la conciencia de que esas "células o vacuolos" pueden unirse creando cuerpos mayores en la superficie del habla cotidiana. Artefactos flotantes de poesía en un mar indiferenciado de palabras comunes.

Aulicino, Jorge Ricardo, "Un hijo macho",
en *Diario de Poesía, op. cit.*

En César Fernández Moreno, el padre es un pejillo cribado donde se filtra y lava el oro de la figura del hijo. La poesía cae allí, como la divinidad sobre Dafne: todo más allá de las explicaciones falaces y de las vueltas y revueltas que significan los "ambages".

Carrera, Arturo, "Vanidades de especie", reseña a
Ambages completos, en el suplemento Primer Plano,
del diario *Página/12,* Buenos Aires,
13 de diciembre de 1992.

ÍNDICE

OBRA POÉTICA